一本书读懂投资理财学

Read A Book to Learn Investment

李昊轩◎著

投资理财的最大目的是积累财富，创造更大收益！

理财改变命运 · 投资赢得财富

投资有方，理财有道，你不理财，财不理你，你若理财，财可生财。

中国華僑出版社

图书在版编目（CIP）数据

一本书读懂投资理财学 / 李昊轩著. — 北京：中国华侨出版社，2010.7

ISBN 978-7-5113-0566-4

I. ①一… II. ①李… III. ①投资 — 基本知识 IV. ①F830.59

中国版本图书馆CIP数据核字（2010）第142642号

• 一本书读懂投资理财学

著　　者 / 李昊轩

责任编辑 / 梁　谋

经　　销 / 新华书店

开　　本 / 787×1092毫米　16开　印张 / 18.5　字数 / 250千

印　　刷 / 北京中振源印务有限公司

版　　次 / 2010年9月第1版　2012年11月第2次印刷

书　　号 / ISBN 978-7-5113-0566-4

定　　价 / 32.00元

中国华侨出版社　北京市安定路20号院3号楼305室　邮　编：100029

法律顾问：陈鹰律师事务所

编辑部：（010）64443056　传真：（010）64439708

发行部：（010）64443051

网　址：www.oveaschin.com

E-mail：oveaschin@sina.com

前言

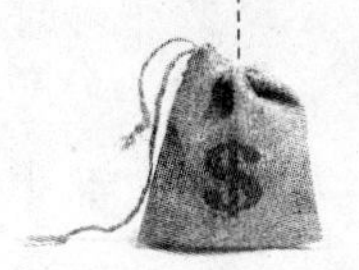

老一辈人说："吃不穷，用不穷，不会盘算一世穷。"

当代人也说："你不理财，财不理你，理财要趁早！"

毋庸置疑，金钱已经成为这个时代的最强音符。而衡量我们人生价值的尺度也被大多数人以获取金钱的多寡作为普遍标准，金钱的意义已经远远跨越了金钱本身。

纵观在财富的王国里，当盖茨、巴菲特、索罗斯等大亨相继雄霸天下的时候，女人看到的是魅力，男人露出的则是向往。环顾我们的四周，看着周围的人一个个暴富起来，我们是不是应该有必要坐下来好好检讨一下自己：同一个生存空间，同一个时代，同样的起点，同样的机遇，为什么他们能够先富起来？下一步我们又怎样才能摆脱贫困？

你现在，仍然为这些问题所困扰吗？那么，赶紧树立或改变你的金钱观念吧！因为现在越来越多的人已经发现，积累财富不能只靠工资，而要靠理财。世界上每一个富豪的诞生，都和"理财"这两个字息息相关。可以说，理财是财富积累和增值的最佳手段。股神巴菲特就曾经说过："一个人一生能够积累多少财富，不是取决于你能够赚多少钱，而是取决于你是否能够投资理财。毕竟钱找钱胜过人找钱，要懂得钱为你工作，而不是你为钱工作。"巴菲特也正是秉持着这种财富理念，以100美元起家，靠着非凡的智慧和理智的头脑，在短短的40多年间创造了400多亿美元的巨额财富，最终向世人演绎了一段从平民到世界巨富的投资传奇。

对于个人而言，过去错过的机会已然错过，失去的财富已成昨日黄花，现在最关键的则是：要立即行动起来，学会理财，做一个真正的富人。要知道，穷虽不是一种耻辱、罪过，但这毕竟不是什么美德，不是什么荣耀，更谈不上有多光彩；你可以不敌视贫穷，可以不蔑视贫穷，也可以不亵渎贫穷，但一定要拒绝贫穷，更拒绝做一个穷人。

因此，当我们明白了这样的一点，对于投资理财你还有抗拒的理由吗？当然，投资理财不是一时冲动，不是投机取巧，也不是凭借运气，而是一种恒心，一种智慧，一种和时间赛跑战胜自我的毅力，是每个人通过学习和实践都可以掌握的一门学问，一门艺术。对于生活中的每个人而言，都非常有必要下苦功夫钻研“投资理财”这门学问，并掌握其精髓。

谚语有：世界是不变的，唯一可以改变的是我们自己。实质上，我们每个人都有成功的潜质，只要你拥有了正确的理财观念，富有和成功乃是人生的必然。

本书以实用性和趣味性为原则，并结合详实的投资案例，系统而全面地讲述了生活中与普通人密切相关的投资理财知识，为人们学习如何成功投资提供了切实可行的帮助。此外，本书中还详细讲述了最常用的投资理财品种，从储蓄、债券、基金、保险、股票、外汇、期货、信托、黄金、房地产、典当、收藏再到实业投资，涵盖了我们生活中最主要的投资方向。同时，书中还详细介绍了如何规避风险的方法，以保障你的投资理财进行得更理性、更安全。

希望那些渴望获取金钱的人们，通过阅读本书掌握这项基本的生活技能——既会赚钱，还会理财，能够利用金钱来赚取更多的财富，并从中得到快乐、得到满足。

相信在本书中，每个人都可以找到自己成为富人的途径。从本书开始，从现在开始，启动你的创富计划吧！

Read A Book to Learn
Investment

目录

基础理念篇：揭开投资理财的大学问

金融投资理财篇：把握最有效的金融投资理财工具

收藏投资理财篇：挖掘收藏中的金矿

自主创业篇：我的地盘我做主

一本书读懂
投资理财学

基础理念篇

揭开投资理财的大学问

Read A Book to Learn
Investment

投资理财须知的基础理念

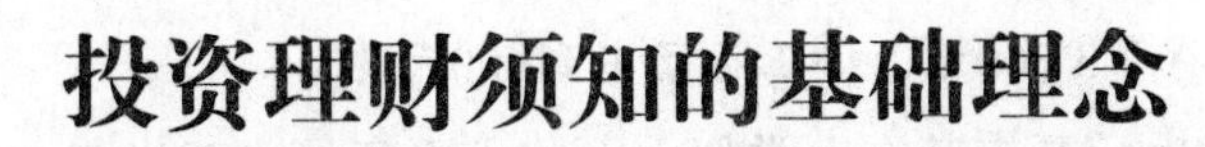

别让“等有了钱再说”误了你的“钱程”

最新的数据表明，现在的银行存款总额已经超过了15万亿元人民币，尽管目前处于“负利率”时代，但老百姓认为“更多储蓄最合算”的仍然占到了38.5%。显然，这种观念和中国传统的谨慎、保守的金钱观是分不开的。

此外，生活中还有这样一种观念：认为理财是有钱人的事情，有钱人才需要理财。在很多人的脑海中，一说到理财就会联想到银行理财顾问为有钱人汇报每年的资产收益。很多年轻人一提及理财的话题，最常听到的说法就是“我无财可理”。乍一听，似乎觉得这话有理，年轻人刚刚从学校毕业，工资不高而开销不低，这就使得年轻人成了“月光族”，甚至出现了透支好几张信用卡的事。理财似乎离他们很遥远，真的是这样吗?

事实上，越是没钱的人越需要强化自己的理财观念。譬如你身上仅有1万元人民币，但因为理财错误，造成财产损失，你的生活很可能会出现许多问题，而对于那些拥有百万、千万、上亿“身价”的有钱人而言，即使理财失误，损失部分财产也不会对其生活造成质的影响。因此，必须先树立一个观念，不论贫富，理财都是伴随人生的大事，而且越是收入低的人就越输不起，对理财更应以严肃而谨慎的态度去对待。

小王，本科毕业，参加工作刚半年，每月的工资是2 600元；小刘，专科

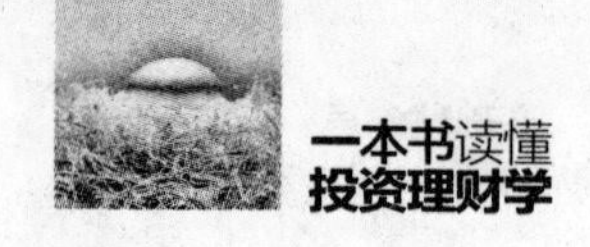

毕业，也是刚参加工作，每月工资是1 500元。他们在生活支出上基本相符，都是单身，除去一些基本消费，只是偶尔和朋友一起聚会的消费支出。

如果单纯按照收入来比较的话，小王每月的收入比小刘多，他应该比小刘更具备理财的条件。可事实并非如此：他们两人工资均是每月月初单位开支，结果半年后，小刘存了3 300元，小王存了不到600元。

很奇怪的现象吧？既然生活开支基本上类似，而收入更高的小王半年之后却只存下了不到600元。这并不是因为小刘有其他的收入，而是小刘更懂得计划自己的收入和支出。让我们分析一下他们各自的财务情况：

小王在衣食住行上的开销都要高出小刘，除去这些基本消费，在旅行、健身、购置自己喜爱的电子产品方面还有一笔支出，粗略算下来，基本消费加上娱乐消费，小王的2 600元月收入所剩无几。

而小刘虽月收入不高，但一切从简，基本消费只有800元，又没有抽烟喝酒等其他嗜好。加上其他消费，小刘每月的开销大概在900元左右，半年能节余3 600元，除去一些别的开销，小刘半年下来存了3 300元。

也许有人会认为小刘这样做只是节约而已，只要小王也能节约一点，半年下来存款一定会比小刘多。有人甚至会不认可小刘的做法，认为他太抠门儿、太过分了！这叫什么生活，而认为小王的做法更为潇洒。如果你也有这样的想法，那么你需要改变思维。任何一个懂得理财的人都知道，收入高低和理财能力两者是无关的事情。

其实，在我们身边，一般人光叫穷：时而抱怨物价太高，工资收入赶不上物价的涨幅，时而又自怨自艾，恨不能生在富贵之家，或有些愤世嫉俗者更轻蔑投资理财的行为，认为那是追逐铜臭的“俗事”。殊不知，这些人都陷入了矛盾的思维当中——一方面深切体会金钱对生活影响之巨大，另一方面却不屑于追求财富。

可见，对于生活在现实生活中的我们而言，既知每日生活与金钱脱不了关系，就应该正视其实际的价值。当然，若过分看重金钱亦会扭曲个人的价值观，成为金钱的奴隶。

1 000万元有1 000万元的投资方法，1 000元也有1 000元的理财方式。对于绝大多数的工薪阶层而言，你们的理财之路可以从储蓄开始累积资

金。可以先按照这样的计划，无论你的收入多少，每月都将收入的10%存入银行，而且保持“不动用”、“只进不出”的原则，如此才能为聚敛财富打下一个初级的基础。假如你每月薪水中有500元的闲散资金，在银行开立一个零存整取的账户，利息不计算在内，20年后仅本金一项就达到了12万元。由此可见，“滴水成河、聚沙成塔”的力量不容忽视。

总而言之，不要忽视小钱的力量，就像零碎的时间一样，懂得充分运用，随着时间的推移，自然会显示出其惊人的效果。因此，年轻人在理财的过程中，最容易犯的错误就是好高骛远，总在幻想自己能一夜暴富，而理财是以后的事情。其实不然，只有在脚踏实地慢慢地积累和投资的过程中，不断提高自己的理财能力，才是正确的观念。从现在开始理财，别拿没钱当借口，其实你可以理财，这是你人生中最不该逃的一课。

 明明白白理财，轻轻松松生活

在目前阶段，储蓄仍然是大部分人传统的理财方式。但是将钱存入银行，在短期内虽然是最安全的，但是从长期来看却是一种非常危险的理财方式。你或许会对这种说法感到很诧异吧？其实存款到银行最大的弊端就在于利率太低，非常不适合个人作为长期投资工具使用。我们假设一个人每年存入银行1.4万元，享受平均5%的利率，40年之后他就可以累积169万元。但是这个结果与投资报酬率为20%的项目相比较，两者收益相差达70多倍。更何况，货币价值还有一个隐形杀手——通货膨胀。在通货膨胀5%之下，将钱存在名义上利率约为5%的银行，那么实质报酬等于零，这样也就是说，你的钱实际上已经贬值了。

《圣经》上有一则劝人善加投资理财的故事：犹太大地主马太有一天要外出远游，便将他的财产托付给三位仆人保管。他给了第一位仆人5 000金币，第二位仆人2 000金币，第三位仆人1 000金币。马太告诉他们，要好

好珍惜并善加管理自己的财富，等到一年后他将会回来。

马太走后，第一位仆人将这笔钱作了各种投资；第二位仆人则买下原料，制造商品出售；第三位仆人为了安全起见，将钱埋在树下。

一年后，马太如约回来了，第一位仆人手中的金币增加了3倍，第二位仆人的金币增加了一倍，马太甚感欣慰。唯有第三位仆人的金钱丝毫未增加，他向马太解释说："唯恐运用失当而遭到损失，所以将钱存在安全的地方，今天将它原封不动奉还。"马太听了大怒，并骂道："你这愚蠢的家伙，竟不好好利用你的财富。"马太拿回了金币，赏给了第一位仆人。

这个故事就是著名的马太效应。故事中第三位仆人受到责备，不是由于他乱用金钱，也不是因为投资失败遭受损失，而是因为他根本没有好好利用金钱来投资。这个故事表明，古人在很早的时候就懂得重视投资理财。

有句俗话说"人两脚，钱四脚"，意思是钱有四个脚，四个脚跑得比两个脚要快，这样也就是说钱追钱要比人追钱快得多了。

相信吉姆·罗杰斯（Jim Rogers）这个名字对于中国人来说并不陌生，一个在10年间赚到足够一生花用的财富的投资家，一个被股神巴菲特誉为对市场变化掌握无人能及的趋势家，一个两度环游世界的梦想家。

吉姆·罗杰斯21岁开始接触投资，之后进入华尔街工作，与索罗斯共创全球闻名的量子基金。1970年，该基金成长超过4 000%，同期的标准普尔500股价指数才成长不到50%。吉姆·罗杰斯的投资智能已得到数字证明。

从口袋只有600美元的投资门外汉，到37岁决定退休时的世界级投资大师，吉姆·罗杰斯用自己的故事证明，投资可以致富，理财可以改变命运。

对于个人或家庭来说，投资理财的根本目的是使自己的财产保值增值。我们提倡科学理财，就是要善用钱财，使自己的财务状况处于最佳状态，满足各层次的需求，从而拥有一个幸福的人生。

因此，一个人一生能够积累多少财富，不是取决于你赚了多少钱，而是你将如何投资，如何用钱赚钱。致富的关键在于如何开源，而非一味地节约。试问，这世界上又有谁是靠省吃俭用一辈子，将一生的积蓄都存进银行，靠利息而成为知名富翁的呢？

人们常说犹太人是世界上最为出色的商人，他们经商的独特之处就

在于他们即使有钱也不会存在银行里。他们很清楚这笔账：把钱存在银行里确实可以获得一笔利息收入，但是由于物价的上涨等因素，基本上使得银行存款的利率几乎是与之相抵消了的，甚至是负增长。所以，犹太人有钱了一般多是投资实业，要么放贷。他们是绝对不会将钱放在银行里“睡觉”的。犹太人这种“不做存款”的秘诀，其实正是一种科学的资金管理方法。在中国也同样有这样一句俗语叫做“有钱不置半年闲”，这就是一句很有哲理意味的理财经，指出了合理地使用资金，千方百计地加快资金周转速度，用钱来赚钱的真谛。

在中国也有这样的一个年轻人，他没有任何家庭背景，最高的学历也只是大专学历。他从月薪800元的工作开始，只用了短短的5年时间，就成为拥有3套房产，净资产200多万元的80后百万富翁。

这位年轻人就是项建庭，他在20岁时（2001年），也就是在读大专的时候，因为在校外租房时感受到房价快速上涨，有理财意识的他在父母的资助下买下了自己的第一套房。虽然是50平方米的小居室，但这是他走向独立生活的开始。随着房价的上涨，他得到了自己的第一笔财富。

毕业后他从事房地产工作，虽然工资不高，月薪仅800元，但尝到了甜头的他还是在2003年初，和女友一起买下了第二套房子，并用第一套房子的租金归还第二套房子的贷款。2003年底，又买了第三套房子。

随着房价的大幅攀升，他的三套房产也日益增值，总价值早已超过200万元。而很多与他年龄相仿的新白领青年，却还在做着“月光”一族。

项建庭早已经开始了定期定额的养老投资，2003年他就投资开放式基金，每个月用200元到500元不等，分散地投资于不同的基金。目前项建庭已经把眼光扩展到了国际市场，他还打算进一步投资欧洲和美国的基金。

尽管项建庭与他的同龄人有着相同的起点，但他们在财富上的差距却在拉大，今后还会越来越大。按照项建庭自己的说法，差距不过在于面对金钱的态度，理财可以改变人生。

项建庭的致富故事，有一定的运气成分，因为他正好赶上房价的大涨时期，但更多的还是因为他的理财意识和对机遇的把握。不少人也遇到了同样的机会，但是却没有像项建庭一样富起来。这就是由于理财意识和观

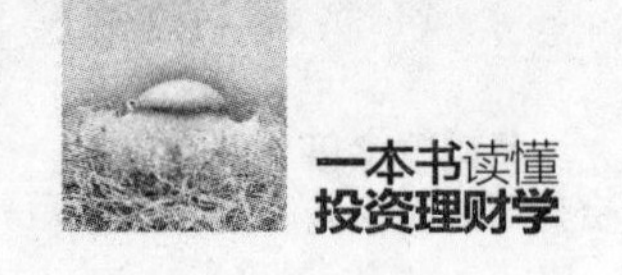

念的差距使然。

积累财富不能靠工资，而是靠投资理财

对普通人来讲，靠工资永远富不起来，只有通过有效的投资，让自己的钱流动起来，才能较快地积累起可观的财富。

一般来说，创造财富的途径有两种主要模式：第一种是打工，目前靠打工获取工薪的人占90%左右；第二种是投资，占总人数的10%左右。

一些专业人士对创造财富的两种主要途径进行了分析，发现了一个普遍的结果：如果靠投资致富，财富目标则比打工的要高得多。例如具有“投资第一人”之称的亿万富豪沃伦·巴菲特就是通过一辈子的投资致富，财富达到440亿美元。还有沙特阿拉伯的阿尔萨德王储也通过投资致富，他现年才50岁，但早在2005年，他的财富就已达到237亿美元，名列世界富豪榜前5名。

通常来说，在个人创造财富方面，比起投资，打工能够达到的财富级别十分有限。但打工所要求的条件和“技术含量”较低，而投资创业需要有一定的特质和条件，因此绝大多数人还是选择打工并获取有限的回报。但事实上，投资是我们每一个人都可为、都要为的事。从世界财富积累与创造的现象分析来看，真正决定我们财富水平的关键，不是你选择打工还是创业，而是你选择了投资致富，并进行了有效的投资。

通用电气前总裁杰克·韦尔奇号称“打工皇帝”，他年薪超过千万美元。巴菲特是世界“投资第一人”。我们可以通过这两个典型人物的财富对比，来揭示打工致富与投资致富的区别。巴菲特40多年前创建伯克希尔·哈撒韦公司的时候，仅投入1.5万美元，后来通过全球性多样性的投资，成为世界上最有钱的人之一。韦尔奇拥有超过4亿美元的身价，与巴菲特的440亿美元财富相比，就显得太少了。可见致富方式选择的差别，最终

决定了韦尔奇与巴菲特之间存在着那么遥远的财富距离。

贫富的关键在于如何投资理财。巴菲特说过：一生能积累多少财富，不取决于你能够赚多少钱，而取决于你如何投资理财。亚洲首富李嘉诚也主张：20岁以前，所有的钱都是靠双手勤劳换来的，20~30岁之间是努力赚钱和存钱的时候，30岁以后，投资理财的重要性逐渐提高。李嘉诚有一句名言："30岁以前人要靠体力、智力赚钱，30岁之后要靠钱赚钱（即投资）。"钱找钱胜过人找钱，要懂得让钱为你工作，而不是你为钱工作。为了证明"钱追钱快过人追钱"，一些人研究起了和信企业集团（台湾排名前5位的大集团）前董事长辜振甫和台湾信托董事长辜濂松的财富情况。辜振甫属于慢郎中型，而辜濂松属于急惊风型。辜振甫的长子——台湾人寿总经理——辜启允非常了解他们，他说："钱放进我父亲的口袋就出不来了，但是放在辜濂松的口袋就不见了。"因为，辜振甫赚的钱都存到银行，而辜濂松赚到的钱都拿出来作更有效的投资。结果是：虽然两个人年龄相差17岁，但是侄子辜濂松的资产却遥遥领先于其叔叔辜振甫。因此，人的一生能拥有多少财富，不是取决于你赚了多少钱，而决定于你是否投资、如何投资。

当然，投资有风险，投资未必能致富，但如果你不投资，则致富的机会为零。有关投资理财最重要、最有价值的观念是："投资理财可以致富。"

有了这种观念和认识至少可以让你有信心、有决心、充满希望。不管你现在拥有多少财富，也不管你一年能省下多少钱、投资理财的能力如何，只要你愿意，你都能利用投资理财来致富。

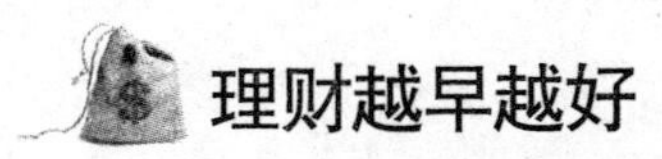

理财越早越好

生活告诉我们应该及早认识世俗。

实际上，世俗就是现实，就是凡事都要从实际出发来思考问题。你应该及早地认识到一份稳定且收入不菲的工作、一套属于自己的房子、一款自己的私车等，是你追求安定幸福生活的基础条件。

在国外，许多小孩子从他们入学起就开始理财方面的学习和培训。国外的许多成功人士，他们从小就具有了很强的理财意识，在他们很小的时候就已经开始了理财活动，如存钱、打工、投资证券等。美国著名的股神巴菲特从几岁开始送报赚钱，到10岁多一点就开始投资股票，得以成为最成功的投资者和富可敌国的全球首富之一，相信他的这种成功绝对和他从小就开始理财是有莫大关系的。因此，生活中投资理财势必会成为家庭生活的主要任务之一。特别是家庭中的孩子，更应该向别人学习，成长为一个自强自立的现代人。认识世俗就是要你自己变得现实起来，充分认识钱在人生中的意义，与金钱交朋友。

在日常生活当中，做好家庭收入预算能保证你的钱能够得到合理使用，使家人满意地分享这笔收入。预算不应该约束你的行动，也不是让你毫无目的地记录开销，它是让你经过精心地计划，帮助你物有所值，把钱花在刀刃上。比如你想置一个新家，缴孩子们上大学的费用、家人的养老保险金，想实现盼望已久的度假。合理的预算会让你梦想成真，它会告诉你，怎样节省不必要的花销，以应付必要的大笔投资。

如果你想成为家庭预算高手，就应该多看看那些生活类杂志，那里面有许多相关的经济知识。它会告诉你，怎样利用旧衣服、怎样制作出物美价廉的点心、怎样制作家具等。另外，附近的银行开设了一种免费预算咨询服务，他们会根据你家庭的需要，告诉你如何做出符合自己实际情况的预算。这项计划是专门为你订制的，对其他家庭并不适合。因为，你的财务问题就像你的身材和面孔一样，是独此一家的。其他家庭的情况和你的情况是不一样的。所以，这种预算的计划价值也就更高。

下面的一些建议将帮助你更好地做家庭预算：

1. 记录每笔开支

对支出的情形有个彻底的了解，这是十分有用的。因为我们必须知道自己错在哪里，否则，就不能改进自己的计划。如果我们不知道何处的支出应该适当减少，以及为何要减少开支，节约就是毫无意义的。所以，必

须在某一时期（至少3个月）把所有的家庭开支都记录下来。

我们应该做的是：列出家里一年的固定开销，比如房租、生活费、水电费和保险金等，然后列出其他方面的必要开支，如买衣服的费用、交通费、医药费、教育费、礼金等。一定要切实地根据家庭的需求进行预算。有时候，预算是要有严格的自制力的，谁都知道，这是一件很难做到的事，因为我们买不下所有的东西。但是，我们至少应该明白，有哪些东西是必需的，然后舍弃那些不是很需要的东西。你是否能为拥有一个温馨的家而放弃购买昂贵的衣服呢？你愿意自己做衣服以省下钱来买一台电视机吗？很明显，是否要这样做都需要你和你的家人来决定。

2. 每年储蓄10%的收入

理财专家建议我们，尽管物价持续上涨，但是，如果你能节省十分之一的收入，几年之后，你就能过上比较宽松的经济生活了。所以，把你自己的固定开销的10%存起来，或者投资在别的地方，还可以想办法储存一笔用来买车子或房子的资金。

3. 准备一笔资金应急

很多财务专家都开始警告年轻的家庭：至少要存下3个月的收入才能应付紧急突发的事件。但是，要一次存很多钱是不太容易的。如果一次存200元，然后几个月以后再存钱，那样压根儿就存不了多少钱，与其时断时续地存钱，倒不如每月固定存下50元或100元的效果来得明显。

4. 经过家庭讨论之后再进行预算

理财专家认为，只有全家人支持的预算计划才真正有效。由于每个人都对金钱持不同态度，还会受到教育程度和经验的影响，所以，预算应该经过家人的集体讨论才行，以消除每个人与他人在意见上的不同之处。

5. 寿险至关重要

你知道人寿保险可以为你的家人提供哪些基本需要吗？你知道一次性付款和分期付款有哪些不同之处和它们都有什么好处吗？你知道有哪些不同的付款方式吗？你知道现代人寿保险有哪两个意义吗？这些和许多其他的问题对于你的家庭都十分重要，不光你的丈夫应该知道这些答案，你也应该知道这些答案。如果一个男性意外身亡，他的家庭可以得到人寿保险提供的最低生活保障；如果他还活着，人寿保险可以给他提供能颐养天年的特别资金。如果有一天，你的丈夫不幸去世，你的难题就会由你所了解的人寿保险知识去帮助解决。

理财不能等，现在就行动

“我还年轻，不需要理财”，或是“等我赚了大钱再说”等等，这样的观点在一般投资者中非常流行，很多投资者都认为理财不着急，我有的是时间，等有时间的时候再说，其实这是错误的。

马先生在一家外企上班，属于白领一族，可都上班几年了，还没有存款，更别说房子、车子。一次马先生的父母生病，需要大量的钱，可是他却一分钱都拿不出来，家里人都很奇怪，毕竟他工作这么多年了。还好马先生的人缘好，就借了些钱。事情总算过去了，亲戚朋友都劝他，你应该学着理财了，但他却理直气壮地说：“不急，我还年轻，等以后再说吧！”

孙先生在外工作好几年了，今年结婚时，结婚的钱都是双方父母拿的，就连买房子的首付都是父母给的，那剩下的钱就应该自己付了，小两口收入还可以，可是过惯了有多少花多少生活的他们，一到月底还贷，就抓瞎了，刚开始父母给垫上，可也总不能这样呀！后来他俩干脆一发工资就还贷，这样几年下来，他们除了按时还贷，手头还是一分钱都没有。父母劝说他俩应该学着理财，不然以后有了孩子怎么办，他俩总说：“不急，慢慢来，等我们赚了大钱再学理财，现在没有钱，怎么理呢？”

可见，怎样理财，怎样理好财，是每个人都应关心的话题，更是现今投资者需要学会的。现代社会，把新的理财理念融入到你的理财计划中，更会使你的理财规划如虎添翼。

1．健康即省钱

有道是“健康是福”，身体健康自然就能省下一大笔医疗费用。相

反，如果不懂得爱惜身体而一味节省，这样无疑会步入一种“贪小失大”的误区。而且，现在医疗费用偏高，一旦身体不适，去医院诊疗一次少则几百元，多则上千元。若患上重病，可能会将你多年的积蓄一扫而光，严重的甚至还有破产的危险。所以，我们应在健康上多做一些投资，唯有健康才是你最大的财富。

2. 平安就是赚钱

生活中，平安不仅是一种福气，从理财的角度讲更是一种有效的策略。从居家到外出，从大人到小孩，从用电到用火，从骑车到走路……所有这些都应该做好安全防范工作，特别是不能为了省钱而将就。实际上，在安全上不出问题就等于抱了一个“金娃娃”。

3. 不贪不破财

现在行骗的伎俩可谓花样翻新、层出不穷，各种骗子往往打着各种诱人的幌子。因此，要使自己免受财产损失，就应该保持警惕，尤其是对那些类似“双簧”的把戏更应保持高度警觉。“天上不会掉馅饼”，只要明白了这个道理，你就不会上当受骗，也不会因为这样的低级错误而破财。

4.“发现”等于发财

理财过程中还应该善于发现，一旦有所发现就会给你一个惊喜。特别是在如今收藏之风日盛的阶段，诸如钱币、字画、古董、家具、古籍……这些“老玩意”你一旦发现其身价，基本上就等于挖到了一个金元宝。因此，在家庭理财的过程中，随时注意查看一下家里的“老底”，理理角落那些不起眼甚至是积满灰尘的东西，说不定你就会有意外的发现。

会挣钱不如会理财

一个人，如果每年收入20镑，却花掉20镑6便士，那将是一件最令人痛苦的事情。反之，如果他每年收入20镑，却只花掉19镑6便士，那就是一件

令人高兴的事。你或许会说："这个道理我懂，这叫节约。就像吃蛋糕，蛋糕吃完了就没有了。"但是知道是一回事，能不能身体力行又是另外一回事，很多人就是在明知道这个道理的情况下破产的。

生活中，有很多人都会有这样的想法：我的收入高，理财对于我来说是无所谓的事情。当然，如果你有足够高的收入，而且你的花销不是很大的话，那么你确实不用担心没钱买房、结婚、买车，因为你有足够的钱来解决这些问题。但是仅仅这样你就真的不需要理财了么？要知道理财能力跟挣钱能力往往是相辅相成的，一个有着高收入的人应该有更好的理财方法来打理自己的财产，为进一步提高你的生活水平，或者说为了你的下一个"挑战目标"而积蓄力量。

赵小姐在一家私企工作，经过几年的拼搏，手上总算攒了些钱，可是要想买车，买房子就明显不够了。看着身边的人都在用自己空余的时间理财，赵小姐却这样想："会理财不如会挣钱，那也舍不得吃，这也舍不得穿的日子过的有什么意思。"可是随着时间的推移，她的同事都有车有房了，但是她却还是什么也没有。

余先生在一家房产公司搞设计，平均月收入5 000元。和多数人精打细算花钱不同，余先生挣钱不少，花钱更多，有钱时俨然是奢侈的款儿，什么都敢玩儿，什么都敢买；没钱时便一贫如洗，借债度日——拿着丰厚的薪水，却打起贫穷的旗号。在别人眼里，余先生他们可能是一些低收入者或攒钱一族们羡慕的对象，可实际上，他们的日子由于缺乏计划，实际过得并不怎么"潇洒"。他们"不敢"生病，害怕每月还款的来临，更不敢与大家一起谈论自己的"家庭资产"，遇到深造、结婚等需要花大钱的时候，他们往往会急得嘴上起泡，进而捶胸顿足，痛哭流涕：天呀，我的钱都上哪儿去了？

从上面两个例子可以看出，生活中有些人，挣的钱也不少，可一谈起自己的家庭资产的时候，却发现自己挣的那么多的钱都不知去向了。可见，会挣钱不如会理财，一个人再能挣钱，如果他不会理财，那他挣的钱，就只能是别人的，因为他总是挣多少，花多少，那他永远不会有属于自己的钱。

其实在生活中，如果你并不打算有更具挑战性的生活，那么你确实可以“养尊处优”了。但是假如你在工作到一定的时候想要开一家属于自己的公司，或者想做一些投资，那么你就仍然需要理财，你也会感觉到理财对你的重要性，因为你想要进行创业、投资，这些经济行为意味着你面临的经济风险又加大了，你必须通过合理的理财手段增强自己的风险抵御能力。在达成目的的同时，又保证自己的经济安全。

那么，怎样才能改变这种毫无积蓄的处境呢？针对这种现实情况，会理财的人总结出了以下经验：

1. 量入为出，掌握资金状况

俗话说“钱是人的胆”，没有钱或挣钱少，各种消费的欲望自然就小，手里有了钱，消费的欲望立刻就会膨胀。所以，这类人要控制消费欲望，特别要逐月减少“可有可无”以及“不该有”的消费，然后可对开销情况进行分析。

2. 强制储蓄，逐渐积累

发了工资以后，可以先到银行开立一个零存整取账户，每月发了工资，首先要考虑到银行存钱；如果存储金额较大，也可以每月存入一张一年期的定期存单，一年下来可积攒12张存单，需要用钱时可以非常方便地支取。另外，现在许多银行开办了“一本通”业务，可以授权给银行，只要工资存折的金额达到一定数目时，银行便可自动将一定数额转为定期存款，这种“强制储蓄”的办法，可以使你改掉乱花钱的习惯，从而不断积累个人资产。

3. 主动投资，一举三得

如果当地的住房价格适中，房产具有一定增值潜力，可以办理按揭贷款，购买一套商品房或二手房，这样每月的工资首先要偿还贷款本息，减少了可支配资金，不但能改变乱花钱的坏习惯，节省了租房的开支，还可以享受房产升值带来的收益，可谓一举三得。另外，每月拿出一定数额的资金进行国债、开放式基金等投资的办法也值得这些上班一族采用。

4. 别盲目赶时髦

追求时髦、赶潮流是现代年轻人的特点，你的手提电脑是奔四，我非弄个无线上网的；你的手机刚换成CDMA，我明天就换个3G……很显然，你辛辛苦苦赚来的工资就在追求时髦中打了水漂。其实，高科技产品更新换代的速度很快，这种时尚你永远也追不上。

建议你从现在开始，准备一个小册子，画上表格，记录下你的每一笔开支。表格可以分为三栏，一栏为生活必需品，一栏为舒适品，一栏为奢侈品。不久后你就会发现，你花在舒适品或者奢侈品上的钱将远远超过生活必需品，而这样的花费其实是完全没有必要的。

 理财是人生的持久战

理财不应是一时的冲动，而是一个中长期的规划，需要的是正确的心态和理性的选择，然后就是坚持，再坚持。

刘先生是一名政府公务员，收入虽然不高但很稳定，每天过着有多少花多少的生活，他说："理财，收益太慢了，我以前好不容易攒了一点钱，拿去投资基金，可是收益太低了，一年拿的利率还不够我换手机的。"

王先生自小家庭条件比较好，一直没有理财的观念。但是自从参加工作遭遇了几次财务危机之后，现在也开始学着理财了。他是首先从储蓄开始，每月的工资不再有多少花多少了，他在留够生活费的基础上，把一部分钱存在银行。过惯了"月光族"的王先生，忽然开始了自己的理财，他真有点不习惯，不过想想以后为了自己的家，也就没什么了。可是没过多久王先生就急了："怎么收益这么慢，我什么时候才能攒够买房、结婚的钱啊！还是幸福了自己再说吧！"他实在不能坚持了，又开始了他的"月光族"生活。

这就是现在很多上班族的真实写照，因为他们的生活都是靠那点微薄的工资，本来收入就不高，还要拿出去一部分去理财，所以他们拿出来理财的那部分是非常少的，就是因为少，所以见效就慢。但是，如果你用很

少的这部分钱长期坚持理财效果就不一样了，比如，一年因为理财多收益2万元，20年下来就是40万元，加上利息，收益就更大。所以，理财贵在坚持和持之以恒，日积月累就是很大一笔财富。

你必须要明确地知道，理财绝不是一夜暴富。理财之所以不同于赌博、投机，甚至不完全等于投资，就是因为它极具理性。理财是细水长流，是把握生活中的点滴，是将理财的观念渗透于生活中的每一个细胞，是通过建立财务安全的健康生活体系，从而实现人生各阶段的目标和理想，最终实现人生财务的自由。

例如你的投资目标是在退休时积攒20万元，现在离退休还有20年，按照一年期银行存款利率，你需要每个月存800元，如果投资收益率是5%，每个月只要投资600元，如果是8%，每个月需要存440元，这个数字对上班族来说不是很多，如果一下让你拿出20万元，这可能会很困难。所以理财贵在持之以恒，只有长期的坚持才会有更多的利益。

而且，现在市场上可供选择的理财产品越来越多，我们要做的，就是坚持风险和收益相对应的理财原则，去选择相应的理财产品或者组合，不断地重复和坚持，让理财成为生活中必不可少的一部分。只有长期的坚持，才会让你的资本不断增多。

李先生每月收入3 000元，每月支出1 000元，没有住房支出。李先生没有保险，他要先考虑给自己做一份保险。他为自己买了医疗保险，最低的保障金额只需320元左右。

李先生每月节余1 600元左右，他坚持理财，考虑到其投资风险承受能力不高，他购买两只债券基金作定投，他选一只华夏债券基金，每月定投800元，另外选择了个大成债券基金，每月也投入800元，预期每年会有5%左右的收益。

经过多年的坚持，他现有存款10万元，而且还购买了一辆新车，他打算再过两年，再重新换套大点的房子。

李先生通过长期的投资理财，使自己的资产成倍增长，还为自己带来了无穷无尽的好处。因此长期坚持投资理财对上班族有很多的好处，主要有两个，一是投资者的收入会有一部分节余，要把这部分钱投入在增值比较快的项目，让闲钱也增值。另外，长期投资还可以抵御风险，比如通货膨胀的风险。如果你不能很好地坚持，你就永远不会使你的资产倍增，也不会变成富裕的上班族，因此，要想变得更有钱，你必须坚持长期理财。

首先，坚持每天记账，每月花销多少，花在哪里。每个月可以根据各方面的花费做出分析，了解哪些支出是必需的，哪些支出是可有可无的。从而调整支出的分配比例，把钱用在该花的地方。其次要坚持储蓄，储蓄是投资理财的资本，没有一定的储蓄，就无法去投资。最后是坚持投资，钱是在不断的投资中增多的，这就像滚雪球一样，滚得越多它会越大。

理财需要时间，财富的积累也需要时间。改善家庭资产的结构需要时间，资产增值需要时间。而且，理财的时间越长，越容易寻求较佳的理财工具，取得长期的、稳定的较高收益的可能性越大。

投资理财需要知道些金融知识

专业投资术语

1. 复利

复利的计算是由本金和前一个利息期内应计利息共同产生的利息。即由未支取利息按照本金的利率赚取的新利息，常称息上息、利滚利，不仅本金产生利息，利息也产生利息。爱因斯坦甚至称复利是世界第八大奇迹。

所谓的复利就是俗话说的“利滚利”其计算公式是：

本利和：本金×（1+利率）^{期数}

举个例子：1万元的本金，按年收益率10%计算，第一年末你将得到1.1万元，把这1.1万元继续按10%的收益投放，第二年末是1.1×1.1=1.21，如此第三年末是1.21×1.1=1.331……到第八年就是2.14万元。

同理，如果你的年收益率为20%，那么三年半后，你的钱就翻了番，1万元变成2万元。如果是20万元，三年半后就是40万元……

当然，复利要让它成为我们心中可观的累积，需要具备三个条件：

（1）让你足够满意的本金。

（2）好的投资渠道。

（3）足够的耐心和精力。

可对大部分普通的工薪阶层、那些刚出校门的学生们，或者对那些

到今天才开始醒悟的中老年理财者们来说，要让复利真正为他们的钱财服务，本金的积累是一道关，我国有限的投资渠道和在有限的渠道里的选择是一道关，具备精明的选择能力又是一道关！这就是复利神奇与否的分水岭。复利的神奇需要条件。钱能生钱，这是复利告诉我们的，可是它没有告诉我们背后的话：你有足够的财力、智力和精力让钱生钱吗？而当你真有那个精力和智力的时候，你对自己的投资早就产生了复利效应。

2. 洗盘

为股市用语。庄家为达炒作目的，必须于途中让低价买进，意志不坚的散户抛出股票，以减轻上档压力，同时让持股者的平均价位升高，以利于施行做庄的手段，达到牟取暴利的目的。洗盘动作可以出现在庄家任何一个区域内，基本目的无非是为了清理市场多余的浮动筹码，抬高市场整体持仓成本。基于上述理由，进一步理解洗盘的主要目的在于垫高其他投资者的平均持股成本，把跟风客赶下马去，以减少进一步拉升股价的压力。同时，在实际的高抛低吸中，庄家也可兼收一段差价，以弥补其在拉升阶段将付出的较高成本。很多投资者在买进某种股票以后，由于信心不足，常致杀低求售、被主力洗盘洗掉，事后懊悔不已，看着股价一直涨上去。炒股的人，对于主力的洗盘技巧务必熟知。

操盘手较常采用的洗盘手法有以下五种：

（1）打压洗盘。先行拉高之后实施反手打压，但一般在低位停留时间不会太长。

（2）边拉边洗。在拉高过程中伴随回档，将不坚定者震出。

（3）大幅回落。一般发生在大势调整时，机构会顺势而为，错机低吸廉价筹码。投机股经常运用这种手法，获利颇丰。

（4）横盘筑平台。在拉升过程中突然停止做多，使缺乏耐心者出局，一般持续时间相对较长。

（5）上下震荡。此手法较为常见，即维系一个波动区间，并让投资者摸不清庄家的炒作节奏。

3. 仓位

仓位是指投资人实有投资资金和实际投资的比例。

比如你有10万元用于投资基金，现用了4万元买基金或股票，你的仓位是40%。

如你全买了基金或股票，你就满仓了。

如你全部赎回基金卖出股票，你就空仓了。

如果目前市场比较危险，随时可能跌，那么就不应该满仓，因为万一市场跌了，你卖期货可能亏，但是你也没有钱买期货，就很被动。通常，在市场比较危险的时候，就应该半仓或者更低的仓位。这样，万一市场大跌，你发现你持有的期货跌到了很低的价位，就可以买进来，等它涨的时候，再把你原来的卖掉，就可以赚一个差价。

一般来说，平时仓位都应该保持在半仓状态，就是说，留有后备军，以防不测。只有在市场非常好的时候，可以短时间的满仓。

4. 股利

股利是指股利总额与期末普通股股份总数之比，即每一股股票一定期间内所分得的现金股利。股利总额是指用于分配普通股现金股利的总和，这里只考虑普通股的情况。目前在我国上市公司的股利分配实务中，投资者需要关注每股股利是否含税，因为按照个人所得税法的规定，个人所得的股息、红利所得要缴纳20%的个人所得税，一般由发放部门代扣代缴。

5. 涨停板、跌停板

为了防止证券市场上价格暴涨暴跌，避免引起过分投机现象，在公开竞价时，证券交易所依法对证券所当天市场价格的涨跌幅度予以适当的限制。即当天的市场价格涨或跌到了一定限度就不得再有涨跌，这种现象的专门术语即为停板。当天市场价格的最高限度称涨停板，涨停板时的市价称为涨停板价。当天市场价格的最低限度称为跌停板，跌停板时的市价称跌停板价。

6. 跳空

股价受利多或利空影响后，出现较大幅度上下跳动的现象。当股价受利多影响上涨时，交易所内当天的开盘价或最低价高于前一天收盘价两个申报单位以上。当股价下跌时，当天的开盘价或最高价低于前一天收盘价在两个申报单位以上。或在一天的交易中，上涨或下跌超过一个申报单位。以上这种股价大幅度跳动现象称之为跳空。

7. 净值

净值又称“账面价值”，是股票价值的一种。通过公司的财务报表计算而得，是股东权益的会计反映，或者说是股票所对应的公司当年自有资金价值。具体计算公式为：

股票净值总额=公司资本金+法定公积金+资本公积金+特别公积金+累积盈余-累积亏损

每股净值=净值总额÷发行股份总权

从公式中可见，股票净值代表了股东们共同拥有的自有资金和应享有的权益。股票净值与股票真值、市值有密切关系。由于股票净值表示的是公司过去年份的经营和财务状况，因此可作为测算股票真值的主要依据。如某股票净值高，表示该公司经营财务状况好，股东享有的权益多，股票未来获利能力强，该股票的真值一定较高，市值也会上升；反则反之。相对于股票真值、市值而言，股票净值更为确切可靠，因为净值是根据现有的财务报表计算的，所依据的数据相当具体、确切，可信度高；同时净值又能明确反映出公司历年经营的累积成果；净值还相对固定，一般只有在年终盈余入账或公司增资时才变动。因此，股票净值具有较高的真实性、准确性和稳定性，可作为公司发行股票时选择发行方式和确定发行价格的重要依据，也是投资分析的主要参数。

如何正确评价投资回报

在预估和计算投资回报的时候，应该用百分比计算还是用实际金额计算？哪一种方式更能反映资金的使用效用？

不同投资需要的本金数额不同，投资股票的本金要求大于投资邮票，投资房产的本金要求又远远大于投资股票。在预估报酬的时候，通常有两种计算方式，一种是报酬额，就是以绝对数额表示的金额；一种是回报率，就是用相对值表示的比率，即报酬数额÷本金数额。用这两种方式评估出来的结果是不同的，有时甚至截然相反。

我们来看个例子：假如有两个投资方案，甲方案投资1万元，一年后预计可获得1 000元，回报率是10%；乙方案投资5万元，一年后预计可获得2 000元，回报率为4%。假定两者的投资风险没有差别，你会选择哪一个方案呢？

从绝对额上看，乙方案优于甲方案2 000>1 000；从相对值来看，甲方案优于乙方案10%>4%。我们的建议是，如果两个方案是相互排斥的，即选择了此就不能选择彼，二者只能取其一的话，就应选择乙方案，因为在计算报酬的时候，早已把资金成本考虑了进去；如果两个方案是独立的，即选择了此并不排斥彼的话，就应优先选择甲方案，因为甲方案的回报率高于乙方案。

换句话来说，如果你的资金充裕的话，你可以优先选择回报率高的投资；如果你的资金只够投资一种资产的话，选择绝对额高的投资更能充分发挥资金的增值作用。当然，我们事先已假定风险是一样的，计算报酬时是以净值而不是以总值计算。

了解投资的税务知识

税收是国家凭借政治权力或公共权力对社会产品进行分配的形式。税收是满足社会公共需要的分配形式，税收具有无偿性、强制性、固定性。对于投资者而言，如果有投资行为的发生，就要缴纳相应的税金。所以，学习投资就要了解中国的税收制度和相关的税务知识。

中国的税种现在按大的分类，主要有流转税、所得税、资源税、财产税、行为税和其他税。

（1）流转税：增值税、消费税、营业税、关税、车辆购置税等。

（2）所得税：企业所得税、外商投资企业和外国企业所得税、个人所得税等。

（3）资源税：资源税、城镇土地使用税、土地增值税等。

（4）财产税：房产税、城市房地产税等。

（5）行为税：印花税、车船税、城市维护建设税等。

（6）其他税：农林特产税、耕地占用税、契税等。

作为个人投资者，在进行投资前必然会对不同的投资方式进行比较，选择最佳方式进行投资。在目前，个人可以选择的投资方式主要有两种：

（1）证券投资。

（2）实业投资。

证券投资涉及的税收知识并不多，如股票投资现在只缴纳印花税，其他税收暂时免征，所以我们在这里不做详细的讲述。我们主要讲述实业投资的税务知识。一般而言，个人可选择的实业投资方式有：作为个体工商户从事生产经营、从事承包承租业务、成立个人独资企业、组建合伙企业、设立私营企业。在对这些投资方式进行比较时，如果其他因素相同，投资者应承担的税收，尤其是所得税便成为决定投资与否的关键。下面就各种投资方式所应缴纳的所得税进行分析：

1. 个体工商户的税负

个体工商户的生产经营所得和个人对企事业单位的承包经营、承租经营所得，适用5%~35%的五级超额累进税率。

例如：某个体工商户年营业收入54万元，营业成本42万元，其他可扣除费用、流转税金2万元，其年应纳税额为（540 000-420 000-20 000）×35%-6 750（个人所得税速算扣除数）=28 250元，税后收入为100 000-28 250=71 750元。

2. 个人独资企业的税负

税收政策规定，从2000年1月1日起，对个人独资企业停止征收企业所得税，个人独资企业投资者的投资所得，比照个体工商户的生产、经营所得征收个人所得税。这样个人独资企业投资者所承担的税负依年应纳税所得额及适用税率的不同而有所不同。

例如：年应纳税所得额为6万元，适用税率为35%，应纳个人所得税60 000×35%-6 750（个人所得税速算扣除数）=14 250元，实际税负为14 250÷60 000×100%=23.75%。

3. 私营企业的税负

目前设立私营企业的主要方式是成立有限责任公司，即由两个以上股东共同出资，每个股东以其认缴的出资额对公司承担有限责任，公司以其全部资产对其债务承担责任。作为投资者的个人股东以其出资额占企业实收资本的比例获取相应的股权收入。作为企业法人，企业的利润应缴纳企业所得税。当投资者从企业分得股利时，按股息、红利所得缴纳20%的个人所得税。这样，投资者取得的股利所得就承担了双重税负。

由于单个投资者享有的权益只占企业全部权益的一部分，其承担的责任也只占企业全部责任的一部分。但是，因其取得的收益是部分收益，企业缴纳的所得税税负个人投资者也按出资比例承担。

例如：个人投资者占私营企业出资额的50%，企业税前所得为12万元，所得税税率为33%，应纳企业所得税120 000×33%=39 600元，税后所得为120 000-39 600=80 400元，个人投资者从企业分得股利为80 400×50%=40 200元。股息、红利所得按20%的税率缴纳个人所得税，这样投资者缴纳的个人所得税为40 200×20%=8 040元，税后收入为40 200-8 040=32 160元，实际税负为（39 600×50%+8 040）÷（120 000×50%）×100%=46.4%。

4. 合伙企业的税负

合伙企业是指依照合伙企业法在中国境内设立的，由各合伙人订立合伙协议，共同出资、合伙经营、共享收益、共担风险，并对合伙企业债务承担无限连带责任的营利性组织。在合伙企业中合伙损益由合伙人依照合伙协议约定的比例分配和分担。合伙企业成立后，各投资人获取收益和承担责任的比例就已确定。和个人独资企业一样，从2000年1月1日起，对合伙企业停止征收企业所得税，各合伙人的投资所得，比照个体工商户的生产、经营所得征收个人所得税。但是由于合伙企业都有两个及两个以上的合伙人，而每个合伙人仅就其获得的收益缴纳个人所得税。

例如：某合伙企业有5个合伙人，各合伙人的出资比例均为20%。本年

度的生产经营所得为30万元，由各合伙人按出资比例均分。这样每个合伙人应纳的个人所得税为300 000×20%×35%-6 750（个人所得税速算扣除数）=14 250元，税后收入为60 000-14 250=45 750元。合伙企业每个合伙人的实际税负为23.75%（14 250÷60 000×100%）。

在上述几种投资方式中，通常而言，在收入相同的情况下，个体工商户、个人独资企业、合伙企业的税负是一样的，私营企业的税负最重。但个人独资企业、合伙企业、私营企业等三种形式的企业，是法人单位，在发票的申购、纳税人的认定等方面占有优势，比较容易开展业务，经营的范围比较广，并且可以享受国家的一些税收优惠政策。

在三种企业形式中，私营企业以有限责任公司的形式出现，只承担有限责任，风险相对较小；个人独资企业和合伙企业由于要承担无限责任，风险较大。特别是个人独资企业还存在增值税、一般纳税人认定等相关法规不健全不易操作的现象，加剧了这类企业的风险。而合伙企业由于多方共同兴办企业，在资金的筹集等方面存在优势，承担的风险也相对较少。相对于有限责任公司而言，较低的税负有利于个人独资企业、合伙企业的发展。个人投资者在制订投资计划时，应充分考虑各方面的因素，选择最优投资方案。

投资理财要知道的风险学

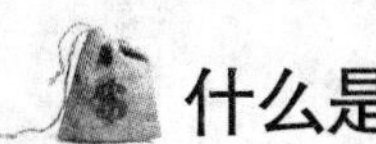

什么是风险

风险就是一种遭受损失的可能性。风险可以通过识别、分析，来应对管理。风险可以从一般引起的原因，发生的可能性（概率），影响的方面，造成的损失（换算为金钱）几方面进行分析。风险的期望值为可能性与损失的乘积。

风险就是危险发生的意外性和不确定性，包括损失发生与否及损失程度大小的不确定性。风险具有不同的表现形式，如地震、火灾、洪水等自然风险；雇员的恶意行为、不良企图等道德风险；疏忽大意、重大过失等人为风险；供求关系变化、价格上涨等市场风险；此外还有技术风险、政治风险等等。

“风险”这个词来源模糊，充满争议。据考证，这个词来自意大利语的risque，是在早期的航海贸易和保险业中出现的。在老的用法中，风险被理解为客观的危险，体现为自然现象或者航海遇到礁石、风暴等事件；而这个词的现代意思已经不是最初的“遇到危险”，而是“遇到破坏或损失的机会或危险”。经过两个多世纪的发展，风险这个概念与人类的决策和行动的后果联系更加紧密，并被视为对待影响个人和群体的事件的特定方式。

从近代保险业产生以来，特别是20世纪60年代以来，风险研究出现

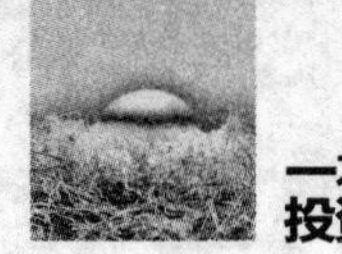

了大量的文献，涉及自然科学、社会科学中的诸多学科。塞尔顿·科里姆斯基与多米尼克·古尔丁说，对风险的研究一度只局限在学术团体和保险业狭小的领域，但现在已经在公共政策需求的推动下发展起来，迅速成为一个多学科的研究领域。这些学科从各自的角度，对风险进行了定义。其中有代表性的有：统计学、精算学、保险学等学科把风险定义为一件事件造成破坏或伤害的可能性或概率。通用的公式是风险（R）=伤害的程度（H）×发生的可能性（P）。这个定义带有明显的经济学色彩，采用的是成本——收益的逻辑，但有意思的是，人们通常只从伤害的可能性角度来了解“风险”，因此忽视了风险所带有的潜在收益。

从风险角度看理财

目前市场上理财产品种类繁多，对于非专业投资者而言，往往只注意到预期收益率的高低，而忽视了产品中蕴藏的风险因素。但是收益率和风险是一对矛盾，一般而言，收益越高，风险越大，两者呈正比例关系，只不过要发现产品中的风险点，需要投资者熟悉相关金融知识，而这往往是大众投资者所欠缺的。

很多金融机构在推介投资产品的时候，也往往将风险隐藏起来，总是把收益描绘得很好。其实理财的一个重要作用就是在既定的收益水平下尽量降低风险，或者在相同风险程度下尽量提高收益率。因此，认清理财产品的风险，按照自身可接受的风险水平进行合理选择是做好理财的关键之一。

1. 低风险程度的理财产品

银行存款和国债由于有银行信用和国家信用作保证，具有最低的风险水平，同时收益率也较低，投资者保持一定比例的银行存款主要目的是为了保持适度的流动性，满足生活日常需要和等待时机购买高收益的理

财产品。

2. 较低风险的理财产品

主要为各种货币市场基金或偏债型基金，这类产品投资于同业拆借市场和债券市场，这两个市场本身就具有低风险和低收益率的特征，再加上由基金经理进行的专业化、分散性投资，使其风险进一步降低。

3. 中等风险的理财产品

信托类理财产品是由信托公司面向投资者募集资金，提供专家理财、独立管理，投资者自担风险的理财产品。投资这类产品，投资者要注意分析募集资金的投向，还款来源是否可靠，担保措施是否充分，信托公司自身的信誉。

外汇结构性存款，作为金融创新产品，通常是几个金融产品的组合，如外汇存款附加期权的组合，这类产品通常是有一个收益率区间，投资者要承担收益率变动的风险。

偏股型基金，是由基金公司募集资金按照既定的投资策略投向股市，以期获得较高收益率的一类产品，由于股市本身的高风险性质，这类产品风险也相对较高，本金也有遭受损失的可能。

4. 高风险的理财产品

股票、期权、黄金、艺术品等投资项目，由于市场本身的高风险特征，投资者需要有专业的理论知识、丰富的投资经验和敏锐的判断分析能力才能在这类市场上取得成功。

投资者可从两方面分析自身可承受风险水平：

（1）风险承受能力。投资者可依年龄、就业状况、收入水平及稳定性、家庭负担、置产状况、投资经验与知识估算出自身风险承受能力。

（2）风险承受态度即风险偏好。可以按照自身对本金损失可容忍的损失幅度及其他心理测验估算出来。

总之，投资者在进行理财前应先评估自身的可承受风险水平，并深入了解准备投资的产品，对于不熟悉的产品可向相关领域专业人士进行咨询，避免片面追捧理财的高收益率。

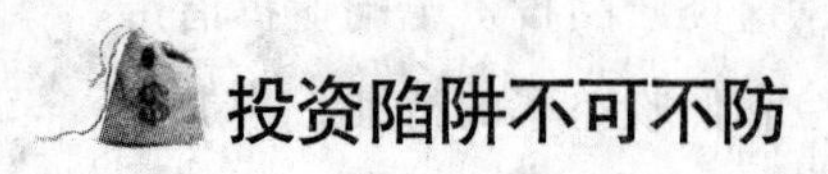

投资陷阱不可不防

投资是通往财富殿堂的必经之路。在这条路上有数不清的宝藏，但也有令人防不胜防的一个又一个陷阱。这些陷阱随时都有可能张开血盆大口吞噬掉投资者的资本，使投资者血本无归。

2008年底，纳斯达克前主席伯纳德·麦道夫因涉嫌设下投资骗局被捕，涉及款项高达500亿美元，诈骗影响已经超出美国本土，波及世界主要银行和对冲基金，英国皇家苏格兰银行、汇丰控股等企业都成为其受害者。

曾经有人开玩笑地说，如果以投资工具来比喻麦道夫，他被视为是最安全的"国库券"。现在，这个号称"最安全"的人开了全世界一个最大的玩笑，多国金融机构、富豪名流纷纷掉入麦道夫的陷阱。最惨的是那些血本无归的个人投资者，他们中有好些人把自己的全部积蓄或者养老的钱投了进去，现在却损失殆尽，真是欲哭无泪。

其实，麦道夫的投资诈骗手段并不高明，他采用的是"庞氏骗局"的手法，即用新投资者的钱支付老客户的利息，只要投资源源不断被吸引过来，诈骗阴谋就难以被发现。但是，由于金融危机的爆发，很多客户大批支取现金，促使麦道夫的骗局最终曝光。

麦道夫诈骗案给所有投资者敲响了警钟——投资陷阱无处不在，投资必须慎之又慎。除了这种金融诈骗外，还有好多种投资陷阱，需要投资者注意。

2007年的"祝氏招商加盟集团"骗局，全国有2万名投资者上当受骗，被骗资金总额高达30亿元。祝氏招商加盟集团"总部"的规模并不大，旗下却有10多个同时在全国招商的服装品牌，其中一个品牌的省级独家代理商，全国竟有300多个……如此多的破绽，却屡屡蒙混过关。

由此可见，许多投资者的防骗意识和能力都很差。总括起来说，投资者要警惕以下几种类型的投资陷阱：

（1）以联合养殖、种植、合作造林名义进行“联营入股返利”、租养、代养、托管、代管等非法吸收公众存款、集资诈骗犯罪活动。

（2）以投资展位、铺位、公寓式酒店经营权为名进行“购后返租”、“产权式商铺”等非法吸收公众存款、集资诈骗犯罪活动。

（3）以专卖、代理、加盟连锁、流动促销等作诱饵发展下线的传销活动，以及利用互联网为中介进行的“网络传销”活动。

（4）以“证券投资咨询公司”、“产权经纪公司”的名义推销所谓即将在境内外证券市场上市的股票。

（5）利用互联网从事非法境外外汇保证金交易的行为。

这些投资陷阱都有一个共同点，就是大肆宣传该投资项目“低风险高收益”，甚至是“零风险高收益”，这其实是不折不扣的“诱饵”，投资者千万不要相信这样的好事。如果真有这样好的投资项目，他们肯定会自己做。投资者一定要记住：世上没有免费的午餐，天上也不会无缘无故地掉馅饼！

总结起来，这些投资陷阱的特点如下：

（1）告诉投资者能“一夜暴富”。

（2）告诉投资者“无风险高收益”。

（3）迅速给投资者“甜头”。

（4）披上合法的外衣。

（5）虚构“有实力”的形象。

（6）构建“神坛”，打造“神人”。

（7）告诉投资者是创新项目。

（8）告诉投资者是海外项目。

如果投资者遇到具有以上特点的投资项目，一定要多留个心眼儿，多考察，多询问，不要发财心切，贸然行动。投资者可以通过下面的方法来规避投资陷阱：

第一，要克服自身的弱点，如贪婪、企图走捷径、无知、从众、冲动、心存侥幸、好了伤疤忘了痛等。

第二，运用六步自问法（有这样一条通行规则，如果一个项目听起来过于完美，那它基本上就不是真的）：

（1）是什么人（法人）卖给我产品？这个人的信誉如何？

（2）他拿我的钱干什么去？有人监督资金使用情况吗？他靠什么赚钱？

（3）我买到了什么？我赚什么钱？我赚钱有保证吗？

（4）投资收益率合理吗？过高的投资收益率基本上都是不可信的，比如每年30%以上。

（5）我一旦不想要这个产品了，能卖出去、能套现吗？

（6）如果产品卖不出去，我能留着自己用吗？

总而言之，投资者在进行一项投资时，一定不要操之过急。就像我们平时买衣服、买食品的时候都要考虑一番，投资也是一种买卖过程。我们要对投资的产品做必要的调查研究，收集必要的资料，作为决策的依据。对于那些毫无资料可查的项目，就要慎之又慎了，或者就直接不投，抛之为妙。

一本书读懂
投资理财学

金融投资理财篇

把握最有效的金融投资理财工具

Read A Book to Learn
Investment

储蓄——永远不会落伍的投资理财工具

储蓄，生活中不可缺少的一部分

俗话说，万事开头难。对于理财而言，只要克服了这个阶段，后面的发展也就自然会水到渠成了。那么，对于我们而言又怎样取得理财中的第一桶金呢？

生活中，很多人理财的第一步选择了储蓄。有钱就存在银行是老百姓最原始的理财方式，即使在理财形式多样的今天，银行存款仍然是最大众、最保险的理财方式。事实确实如此，或许我们储蓄未必能成富翁，但不储蓄一定成不了富翁。但许多人忽视了合理储蓄在投资中的重要性，错误地认为只要做好投资，储蓄与否并不重要。其实，储蓄是投资之本，甚至有人将银行存款称之为理财的“长生剑”。

此外，还有很多人不喜欢储蓄，他们有很多理由：有的人认为以后可以赚到很多的钱，所以现在不需要储蓄；有的人认为应该享受当下，而且认为储蓄很难，要受到限制；有的人会认为储蓄的利息没有通货膨胀的速度快，储蓄不合适。

然而，让我们检验这些拒绝储蓄的理由，就会发现与原先想的不一样。

首先，不能只通过收入致富，而是要借储蓄致富。有些人往往错误地希望“等我收入够多，一切便能改善”。事实上，我们的生活品质是和收入同步提高的。你赚得愈多，需要也愈多，花费也相应地愈多。不储蓄的

人，即使收入很高，也很难拥有一笔属于自己的财富。

其次，储蓄就是付钱给自己。有一些人会付钱给别人，却不会付钱给自己。买了面包，会付钱给面包店老板，贷款有利息，会付钱给银行，却很难会付钱给自己。赚钱是为了今天的生存，储蓄却是为了明天的生活和创业。

我们可以将每个月收入的10%拨到另一个账户上，把这笔钱当作自己的投资资金，然后利用这10%达到致富的目标，利用其他90%来支付其他的费用。也许，你会认为自己每月收入的10%是一个很小的数目，可当你持之以恒地坚持一段时间之后，你将会有意想不到的收获。也正是这些很小的数目成为了很多成功人士的投资之源泉。

小刘工作已经有5年的时间，从一名普通的职员，慢慢做到公司的中层，薪水也一直稳中有升，月薪已有近万元，比上虽然不足，比下仍有余地。昔日的同窗，收入未必高过自己，可在家庭资产方面已经把自己甩在了后面。

小刘的年龄逐步向30岁迈进，可还一直没有成家。父母再也坐不住了，老两口一下子拿出了20万元积蓄，并且让小刘也拿出自己的积蓄，付了买房首付，早为结婚做打算。可是让小刘开不了口的是，自己所有的银行账户加起来，储蓄也没能超过6位数。

其实，小刘自己也觉得非常困惑，父母是普通职工，收入并不高，现在也早就退休在家，可是他们不仅把家中管理得井井有条，还存下了不少的积蓄。可是自己呢？虽说收入不算少，用钱不算多，可是工作几年下来，竟然与“月光族”、“年清族”没有什么两样。不仅买房拿不出钱来供首付，前两年周边的朋友投资股票、基金也赚了不少钱，纷纷动员小刘和他们一起投资。小刘表面上装作不以为然，其实让他难以开口的是，自己根本就没有储蓄，又拿什么去投资？

小刘出现这种情况的原因就是缺乏合理的储蓄规划。虽说储蓄是个老话题，然而在年轻人中间这却始终是个普遍的问题。很多像小刘这样的人，收入看上去不少，足够应对平时生活中的需要，可是他们就是难以建立起财富的初次积累。原因就在于，他们在日常生活中没有合理的储蓄规

划，花钱也是东一笔、西一笔。也许看上去每笔开销都不大，但一个月下来这些零零碎碎的费用加起来，不知不觉就把一个月的收入耗尽了。

像小刘这样的人收入并不低，可是收入与支出相抵减，最后得到的节余几乎为零。对于处在事业起步阶段的人来说，出现这样的状况是可以理解的。可是如果你的收入已经渐进稳定，却依然保持着零储蓄的生活，你就该好好反省一下自己的生活了。

对于财富而言，重要的不是你赚了多少钱，而是你实际上存了多少钱。纵观那些成功人士，他们几乎都有一个习惯，即从薪水中拿出一部分用于长期投资。有很多种储蓄和投资的方法可供人们选择，储蓄额将随着本金和利息的增长而不断增长。这样，在退休的时候你就能够实现所有经济方面的目标了。

那么，对于一个普通的人来说，该如何建立合理的储蓄规划呢?

1. 改变储蓄习惯

可以从一个基础的算式开始，很多人的储蓄习惯是：收入-支出=储蓄。可是由于支出的随意性，往往会导致储蓄结果与预期背道而驰。对于这些人而言，应当把算式换作：支出=收入-储蓄，用强迫储蓄的方式，将一部分的资金先存储起来，为将来的投资准备好粮草。

花钱很痛快，而存钱有时却是很痛苦的。以下是几种有效的强迫自己存钱的方法，可以帮助个人改掉爱花钱的小毛病：

（1）写出你的目标。是想换一所大点儿的房子？买车？为孩子教育？或去投资？总之，把目标写下来，然后贴在冰箱上、厨房门上、餐桌上等你会经常看到的地方，提醒你时常想起你的目标，增加你存钱的动力。

（2）强迫自己存定期储蓄。活期储蓄尤其是存在借记卡内的钱不经意间就会被花掉，因而不如把自己手中富余的现金存成定期，只留够基本生活需要的现金就可以。

（3）尽早还清你的银行贷款，尽早投资。当然如果投资收益能高过贷款利息就另当别论了。总之，选择一种或几种适合你的投资方式是很重要的。

（4）核查信用卡的对账单，看看你每月用信用卡支付了多少钱。如果有可能，减少你每月从信用卡中支取的金额，或者不到万不得已不用信用卡。

（5）定期从你的工资账户（或钱包）中取出100元、200元或是500元存入你新开立的存款账户中。3个月之后，增加每次取出额。

2. 选择储蓄的方式也很重要

相比起活期存款的易支取性来说，开放式基金、投连险这些可以定期定额投资的工具更适合作为储蓄的工具。一是这些工具可以帮助你及早进行投资，二是取现相对麻烦些，这倒是有可能阻碍你提前支取存款的随意性。

3. 工资卡里的钱也别闲着

对于上班族而言，将钱长时间存放在工资卡里，不但会损失一笔不小的收入，而且也是对自己财产资源的一种浪费。

你可以利用银行自动约定转存服务，也就是定期存款账户自动互转。有些银行把自动约定转存加载在电话银行和网上银行上，成为注册客户之后，活期转定期只需打个电话，或上网点击就可以了。

日本有这样一句谚语："积累财富就像用大头针挖沙子，而财富流失就像将水浇在沙子上。"由此可见，财富的流失是一件最容易不过的事情了。学会储蓄，并制定合理的储蓄规划才是财富积累的良好开端，每一个人都应该养成良好的储蓄习惯。

存钱其实有门道

生活中，许多人选择把钱存入银行以减少风险，宁可少获利也不愿意承担风险。人们形象地称"银行存款"就像养在银行里的一群懒惰而干瘦的小猪，收益极低而且还要扣除利息税，但风险几乎没有，流动性佳，非常适合于存放随时要用的日常零用钱。

而且，理财专家也曾帮我们算过这样的一笔账，诸如每个月的工资，

零存整取与活期储蓄，一年下来利息相差2.375倍。而且，现在的储蓄品种门类繁多，有活期储蓄、整存整取、零存整取、整存零取、存本取息、定活两便和通知存款等。其实，利用好银行这一金融通道，即便是银行存款这头懒惰而干瘦的小猪也可以被养得膘肥体壮的。那么，如何利用好不同的储蓄方法，从而得到更多的储蓄“实惠”呢?

1. 金字塔储蓄法

如果你持有1万元，可以分别存成4张定期存单，存单的金额呈金字塔状，以适应急需时不同的数额。可以将1万元分别存成1 000元、2 000元、3 000元、4 000元4张一年期定期存单。这样可以在急需用钱时，根据实际需用金额领取相应额度的存单，可避免需取小数额却不得不动用大存单的弊端，以减少不必要的利息损失。

2. 12张存单法

12张存单法又称月月储蓄法，即每月存入一定的钱款，所有存单年限相同，但到期日期分别相差一个月。这种方法，不仅能够很好地聚集资金，又能最大限度地发挥储蓄的灵活性，即使急需用钱，也不会有太大的利息损失。这种方法非常适合忙碌而无时间顾及理财的工薪阶层，月月发，月月存。但在储蓄的过程中，一定要注意：当利率上行时，存款期限越短越好；而当利率下行时，存款期限越长越好。

每月定期存款单期限可以设为一年，每月都这么做，一年下来你就会有12张一年期的定期存款单。当从第二年起，每个月都会有一张存单到期，如果有急用，就可以使用，也不会损失存款利息；当然如果没有急用的话这些存单可以自动续存，而且从第二年起可以把每月要存的钱添加到当月到期的这张存单中，继续滚动存款，每到一个月就把当月要存的钱添加到当月到期的存款单中，重新作一张存款单。

当然，如果你有更好的耐性的话，还可以尝试“24存单法”、“36存单法”，原理与“12存单法”完全相同，不过每张存单的周期变成了2（3）年，当然这样做的好处是，你能得到每张存单2（3）年定期的存款利率，这样可以获得较多的利息，但也可能在没完成一个存款周期时出现资金周转困难，这需要根据自己的资金状况调整。

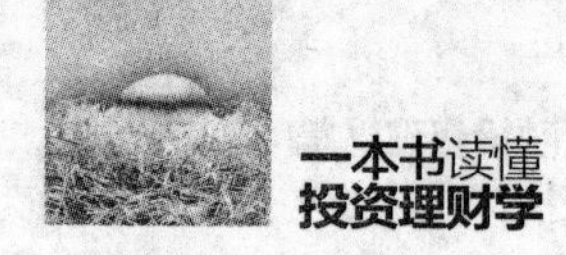

3. 阶梯储蓄法

每次加息都会引起银行储户转存的浪潮，但是这种临时转存不一定划算，那么用什么方法能避免这种储存利率的调整呢？阶梯存储法能使年度储蓄到期额保持等量平衡，既能应对储蓄利率的调整，又可获取定期存款的较高利息。这种方法比较适合与12存单法配合使用，尤其适合年终奖金或其他单项大笔收入。

阶梯储蓄是将储蓄的资金分成若干份，分别存在不同的账户里，或在同一账户里，设定不同存期的储蓄方法，而且存款期限最好是逐年递增的。

阶梯储蓄有个好处就是可以跟上利率调整，是一种中长期储蓄的方式。而且万一中途出现急需用钱的情况，也可以只动用一个账户，避免提前支取带来的利息损失。

4. 利滚利储蓄法

要使存本取息定期储蓄生息效果最好，就得与零存整取储种结合使用，产生“利滚利”的效果，这就是利滚利存储法，又称“驴打滚存储法”。这是存本取息储蓄和零存整取储蓄有机结合的一种储蓄方法。利滚利存储法先将固定的资金以存本取息形式定期下来，然后将每月的利息以零存整取的形式储蓄起来，这样就获得了二次利息。

虽然这种方法能获得比较高的存款利息，但很多人以前不大愿意采用，因为这要求大家经常跑银行。不过现在很多银行都有“自动转息”业务，市民可与银行约定“自动转息”业务，免除每月跑银行存取的麻烦。

这种“驴打滚”的储蓄方法，让家里的一笔钱取得了两份利息，只要长期坚持，便会带来丰厚回报，对工薪家庭为未来生活积累资金和保障生活有着相当的优越性。

5. 储蓄宜约定自动转存

现在银行基本都有自动转存服务。在储蓄时，应与银行约定进行自动转存。这样做一方面是避免了存款到期后不及时转存，逾期部分按活期计息的损失；另一方面是存款到期后不久，如遇利率下调，未约定自动转存的，再存时就要按下调后利率计息，而自动转存的，就能按下调前较高的

利息计息。如到期后遇利率上调，也可取出后再存。

活期和定期利率相差较大的情况下，利用好储蓄的技巧是很重要的。对投资风险承受力较弱的人群来说，提高“零风险储蓄”的回报率不失为开源的一种简便方法。

6. 定期存款提前支取的选择

如果储户的定期存款尚未到期，但急需用款，一般情况下，如果没有其他资金来源，储户有两种选择，即提前支取定期存款或以定期存单向银行申请质押贷款。

按照中国人民银行的规定，定期存款提前支取时，将按照支取日的活期存款利率计算，这样，储户要蒙受一定的利息损失。如果这种损失超过了向银行做质押借款的利息支出，储户可以用定期存单作质押品，向银行申请短期质押贷款，否则宜提前支取。

7. 巧用通知存款

通知存款很适合手头有大笔资金准备用于近期（3个月以内）开支的人。假如你有10万元现金，拟于近期首付住房贷款，余款打算行情好时投入股市，这时就可以存7天通知存款。这样既保证了用款时的需要，又可享受1.62%的利息，是0.72%的活期利率的2.25倍。

举例来说：50万元如果购买7天期的通知存款，持有3个月后，以1.62%的利率计算，利息收益为2 025元，比活期存款利息（900元）收益高出1 125元；除利息税后，通知存款的收益则要比活期存款高出80%。

如果投资者购买的是7天通知存款，若投资者在向银行发出支取通知后，未满7天即前往支取，则支取金额的利息按照活期存款利率计算。此外，办理通知手续后逾期支取的，支取部分也要按活期存款利率计息；支取金额不足或超过约定金额的，不足或超过部分按活期存款利率计息；支取金额不足最低支取金额的，按活期存款利率计息；办理通知手续而不支取或在通知期限内取消通知的，通知期限内不计息。关键是存款的支取时间、方式和金额都要与事先的约定一致，才能保证预期利息不会遭到损失。

总之，储蓄是一种最普通和最常用的理财工具，几乎每个家庭都在使用，我们要利用储蓄的方法获得较高的收益。不同的家庭财务状况各不

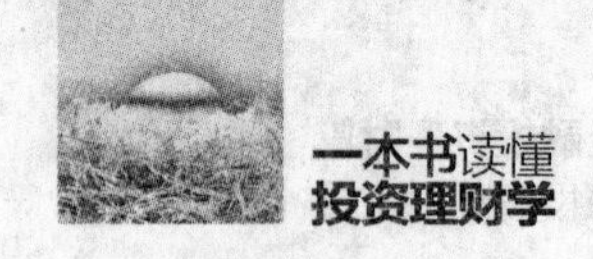

相同，选择储蓄的方式也不尽相同，但只要根据自己家庭的实际需求，进行合理配置，储蓄也能为你的家庭收获一份财富。当然，钱必定是用来花的，所以应根据每个家庭收入和消费结构等安排一定的存款比例。对于一般人而言，存钱的原则是：以定期为主，通知存款为辅，少量的活期储蓄和定活两便。

总之，只要储户根据利率水平及变动趋势的分析判断，并结合本人的实际情况，较好地选择投资方式与储蓄品种，就能够在一定程度上规避利率波动的风险，争取获得较高的收益。

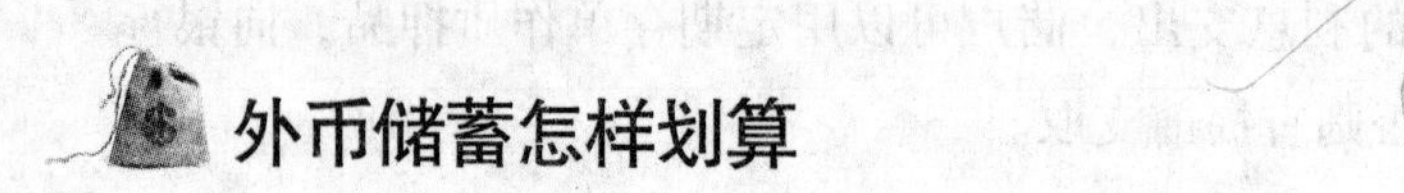

外币储蓄怎样划算

由于近几年来外币存款利率经过多次上调，尤其是美元、英镑等的存款利率较大幅度上调后进一步拉大了与国内人民币存款利率的差距。在我们身边，持有外币的人已不在少数。而对于这些持外币者来说，虽然银行已开办了外汇宝、外汇结构性存款等多种外汇投资理财品种，但多数人还是认为外币储蓄才是最稳妥、最安全的投资理财方式。那么，究竟怎样存储外币最合算呢?

1. 巧妙选定储蓄存期

外币储蓄利率一般都会受到国际金融市场的影响，其稳定性非常差，利率变动也比较频繁。所以，外币储户在参加外币储蓄时，就需要根据自己的经验，判断当时国内外金融形势以及利率水平的高低，选择外币存储的期限长短。

现在，外币定期储蓄的存期分五档，即1个月、3个月、6个月、1年和2年。比较而言，如果利率相对稳定且利率较高时，应选择存期长一些的外币定期储蓄。反之，则最好选择短期的外币储蓄，以便等待高息时期的到来。这样，既利于外币储户适时抓住升息转存的最佳机会，又利于提前支取时少损失利息。

2. 与银行约定自动转存

对于工作比较繁忙、没时间去银行或身处境外、不愿委托他人代理的外币储户，最好在第一次定期储蓄外币时，与银行约定办理好自动转存手续，即储户的外币定期储蓄存款到期后，银行将自动把储户原来的外币定期储蓄存款本息合计金额按原存款单上约定的定期期限，根据转存日的银行挂牌外币利率，转存为新的定期外币存款。这样，储户就不会因忘记转存定期外币储蓄而损失利息了。

3. 学会“率比三家”

因中央银行对短期外币定期储蓄利率的调整，规定各银行可在中央银行规定的利率上限内进行自行调整。所以，在规定的上限内，特别是现在中央银行对美元、欧元、日元、港币等外币的2年期小额外币存款利率改为由各银行自行确定后，各家银行的外币定期储蓄有所不同。因此，储户在进行存储外币储蓄时最好“率比三家”，以免减少利息的收益。

4. 合理用好现钞、现汇账户

目前，按照外币储蓄存款的账户性质分类，外币储蓄可分为现钞账户和现汇账户两种。假如您收到了从境外汇入的外汇，最好将其直接存入现汇账户。因为现钞账户无论是汇出境外，还是兑换成人民币，经办行都要收取一定数额的手续费；而现汇账户则一般不收取手续费，即使收取手续费一般也低于现钞账户。因此，外币储户切不要把现汇账户里的钱轻易转入现钞账户，以免带来不必要的损失。

5. 在存储品种上，选择货币汇率稳定、存款利率又高的外币

据此，港元、英镑、美元实为首选的三个最强势存储币种。同时，加拿大元、澳大利亚元、欧元、法国法郎、德国马克、荷兰盾、比利时法郎这七种外币，近几年的汇率也日渐稳定，利率逐级递升，应予关注和择机介入。

6. 在选择银行上，应首选利率浮动高和提供存兑“一条龙”服务的银行

根据央行的规定，允许商业银行对境内的个人外币存款利率在央行公布的法定基准利率基础上浮动5%，对于折合在2万美元以上的大额外币存款的利率可在基准利率基础上加0.5个百分点，因此各家银行的利率是不同的。

7. 在存取方式上，应“追涨杀跌”

存期应以3~6个月为主。但现在对已超过一半存期的存款取出转存是不划算的。

8. 在币种兑换上，应“少兑少换”

因为兑换要收取一定的费用，并且银行在兑换时是按“现钞买入价”收进，而不是按“外汇卖出价”兑换，前价要低于后价许多，储户将有一定的损失，而且目前人民币的资本账户还不能自由兑换，一旦将外币换成人民币，以后若再想换回外币是比较困难的。

网上理财，网住你的财富

随着科技不断进步和人们金融理财意识的逐步增强，如今，网上银行、网上投保、网上炒股等“时尚”理财法也开始融入百姓的日常生活。不过，尽管网上理财方式繁多，但要真正做到足不出户、轻点鼠标就能理好财，亦得动点脑筋。

单位派小张到上海参加一个为期一个月的业务培训班。财务科给小张开出了2万元的学费、差旅费等费用。对于如何携带这笔不大不小的钱着实让他犯愁了，直接带现金肯定不安全，这时太太给他出主意，让他把钱存到银行卡上。小张说，这个办法地球人都知道——但异地取款要收1%的手续费，陆续取2万元要花掉200元，这笔费用总是让人感觉很浪费。

后来，他想起了前段时间开的某银行网上银行。当时听银行工作人介绍，其网上银行正处于推广期，网上自助汇款免费。于是小张突发一个省钱的灵感：何不到上海后开个活期存折，然后自己通过网上银行把钱汇到这个存折里，岂不是既安全又省钱？

于是，他便将2万元全部存到了自己在网上银行的存折里，然后就两手空空地上路了。到上海后他找到了一家和他网上银行属同系统的储蓄所。

从填写凭条，到他拿到存折和配套的借记卡，只用了3分钟的时间。然后，他又一头扎进培训机构附近的一家网吧，看四下没人，便悄悄地登录网上银行，点击汇款业务，输入他在单位办理的存折账号和收款人，点击确认，电脑提示“汇款已成功”。他赶紧退出了网上银行，并将一些上网记录全部清除。

小张出来找到一台自动柜员机一查，2万元已经到了新银行卡中。这回终于放心了，这样小张在上海的自动柜员机上取款都不用再考虑手续费的问题了。到了学习结束的时候，这2万元花完了，把那张上海的银行卡销户，还得了几块钱利息。

俗话说：“吃不穷，穿不穷，算计不到要受穷。”通过网上汇款的功能，让小张省下了异地存取款的费用。由此看来，网上银行对上班族真是一个不错的选择，既安全，又方便，还能为自己省钱，真可谓是网上理财，网住你的财富。

而且，时下网上理财已经成为年轻人的新宠，这主要是由于网上理财交易费用低、操作便利、可更全面地获得信息。但对日益庞大的网上银行用户来说，他们对网上银行缺乏必要的防范常识，风险意识相对较弱。在此提醒大家，网上银行的账号和密码就如同存折，账号密码泄露就等于存折丢失。所以，网上银行用户要注意防范，看牢自己的网上“存折”。

1．选择具有安全数字证书的网上银行

在当前网上银行操作界面的设计上，有的银行优先考虑客户操作的方便性，有的则优先考虑网上银行的安全性。比如，有的网上银行登录时必须使用数字安全证书，这种证书采用了一些防止窃取账户信息的安全措施，虽然申请和使用网上银行时麻烦一些，但能较好地保证账户资金的安全，所以客户应尽量选择具备安全证书的网上银行。同时要注意避免在公共场所下载、安装、使用个人证书，若需在他人电脑上安装和使用证书，应注意及时删除证书程序和相关信息。

2．避免从不明网站下载软件

木马属于一种特殊的病毒，往往是在用户下载软件、打开邮件或浏览网页时侵入用户的电脑中，因此，下载软件时应当到知名专业软件网站或

比较规范的网站下载；使用网上银行的电脑要安装防火墙和杀毒软件，确保即时监控和随时杀毒；尽量不打开来路不明的电子邮件；更不要浏览一些带连接的不规范网站。

3. 密码要真正体现保密

设置网上银行的登录密码和交易密码应采用数字加字母或符号的方式，尽量不用完全是数字的密码。登录密码和支付密码也不能相同，这样万一登录密码被窃，因为不知道支付密码，登录人只能办理账户查询等一般业务，无法划转账户资金。另外还要注意定期修改密码，一般情况下，每月更改一次密码会增加网上交易的安全系数；网上银行使用完毕后，一定要注意点击“退出交易”选项，从而清除计算机中暂存的会话密码，保障账户资金的安全。

4. 养成定期对账的习惯

有些人对自己的账户疏于管理，有时账户上少了钱，几个月以后才发现，有的甚至始终察觉不到。所以使用网上银行要养成定期对账的习惯，对于转账和支付业务要随时做好记录，定期查看各种交易明细。另外，现在许多银行开通了“短信银行”业务，客户申请此项服务后，银行会按照客户要求，定期将网上银行的账户资金情况，通过手机短信告知客户，以便及时发现各种账务问题。同时，每次登录网上银行后，都要留意“上一次登录时间”的提示，查看最近的登录时间，从而确定网上银行账户是否被非法登录过。如果发现账户被非法登录或资金被盗用，要及时通过银行服务电话对注册卡及注册卡下所挂账户进行临时挂失，并尽快到营业网点办理书面挂失手续或报案，以最大限度地挽回经济损失。

巧用银行卡之十招秘诀

如今持卡族越来越多，如果仅仅把银行卡当作是存取款的工具，那简直是太“冤枉”它们了。其实从普通的借记卡到可以“先消费，后还款”的信用卡，都各具特色，若使用得当，不仅可以享受许多便捷，还可以帮持卡人省钱，实现个人理财的目的，充分享受现代“卡式”生活。

第1招：跨行交易认准银联标志（包括境内外）。

不同银行发行的银行卡能够在带有银联标识的ATM机和POS终端上统一存取款或消费。客户取款或刷卡，不用再像以前那样，在各种银行卡标识中寻找自己所持有的那一种卡，而只要认准标志即可。

第2招：牢记95516和发卡银行客服电话。

在用卡过程中一旦出现无法解决的问题，及时拨打中国银联的客服电话95516和发卡银行客服电话，以减少不必要的损失。

第3招：经常登录银联和发卡行网站获取最新优惠信息。

中国银联和发卡行不定期的都有一些对于持卡人的优惠活动，如积分换奖、刷卡消费、累计换奖等活动，及时通过网站获取相关信息，为自身刷卡消费带来实惠。

第4招：刷卡消费要活用借记卡与信用卡。

借记卡和信用卡配合使用，通过参加刷卡消费等优惠活动，获得抽奖、积分。

第5招：巧用银行免费渠道进行银行卡余额查询。

第6招：境外刷卡注意选择银联网络，少花2%的货币转换费。

出境旅游者在国外及港澳地区消费，国际卡组织在换汇业务中都要收取部分的货币转换费，即服务费。而目前，卡号为“62”开头的“银联标准卡”持卡人在境外消费时，银联方面只按规定汇率进行货币转换，少花2%的货币转换费。

第7招：积极换领“62”字头银联标准卡，享受国际标准服务。

采用中国银联“62”开头国际标准BIN号，不仅可以境内使用，还可以境外消费结算，让持卡人潇洒走出国门。

第8招：注意农村信用社银联标志，边远地区也可跨行用卡。

通过中国银联交换网络，在具有银联标志的全国县及县以下农村信用社柜台可以进行银行卡取款和查询，充分利用遍布农村乡镇的农信社网点资源为农民工提供方便、快捷、优质的银行卡服务。

第9招：使用银联网络及时对信用卡跨行还款，免去利息费用。

只要持有已开通跨行还款的入网机构的银行卡，便可随时在具有银联网络的ATM机进行自助操作，轻松完成银行卡跨行转账，交易资金瞬间从一张银行卡账户划入另一张银行卡账户，实时到账，方便快捷。

第10招：注意当地银联创新业务优惠信息，手机、电话缴费既方便又实惠。

巧用信用卡招招省钱

人们经常说：爱信用卡，是因为它使用方便，并提供增值服务；恨信用卡，是因为它的不可控性常常带来恶性负债，使自己每月都要支付高额的利息。如果你在日常使用信用卡时，只是把它单纯的当成刷卡和投资消费工具的话，那么真的就是太“委屈”这张功能强大的卡了。

其实，信用卡的使用重在一个巧字。巧用信用卡，将其变成个人理财的工具之一，不仅可以享受诸多的便捷，还可以帮忙省钱以及享受银行为持卡人提供的增值服务。巧用银行卡，学会用明天的钱改善今天的生活。

以下是一些有关信用卡使用妙招，希望能对持有信用卡的人有些帮助，做信用卡的主人：

1. 多刷卡可以免年费

信用卡每年所收取的150元或300元的年费常常令办卡人觉得是一笔过高的额外开销。这样看来办信用卡似乎不划算。然而，在目前国内的信用卡市场，各大银行都有推出一年中刷卡若干次，即可免年费的优惠政策。这样说来，其实在国内信用卡的持有和使用基本上算是免费的。

2. 信用卡是商旅好帮手

经常出差或喜欢出去旅游的人，会对信用卡更为钟爱。习惯用信用卡通过

各大旅行网来订机票，手续简便而且可以享受免息的优惠。更多的，也避免了携带大量现金出行的麻烦。此外，信用卡在异地刷卡使用是免手续费的。

3. 用信用卡理财

近年来基金大热，却也有很多人苦于缺少资金不知从何入手。信用卡持有人其实也可以通过信用卡定期定额购买基金，可以享受到先投资后付款及红利积点的优惠。在基金扣款日刷卡买基金，在结账日缴款，不仅可以赚取利息，还可以以零付出赚得报酬。但是，必须说明的是，这种借钱投资的风险也是非常大的，而且不适合用来做长线投资。

4. 巧用免息期

您刷卡消费、充分享受免息透支带来的快乐时，也要清楚记得还款日期。如果没有按时还款，不少信用卡会将你的免息期的利息一并算回，而且还要缴纳滞纳金、超限费等，这相当于“高利贷”。不及时还款，还可能影响你的信用记录，涉及官司的还可能进入金融系统的“黑名单”，在你办理房子按揭贷款等业务时都会受到影响。一般银行的信用卡都有最长50~56天的免息期，很多信用卡的持卡人都认为50~56天的免息期只要是刷卡消费的都能享受，其实每个银行的免息期都是有一个最长期限和最短期限。一般最短就是20天的，只有你在账单日后的第一天刷卡消费才有最长50~56天的免息期。

5. 消费莫超额度

每个持卡人会有固定的账单日，到期还款日为账单日起的第25天。银行会在每月账单日后一定时间内给客户发送对账单。如果您账单中的交易都是消费，只要您在到期还款日前按账单上显示的欠款总额还款，就可以享受免息了。

不过，如果持卡人不小心刷卡超过了自己的信用额度，那么即使是在信用额度之内的消费也不能再享受银行给予的免息期了。所以建议持卡人在账单日前通过网上银行、电话银行查询一下自己的账户情况，特别是在有过大额消费，或者临时调整过额度的月份。

6. 还款查账看详单

一般银行的做法都是只对消费有免息还款期，但使用信用卡透支取现

（或转账）都是不享受免息，且需根据银行的标准，支付相应的取现（或转账）手续费。

如果遇到有急用，用信用卡取现了，银行会从取现记账日（一般是取现的后一天）开始每日记收利息。如果持卡人有足够钱款，又不愿意继续支付利息，可以尽快还款，不要等到账单日或者到期还款日，银行会在还款入账后停止对取现部分金额的计息。

因此，想节省取现手续费，取现后就一定要及时关注账务情况，比如通过网上银行或者电话银行及时查询。因为利息按天计算，所以每一天需要还款的金额都有可能不同。如果持卡人想一次还清利息和还未出账单的利息，可以向银行查询。如果打算在查询当天还款，按“余额查询”结果还款即可。如果打算过两天再去还款，只要在“试算还款金额”功能下，输入打算去还款的日期，系统能准确告知应该还的金额。

值得提醒的是，取现后还可能出现按账单上显示的金额还款仍不能一次性还清款项的情况。这是因为账单上显示的是账单日那天账户里的情况，但利息是每天计算的，账单日一过，持卡人实际的应还款金额就变化了。所以一定要及时掌握准确的账目信息。

7. 最低还款须还足额度

一般比较推荐持卡人按账单金额全额还款（当然如果曾取现，按账单金额还款也是不够的）。如果资金有其他安排，不打算全额还款，可一定要还足账单上显示的“最低还款额”。只要还足了“最低还款额”，银行即视持卡人为正常还款客户。如果没有还到“最低还款额”，即使金额很少，银行也会认为持卡人是拖欠客户。而且根据中国人民银行的要求，银行有义务每月如实上报客户的资信情况。为了未来享受车贷、房贷服务，持卡人可要重视自己的信用记录。

8. 个人信息变更及时告知

信用卡的有效期一般是3年，如果持卡人和银行合作愉快，一般在3年期满后银行都会为持卡人再续发新卡，别小看这张小小的信用卡，它意味着您和银行一段很长久的合作关系呢。在这么长的时间里，持卡人的联系方式、个人情况、收入情况如果有变动，都应该及时告知银行，及时进行更新，一

般联系银行的客服热线即可完成信息更新。专家介绍，让银行了解持卡人的情况，一方面为持卡人的账户安全提供更全面的看护，保卫账户安全，另一方面也可主动为持卡人推荐更适合的产品和服务。在银行留下良好的记录，日后持卡人可以在需要的时候得到银行的信用支持。

 储蓄也要防破财

在中国老百姓的印象里，存款到银行绝对是万无一失的。但是，随着2005年中国的国家银行完全变成了股份银行后，老百姓在股份银行的存款的安全系数就不再是100%了，而是各存款人要与股份银行共担经营亏损甚至导致股份银行破产倒闭的风险。当然，股份制后的银行存款利率肯定比国有性质时期的国有银行的存款利率要高，但是你必须为此承担更大的风险，当然你也有自主权选择其他投资渠道。

在经过股份制改制后的中资银行存款存在不安全的风险。那么，钱放在外资银行就安全吗？答案恰恰相反，试想一个外资银行千里迢迢来到中国做金融生意，岂有不赚钱的道理，应该说外资银行会把赢利看得比中资银行更重。

但目前存在的状况却是，中国的普通民众却对经营存款业务的银行所存在的风险漠不关心，亦或是知之甚少。因此，了解储蓄风险对于普通投资者来说就显得尤为重要了。

通常而言，投资风险是指不能获得预期的投资报酬以及投资的资本发生损失的可能性。而储蓄风险是指不能获得预期的储蓄利息收入，或由于通货膨胀而引起的储蓄本金的损失。

预期的利息收益发生损失主要是由于以下几种原因所引起：

1. 存款提前支取

生活中，有很多人急需用钱时由于手头没有钱备用，又不好意思向

别人张口，往往喜欢一概而论的把刚存了不久或已经存了很长一段时间的定期储蓄存款作提前支取，使定期储蓄存款全部按活期储蓄利率计算了利息，这些人如果在定期储蓄存款提前支取时这么做，在无形中也可能会造成不必要的"利息"损失。现在银行部门都开展了定期存单小额抵押贷款业务，在定期储蓄存款提前支取时就需要多想想，多算算，根据尺度，拿手中的定期存单与贷款巧妙结合，看究竟是该支取，还是该用该存单抵押进行贷款，算好账才会把定期储蓄存款提前支取的利息降到最低点。

2. 密码选择"特殊"数

现在，为存款加注密码已成为普通人防范储蓄存款被他人冒领的一种手段，许多人在为存款加注密码时却不能很好地选择密码，有的喜欢用自己的生日作为密码，但这样以来就不会有很高的保密性，生日通过身份证、户口簿、履历表等就可以被他人知晓。

此外，还有一些人喜欢选择一些吉祥数字，如"666、888、999"等，选择这些数字也不能让密码带来较强的保密性。所以，在选择密码时一定要注重科学性，在选择密码时最好选择与自己有着密切联系，但不容易被他人知晓的数字。总之，选择密码要慎重。

3. 存款种类选错导致存款利息减少

储户在选择存款种类时应根据自己的具体情况作出正确的抉择。如选择不当，也会引起不必要的损失。例如有许多储户为图方便，将大量资金存入活期存款账户或信用卡账户，尤其是目前许多企业都委托银行代发工资，银行接受委托后会定期将工资从委托企业的存款账户转入该企业员工的信用卡账户，持卡人随用随取，既可以提现金，又可以持卡购物，非常方便。但活期存款和信用卡账户的存款都是按活期存款利率计息，利率很低。而很多储户把钱存在活期存折或信用卡里，一存就是几个月、半年，甚至更长时间，个中利息损失可见一斑。过去有许多储户喜欢存定活两便储蓄，认为其既有活期储蓄随时可取的便利，又可享受定期储蓄的较高利息。但根据现行规定，定活两便储蓄利率按同档次的整存整取定期储蓄存款利率打6折，所以从多获利息角度考虑，宜尽量选整存整取定期储蓄。

存款本金的损失，主要是在通货膨胀严重的情况下，如存款利率低于

通货膨胀率，即会出现负利率，存款的实际收益≤0，此时若无保值贴补，存款的本金就会发生损失。

由此可见，其实储蓄也是存在风险的。人们之所以缺乏存款的风险意识，这与我国金融市场的长期稳定和繁荣密不可分，在现实生活中，人们遇到的存款风险是极为少见的。但是现在，为了保障你的收益和财产安全，你有必要做好储蓄风险的防范：

（1）如无特殊需要或有把握的高收益投资机会，不要轻易将已存入银行一段时间的定期存款随意取出。因为，即使在物价上涨较快、银行存款利率低于物价上涨率而出现负利率的时候，银行存款还是按票面利率计算利息的。如果不存银行，也不买国债或进行别的投资，现金放在家里，那么损失将更大。

（2）若存入定期存款一段时间后，遇到比定期存款收益更高的投资机会，如国债或其他债券的发行等，储户可将继续持有定期存款与取出存款改作其他投资两者之间的实际收益作一番计算比较，从中选取总体收益较高的投资方式。如3年期凭证式国债发行时，因该国债的利率高于5年期银行存款的利率，我们就应该取出原已存入银行的3年或5年的定期存款，去购买3年期的国债。对于不足半年的储户来说，这样做的结果是收益大于损失。但对于那些定期存单即将到期的储户来说，用提前支取的存款来购买国债，损失将大于收益，这一点很容易计算得出。

（3）在市场利率水平较低，或利率有可能调高的情况下，对于已到期的存款，可选择其他收益率较高的方式进行投资，也可选择期限较短的储蓄品种继续转存，以等待更好的投资机会，或等存款利率上调后，再将到期的短期定期存款，改为期限较长的储蓄品种。

（4）在利率水平较高或当期利率水平可能高于未来利率水平，即利率水平可能下调的情况下，对于不具备灵活投资时间的人来说，继续转存定期储蓄是较为理想的。因为，在利率水平较高、利率可能下调的情况下，存入较长期限的定期存款意味着可获得较高的利息收入，利息收入是按存入日的利率计算的，在利率调低前存入的定期存款，在整个存期内都是按原存入日的利率水平计付利息的，可获得的利息收入就较高。

在利率水平较高、利率有可能调低的情况下，金融市场上有价证券，如股票、国债、企业债券等往往处于价格较低、收益率相对较高的水平，如果利率下调，将会进一步推动股票、债券价格的上升。因此，在利率可能下调的条件下，对于具有一定投资经验，并能灵活掌握投资时间的投资者，也可将已到期的存款取出，有选择地购买一些债券和股票，待利率下调，股票和债券的价格上升后再抛出，可获得更高的投资收益。当然，利率下调并不意味着所有有价证券都会同步同幅上升，其中有些证券升幅较大，有些升幅较小，甚至可能不升，我们应认真分析选择。

（5）对于已到期的定期存款，应对利率水平及利率走势、存款的利息收益率与其他投资方式收益率进行比较，还要把储蓄存款与其他投资方式在安全、便利、灵活性等各方面情况进行综合比较，结合每个人的实际情况进行重新选择。

既然银行存款存在风险，面对这一风险老百姓该如何去识别和防范银行存款的风险呢？目前，我国的银行体系由以下部分构成：中央银行、政策性银行、国有商业银行、全国性股份制商业银行、城市商业银行和城乡合作信用社。

正如企业的经营有起有落，银行的风险也是在变化之中的。投资者必须及时关注主要存款银行的运营状况，对其风险定期予以评价，这样才能防患于未然，从而不影响投资者的正常生活。

债券——风险小、回报稳定的投资理财工具

债券，家庭投资的首选

债券有四个方面的含义：发行人是借入资金的经济主体，投资者是出借资金的经济主体，发行人需要在一定时期还本付息，债券反映了发行者和投资者之间的债权债务关系，而且是这一关系的法律凭证。

债券投资的风险较小，收益稳定，具有较好的流动性，通常被视为无风险证券。特别是在投资风险日益加大的今天，投资债券有着非常重要的现实意义。

债券是政府、金融机构、工商企业等机构直接向社会借债筹措资金时，向投资者发行，并且承诺按一定利率支付利息并按约定条件偿还本金的债权债务凭证。由于债券的利息通常是事先确定的，所以，债券又被称为固定利息证券。

与股票投资相比，债券投资具有风险低、收益稳定、利息免税、回购方便等特点，使债券投资工具受到机构和个人投资者的喜爱。相应地，投资相对稳健的债券基金也成了投资者的投资首选。

2007年以来，股市的震荡给股民们上了一堂生动的风险教育课，不少人开始考虑将前期投到股市里的资金分流出来投入到更为安全的领域，于是国债销售又重温了久违的火爆场面。

国债的收益率一般高于银行存款，而且又有国家信用作担保，可以

说是零风险投资品种。如果是规避风险的稳健型投资者，购买国债是个不错的选择。即使是积极型投资者，也应当考虑在理财篮子中适当配置类似的产品。

除了国债，企业债也是稳妥理财的优选品种。能在交易所交易的可转债，一直是机构投资者所钟爱的品种。个人如果想要投资，不妨考虑通过购买可转债基金间接分享其中的收益，这样，既可以让专业机构代你去分析和把握瞬息万变的市场波动，又可以坐享其成地获得稳健回报。

投资国债首先要对国债门类有所了解。现在，随着社会经济的发展，债券融资方式日益丰富，范围不断扩展。为满足不同的融资需要，并更好地吸引投资者，债券发行者在债券的形式上不断创新，新的债券品种层出不穷。如今，债券已经发展成为一个庞大的“家族”。

我们投资债券，首先必须深入了解债券，了解各种债券的类型、性质和特征，然后才能根据自己投资的金额和目的正确地选择债券。

1. 债券按是否有财产担保，分为抵押债券和信用债券

抵押债券是以企业财产作为担保的债券，按抵押品的不同又可以分为一般抵押债券、不动产抵押债券、动产抵押债券和证券信用抵押债券。抵押债券可以分为封闭式和开放式两种。封闭式债券发行额会受到限制，即不能超过其抵押资产的价值；开放式债券发行额不受限制。抵押债券的价值取决于担保资产的价值。抵押品的价值一般超过它所提供担保债券价值的25%~35%。

信用债券是不以任何公司财产作为担保，完全凭信用发行的债券。其持有人只对公司的非抵押资产具有追索权，企业的盈利能力是这些债券投资人的主要担保。因为信用债券没有财产担保，所以在债券契约中都要加入保护性条款，如不能将资产抵押其他债权人、不能兼并其他企业、未经债权人同意不能出售资产、不能发行其他长期债券等。

2. 债券按是否能转换为公司股票，分为可转换债券和不可转换债券

可转换债券是在特定时期内可以按某一固定的比例转换成普通股的债券，由于可转换债券赋予债券持有人将来成为公司股东的权利，因此其利率通常低于不可转换债券。若将来转换成功，在转换前发行企业达到了低

成本筹资的目的，转换后又可节省股票的发行成本。根据《公司法》的规定，发行可转换债券应由国务院证券管理部门批准，发行公司应同时具备发行公司债券和发行股票的条件。

不可转换债券是指不能转换为普通股的债券，又称为普通债券。由于其没有赋予债券持有人将来成为公司股东的权利，所以其利率一般高于可转换债券。

3. 债券按利率是否固定，分为固定利率债券和浮动利率债券

固定利率债券是将利率印在票面上并按其向债券持有人支付利息的债券。该利率不随市场利率的变化而调整，因而固定利率债券可以较好地抵制通货紧缩风险。

浮动利率债券的息票率是随市场利率变动而调整的利率。因为浮动利率债券的利率同当前市场利率挂钩，而当前市场利率又考虑到了通货膨胀率的影响，所以浮动利率债券可以较好地抵制通货膨胀风险。

4. 债券按是否能够提前偿还，分为可赎回债券和不可赎回债券

可赎回债券是指在债券到期前，发行人可以以事先约定的赎回价格收回的债券。公司发行可赎回债券主要是考虑到公司未来的投资机会和回避利率风险等问题，以增加公司资本结构调整的灵活性。发行可赎回债券最关键的问题是赎回期限和赎回价格的制定。

不可赎回债券是指不能在债券到期前收回的债券。

5. 债券按偿还方式不同，分为一次到期债券和分期到期债券

一次到期债券是发行公司于债券到期日一次偿还全部债券本金的债券，分期到期债券是指在债券发行的当时就规定有不同到期日的债券，即分批偿还本金的债券。

分期到期债券可以减轻发行公司集中还本的财务负担。

6. 按债券可流通与否，分为可流通债券和不可流通债券，或者上市债券或非上市债券等

发行结束后可在深、沪证券交易所，即二级市场上上市流通转让的债券为上市债券，包括上市国债、上市企业债券和上市可转换债券等。上市债券的流通性好，变现容易，适合于需随时变现的闲置资金的投资需要。

7. 按债券发行主体不同，可分为国债、金融债和企业债等

国债也叫国债券，是中央政府根据信用原则，以承担还本付息责任为前提而筹措资金的债务凭证。金融债券是由银行和非银行金融机构发行的债券，金融债券现在大多是政策性银行发行与承销，如国家开发银行。企业债就是企业债券，是公司依照法定程序发行、约定在一定期限还本付息的有价证券，通常泛指企业发行的债券。

债券的特征和基本构成要素

债券是债务人为筹集资金而向债权人承诺按期交付利息和偿还本金的有价证券。它只是一种虚拟资本，其本质是一种债券债务证书。

1. 债券的特征

从投资者的角度看，作为一种重要的融资手段和金融工具，债券具有以下四个特征：偿还性、流动性、安全性、收益性。

（1）偿还性。债券一般都规定有偿还期限，发行人必须按约定条件偿还本金并支付利息。

（2）流动性。债券的流动性是指债券在偿还期限到来之前，可以在证券市场上自由流通和转让。一般来说，如果一种债券在持有期内不能够转化为货币，或者转化为货币需要较大的成本（如交易成本或者资本损失），这种债券的流动性就比较差。一般而言，债券的流动性与发行者的信誉和债券的期限紧密相关。

由于债券具有这一性质，保证了投资者持有债券与持有现款或将钱存入银行几乎没有什么区别。而且，目前几乎所有的证券营业部门或银行部门都开设债券买卖业务，且收取的各种费用都相应较低，方便债券的交易，增强了其流动性。

（3）安全性。债券的安全性主要表现在以下两个方面：一是债券利息

事先确定；二是投资的本金在债券到期后可以收回。虽然如此，债券也有信用风险及市场风险。

信用风险或称不履行债务的风险，是指债券的发行人不能充分和按时支付利息或偿付本金的风险，这种风险主要取决于发行者的资信程度。信用等级高，信用风险就小。信用风险对于每一个投资者来说都是存在的。一般来说，政府的资信程度最高，其次为金融公司和企业。

市场风险是指债券的市场价格随资本市场的利率上涨而下跌。当利率下跌时，债券的市场价格便上涨；而当利率上升时，债券的市场价格就下跌。债券的有效期越长，债券价格受市场利率波动的影响就越大。随着债券到期日的临近，债券的价格便趋于债券的票面价值。

（4）收益性。债券的收益性主要体现在两个方面：一是投资债券可以给投资者定期或不定期地带来利息收入；二是投资者可以利用债券价格的变动，买卖债券赚取差额。但主要体现为利息。

因债券的风险比银行存款要大，所以债券的利率也比银行高。如果债券到期能按时偿付，购买债券就可以获得固定的、一般高于同期银行存款利率的利息收入。

债券的偿还性、流动性、安全性与收益性之间存在着一定的矛盾。一般来讲，一种债券难以同时满足上述的四个特征。如果债券的流动性强，安全性就强，人们便会争相购买，于是该种债券的价格就上升，收益率下降；反之，如果某种债券的流动性差，安全性低，那么购买的人就少，债券的价格就低，其收益率就高。对于投资者来说，可以根据自己的财务状况和投资目的来对债券进行合理的选择与组合。

2. 债券的基本要素

（1）票面价值。包括票面货币币种和票面金额两个因素。

债券票面价值的币种即债券以何种货币作为其计量单位，要依据债券的发行对象和实际需要来确定。若发行对象是国内的有关经济实体，可以选择本币作为债券价值的计量单位；若发行对象是国外的有关经济实体，可以选择发行地国家的货币或者国际通用货币作为债券价值的计量单位。

债券的票面金额要依据债券的发行成本、发行数额和持有者的分布来确定。

（2）偿还期限。偿还期限是指债券发行之日起到偿还本息之日的时间。一般可以分为三类：偿还期限在1年以内的是短期债券；偿还期限在1年以内10年以下的是中期债券；偿还期限在10年以上的是长期债券。

债券期限的长短主要取决于债务人对资金的需求、利率变化趋势、证券交易市场的发达程度等因素。

（3）票面利率。票面利率是指债券的利息与债券票面的比率，它会直接影响发行人的筹资成本。

影响债券利率高低的因素主要有银行利率、发行者的资信状况、债券的偿还期限、利息计算方式以及资本市场资金的供求状况。

（4）付息方式。付息方式分为一次性付息与分期付息两大类。一次性付息有三种形式：单利计息、复利计息、贴现计息。分期付息一般采取按年付息、半年付息和按季付息三种方式。

（5）债券价格。债券价格包括发行价格和交易价格两种。

债券的发行价格是指债券发行时确定的价格，可能不同于债券的票面金额。当债券的发行价格高于票面金额时，称为溢价发行；当债券的价格低于票面金额时，称为折价发行；当两者相等时，称为平价发行。选择何种方式取决于二级市场的交易价格以及市场的利率水平等。

债券的交易价格是指债券离开发行市场进入交易市场时采用的价格，由利率以及二级市场上的供求关系来决定，通常与票面价值是不同的。

（6）偿还方式。偿还方式分为期满后偿还和期中偿还两种。主要方式有：选择性购回，即有效期内，按约定价格将债券回售给发行人；定期偿还，即债券发行一段时间后，每隔半年或者一年，定期偿还一定金额，期满时还清剩余部分。

（7）信用评级。信用评级即测定因债券发行人不履约，而造成债券本息不能偿还的可能性。其目的是把债券的可靠程度公诸投资者，以保护投资者的利益。

投资国债有技巧

国债的显着优势是具备安全性，理论风险为零，投资者根本无需担心违约问题。同时，国债的收益性比照同期储蓄利率高，且不需缴纳利息税，但国债的利率一般不随储蓄利率的调整而调整。

因此，在许多投资者看来，国债是“金边债券”，收益最稳定。其实，投资国债如果不能很好地掌握国债理财的技巧，同样不会获得较高的收益，甚至还会赔钱。

投资者选择国债投资应先了解其规则，再决定是否买进、卖出以及投资额度。许多投资者以为国债提前支取就得按活期计息，这是不正确的，投资者选择国债理财也应首先熟悉所购国债的详细条款并主动掌握一些技巧。

现在发行的国债主要有两种，一种是凭证式国债，一种是记账式国债。凭证式国债和记账式国债在发行方式、流通转让及还本付息方面有不少不同之处，购买国债时，要根据自己的实际情况来选择哪种国债。

凭证式国债从购买之日起计息，可以记名，可以挂失，但不能流通。投资者购买后，如果需要变现，可到原购买网点提前兑取。提前兑取除取回本金之外，期限超过半年的还可按实际持有天数及相应的利率档次计付利息。由此可见，凭证式国债能为购买者带来固定的稳定收益，但购买者需要弄清楚，如果凭证式国债想要提前支取，在发行期内是不计息的，半年内支取则按同期活期利率计算利息。

值得注意的是，国债提前支取还要收取本金1‰的手续费。这样一来，如果投资者在发行期内提前支取不但得不到利息，还要付出1‰的手续费。在半年内提前支取，其利息也少于储蓄存款提前支取。此外，储蓄提前支取不需要手续费，而国债需要支付手续费。

因此，对于自己的资金使用时间不确定者最好不要买凭证式国债，以

免因提前支取而损失了钱财。但相对来说，凭证式国债收益还是稳定的，在超出半年后提前支取，其利率高于提前支取的活期利率，不需支付利息所得税，到期利息高于同期存款所得利息。所以，凭证式国债更适合资金长期不用者，特别适合把这部分钱存下来进行养老的老年投资者。

记账式国债是财政部通过无纸化方式发行的，以电脑记账方式记录债权并且可以上市交易。记账式国债可以自由买卖，其流通转让较凭证式国债更安全、更方便。相对于凭证式国债，记账式国债更适合3年以内的投资，其收益与流动性都好于凭证式国债。记账式国债的净值变化是有规律可循的，记账式国债净值变化的时段主要集中在发行期结束开始上市交易时，往往在证交所上市初期出现溢价或贴水。稳健型投资者只要避开这个时段购买，就能规避国债成交价格波动带来的风险。

记账式国债上市交易一段时间后，其净值便会相对稳定，随着记账式国债净值变化稳定下来，投资国债持有期满的收益率也将相对稳定，但这个收益率是由记账式国债的市场需求决定的。对于那些打算持有到期的投资者而言，只要避开国债净值多变的时段购买，任何一只记账式国债将获得的收益率都相差不大。

另外，个人宜买短期记账式国债，如果时间较长的话，一旦市场有变化，下跌的风险很大，记账式国债投资者一定要多加注意。相对而言，年轻的投资者对信息及市场变动非常敏感，所以记账式国债更适合年轻投资者购买。

根据投资目的的不同，个人投资者的债券投资方法，可分为完全消极投资、完全主动投资和部分主动投资三种。

完全消极投资（购买持有法）：即投资者购买债券的目的是储蓄，想获取较稳定的投资利息。这类投资者往往不是没有时间对债券投资进行分析和关注，就是对债券和市场基本没有认识，其投资方法就是购买一定的债券并一直持有到期，以获得定期支付的利息收入。

完全主动投资：即投资者投资债券的目的，是获取市场价格波动带来的收益。这类投资者对债券和市场有较深的认识，属于比较专业的投资者，对市场和债券走势有较强的预测能力，其投资方法是在对市场和个券

作出判断和预测后，采取“低买高卖”的手法进行债券买卖。比如预计未来债券价格（净价，下同）上涨，则买入债券等到价格上涨后卖出；如果预计未来债券价格下跌，则将手中持有的该债券出售，并在价格下跌时再购入债券。这种投资方法收益较高，但也面临较高的波动性风险。

部分主动投资：即投资者购买债券的目的主要是获取利息，同时把握价格波动的机会获取收益。这类投资者对债券和市场有一定的认识，但对债券市场关注和分析的时间有限，其投资方法就是买入债券，并在债券价格上涨时将债券卖出获取差价收入，如债券价格没有上涨，则持有到期获取利息收入。该投资方法下债券投资的风险和预期收益高于完全消极投资，但低于完全积极投资。

采用什么投资策略，取决于自己的条件。对于以稳健保值为目的、又不太熟悉国债交易的投资者来说，采取消极的投资策略较为稳妥。首先，应该结合自己的生活开支等情况，确定资金的可用期限，然后根据资金的可用期限，选择相应期限的国债品种；其次，在该国债价格下跌到一定程度时买入，持有至到期。

投资者投资前要注意国债的分档计息规则。以第五期凭证式国债为例，从购买之日起，在国债持有时间不满半年、满半年不满1年、满1年不满2年、满2年不满3年等多个持有期限分档计息。因此，投资者应注意根据时段来计算、选取更有利的投资品种。

值得注意的是，有的人认为股市风险大，因此，平时在投资国债的时候，不大关心股市的情况。这是一种误区，很可能造成损失。经验证明，股市与债市存在一定的“跷跷板”效应。就是说，当股市下跌时，国债价格上扬；股市上涨时，国债下跌。所以，国债投资者不能对股市不闻不问，也应该密切关注股市对国债行情的影响，以决定投资国债的出入点。

此外，国债的销售为了兼顾公平性，不能预约。原定发行期为一个月的国债，会出现发售首日就提前售空的现象。在分销日中，大多欲购者感慨国债难买。

其实，只要注意点技巧，要购买到国债也并非太难。

一要考察比较营业网点。目前，基本是各大银行都有发行额度，大

多数营业网点应该都可以买到。不过，由于各银行的额度相对有限，因此要提高购买的成功几率，起早排队应该是可行的，但是对于老年人来说，这样对身体不利。因此，投资者应提前打探情况，首先观察身边的营业网点，哪些平常人相对较少，然后再询问是否销售国债，这样即使去的时间较晚，但是由于购买的人不多，无形提高了购买到的几率。

二要选择规模相对较小的金融单位。不少老百姓买国债都喜欢到工行、建行等大的金融机构，但是购买到的几率却相对较小。因此，选择规模相对较小的金融机构，反而能够提高命中率。

三个关键词帮你选择债券

随着股市风险的不断积聚，债券投资在投资者眼里的位置显得重要起来。面对一个新债券品种，当初的选股的经验已全派不上用场，由此投资者需要对以下几个方面的问题引起注意：

1. 提高流通性

很多债券投资者认为，债券投资就是在债券发行的时候买进债券然后持有到期拿回本金和利息。这样就忽略了债券的流通性，而仅仅考虑了债券的收益性和安全性。

债券的流通性就是能否方便地变现，即提前拿回本金和一些利息，这是债券非常重要的一个特性。很多的债券由于没有良好的流通渠道，所以其流通性极差。债券的流通性与安全性和收益性是紧密相关的。良好的流通性能够使得投资者有机会提前变现回避可能的风险，也可以使投资者能够把投资收益提前落袋为安。良好的流通性可以使得投资者能够不承担太高的机会成本，可以中途更换更理想的债券品种以获得更高的收益。如果能够成功地实现短期组合成长期的策略，并将中途能够拿回的利息再购买债券就变相达到了复利效应。所以，债券的流通性是与安全性和收益性一

样值得考虑的特性。

要提高债券的流通性，就必须有相应的交易市场。目前国内的三大债券市场是银行柜台市场、银行间市场和交易所市场，前两者都是场外市场而后者是利用两大证券交易所系统的场内市场。银行柜台市场成交不活跃，而银行间债券市场是个人投资者几乎无法参与的，所以都跟老百姓的直接关联程度不大。交易所市场既可以开展债券大宗交易，同时也是普通投资者可以方便参与的债券市场，交易的安全性和成交效率都很高。所以，交易所市场是一般债券投资者应该重点关注的市场。

交易所债券市场可以交易记账式国债、企业债、可转债、公司债和债券回购。记账式国债实行的是净价交易全价结算，一般每年付息一次，也有贴现方式发行的零息债券，一般是一年期的国债。企业债、可转债和公司债都采取全价交易和结算，一般也是采取每年付息一次。债券的回购交易基于债券的融资融券交易，可以起到很好的短期资金拆借作用。

这些在交易所内交易的债券品种都实行T+1交易结算，一般还可以做T+0回转交易，即当天卖出债券所得的资金可以当天就买成其他债券品种，可以极大地提高资金的利用效率。在交易所债券市场里，不仅可以获得债券原本的利息收益，还有机会获得价差，也便于债券变现以应付不时之需和抓住中间的其他投资机会。

投资者只要在证券公司营业部开立A股账户或证券投资基金账户，就可参与交易所债券市场的债券发行和交易。其实，证券不等于股票和基金，还包括债券，证券营业部里还有一个债券交易平台。投资者对证券营业部需有一个平和的心态，才能更好地利用交易所的资源获得更多更稳的投资收益。随着公司债的试点和大量发行，交易所债券市场将会更加热闹。

顺便提一下，凭证式国债和电子储蓄国债也不是必须持有到期的，也是可以在银行柜台提前变现的，只是会有一些利息方面的损失，本金不会损失，需要交一笔1‰的手续费而已。到底是否划算，就要看机会成本的高低了。

2. 注重关联性

债券和股票并非水火不容，可转债就是两者的一个结合体。可转债既

有债券的性质，发债人到期要支付债券持有者本金和利息，但可转债又有相当的股性，因为可转债一般发行半年后投资就可以择机行使转成股票的权利，债权就变成了股权，债券也就变身为股票。

普通的可转债相当于一张债券加若干份认股权证，也有债券和权证分开的可分离债，两者同时核准但分开发行和上市。普通可转债是债券市场的香饽饽，发行时会吸引大量资金认购，上市后一般也会出现明显溢价，特别是在牛市的背景下，普通可转债的价格会随着相应股票的上涨而不断攀升。普通可转债的转股是一条单行道，转成股票后就不能再转回债券了，所以转股时机的把握是很重要的。

分离型可转债的债券部分由于利息较低还要交纳20%的利息税，所以上市后在很长的时间里交易价格都会低于100元面值，而权证则会成为十分活跃的交易品种。

总的来说，投资可转债的投资风险有限，如果持有到期几乎就没有什么投资风险，但中间可能产生的收益却并不逊色于股票。所以，可转债是稳健投资者的绝佳投资对象。

3. 利用专业性

随着债券市场的发展，债券的品种和数量都会迅速增加，债券的条款会越来越复杂，债券的交易规则也会越来越多，这样债券投资就会越来越变成一个非常专业的事情。那么，依靠专业人士来打理债券投资就越来越有必要了，债券投资专业化会成为债券市场发展的一个必然趋势。

其实，货币基金、短债基金、债券基金、偏股混合基金和保本基金都是主要以债券为投资对象的基金。货币基金以组合平均剩余期限180天以内的债券和票据为主要投资对象，是一年期定期存款很好的替代品。短债基金以组合平均剩余期限不超过3年的债券为主要投资对象，理论上收益会比货币基金高一些。债券基金的债券投资比例不低于80%，可以持有可转债转换成的股票。混合基金中的偏债基金也主要以债券为主要投资对象，同时还可以灵活地配置一些股票，也是风险较低的保守型基金。保本基金由于有保本条款，也是配置以债券为主的保守型资产组合。由于股市的大涨，这些基金的收益与股票基金或偏股基金的收益相

比要少得多，规模也出现比较大的萎缩。但是，公司债的试点会带来债券市场比较大的发展，股市风险的逐步堆积也会让这些基金成为投资者理想的避风港。

总的来说，通过基金来投资债券可以享受基金经理的专业服务，无须在债券的选择、买卖、结息、回售、回购、转股和收回本金等事宜上耗费精力，还可以间接投资个人投资者不能参与的债券品种，所以这种利用专业性投资服务的债券投资策略会随着债券市场的发展越来越受到一般投资者的青睐。

如何避免债券风险

任何投资都是有风险的，债券投资的风险是指债券预期收益变动的可能性及变动幅度，债券投资的风险是普遍存在的。

目前，股票市场震荡，权衡风险和收益的平衡，很多投资者都把目光投向了相对稳定的债券。可是债券作为一种理财产品，它同样是有风险的，只是相对小一些而已。因此，正确评估债券投资风险，明确未来可能遭受的损失，是投资者在投资决策之前必须要做好的工作。具体来说，投资债券存在以下几方面的风险：

1. 购买力风险

是指由于通货膨胀而使货币购买力下降的风险。通货膨胀期间，投资者实际利率应该是票面利率扣除通货膨胀率。

2. 利率风险

利率是影响债券价格的重要因素之一，当利率提高时，债券的价格就降低，此时便存在风险。

3. 经营风险

经营风险是指发行债券的单位管理与决策人员在其经营管理过程中发

生失误，导致资产减少而使债券投资者遭受损失。

4. 流动风险

是指投资者在短期内无法以合理的价格卖掉债券的风险。市场上的债券种类繁多，所以也就有冷热债券之分。对于一些热销债券，其成交量周转率都会很大。相反，一些冷门债券，有可能很长时间都无人问津，根本无法成交，实际上是有行无市，流动性极差，变现能力较差。如果持券人非要变现，就只有大幅度折价，从而造成损失。

5. 再投资风险

购买短期债券，而没有购买长期债券，会有再投资风险。例如，长期债券利率为14%，短期债券利率为13%，为减少利率风险而购买短期债券。但在短期债券到期收回现金时，如果利率降低到10%，就不容易找到高于10%的投资机会，还不如当期投资于长期债券，仍可以获得14%的收益，归根到底，再投资风险还是一个利率风险问题。

6. 违约风险

发行债券的公司不能按时支付债券利息或偿还本金，而给债券投资者带来的损失。

7. 事件风险

债券期限的长短对风险是不起作用的，但由于期限较长，市场不可预测的时间就多，而愈临近兑换期，持券人心理感觉就越踏实。所以在市场上，对于利率水平相近的债券，期限长的其价格也就要低一些。

因此，债券投资存在的这些风险，会直接影响到我们的收益，为了能很好地增加收益，避免风险，安全性便成为债券投资者普遍关注的最重要问题。

债券作为债权债务关系的凭证，它与债权人和债务人同时相关，作为债务人的企业或公司与作为债权人的债券投资者就债权与债务关系是否稳定来说，起着相同的作用，任何一方都无法独立防范风险。企业或公司作为债券的发行者所采用的确保债券安全、维持企业或公司信誉的措施堪称预防措施，是防范风险的第一道防线。而对于投资者来说，正确选择债券、掌握好买卖时机将是风险防范的主要步骤：

1. 选择多品种分散投资

这是降低债券投资风险的最简单办法。不同企业发行的不同债券，其风险性与收益性也各有差异，如果将全部资金都投在某一种债券上，万一该企业出现问题，投资就会遭受损失。因此，有选择性地购买不同企业的各种不同名称的债券，可以使风险与收益多次排列组合，能够最大限度地减少风险或分散风险。

2. 注意做顺势投资

对于小额投资者来说，谈不上操纵市场，只能跟随市场价格走势做买卖交易，即当价格上涨人们纷纷购买时买入；当价格下跌时人们纷纷抛出时抛出，这样可以获得大多数人所能够获得的平均市场收益。这种防范措施虽然简单，也能收到一定效益，但却有很多不尽如人意之处。

首先必需掌握跟随时间原则，这就是通常说的“赶前不赶后”。如果预计价格不会再涨了，而且有可能回落，那么尽管此时人们还在纷纷购买，也不要顺势投资，否则价格一旦回头，必将遭受众人一样的损失。

3. 中短期券种避风险

尽管目前长期债券的收益率高于中短期债券，但如果自己不能持有长期债券到期，那这种对于未来利率走高的补偿也就不能享有了，所以，对于风险承受能力小的投资者，目前长期债券基本没有投资价值。

相对来说，短期债券由于存续期短，受以后加息的不确定因素的影响比较小，而且期限短，资金占用时间不长，再投资风险比较小。中期债券品种中，目前7年期国债与10年期、15年期国债的利率水平已经基本接近。对于同期限的国债来说，当收益率变动相同幅度的时候，票面利率越高，价格波动越小。可以适当选择期限在7年期左右的票面利率比较高的券种。

4. 浮息债券也获利

顾名思义，浮息债券就是票面利率是浮动的，目前交易所的两只浮息债券都是以银行一年定期存款的利率作为基准利率再加上一个利差作为票面利率，而一旦银行一年期存款利率提高，浮息债券的票面利率就会在下一个起息日起相应地提高，这在一定的程度上减少了加息带来的风险。在加息的周期中，这类品种应该值得关注。市场上出现升息预期的初期，浮息债券涨势比较好，但是一旦加息成为事实，浮息债券并不比固息债券有优势。投资者在投资浮息债券的时候，一定要注意时点的把握，特别要密切注意国家的宏观经济形势。

5. 可转债机会多

对于习惯炒股，能承受股票市场的大起大落的投资者，在目前股票市场持续低迷情况下，可转债将是很好的替代品种。可转债的价格由纯债券价值和转换期权价值组成，具有“进可攻，退可守”的特点。在大盘不好的时候，可转债由于有其债券价值作为支撑，跌幅小于对应的股票，而一旦对应股票上涨，可转债的价值也会跟着上涨。目前很多可转债的票面利率是浮动的，即使加息也不会对其债券价值有很大的影响。

6. 以不变应万变

这是防范风险的措施之一。在债券市场价格走势不明显、此起彼伏时，在投资者买入卖出纷乱，价格走势不明显时，投资者无法做顺势投资选择，最好的做法便是以静制动，以不变应万变。因为在无法判断的情况下，做顺势投资很容易盲目跟风，很可能买到停顿或回头的债券，结果疲于奔命，一无所获。此时以静制动，选择一些涨幅较小和尚未调整价位的债券买进并耐心持有，等待其价格上扬，是比较明智的做法。当然，这要求投资者必须具备很深的修养和良好的投资知识与技巧。

7. 必须注意不健康的投资心理

要防范风险还必须注意一些不健康的投资心理，如盲目跟风往往容易上当；贪多，往往容易错过有利的买卖时机；赌博心理，孤注一掷的结果往往会导致血本无归；嫌贵贪低，因贪图便宜易导致持有一堆蚀本货，最终不得不抛弃而一无所获。

总之，债券投资是一种风险投资，那么，投资者在进行投资时，必须对各类风险有比较全面的认识，并对其加以测算和衡量，同时，采取多种方式规避风险，力求在一定的风险水平下使投资收益最大化。

基金——让专家帮你赚钱的投资理财工具

“新基民”入门知识

中国基金业最早是从1991年武汉证券投资基金和深圳南山风险投资基金的设立开始的，这时的基金发展较缓慢，运作也不规范。1997年11月国务院证券委员会颁布《证券投资基金管理暂行办法》，成为我国首次颁布的规范证券投资基金运作的行政法规，为我国基金业的发展奠定了基础。1998年基金金泰和基金开元的设立揭开了新基金发展的序幕，此后一段时间内是封闭式基金的发展阶段。2001年9月，第一支开放式基金华安创新成功发行，从此我国基金企业进入一个全新发展的阶段。开放式基金从无到有迅速发展，日益成为我国基金业的主流。

证券投资基金就是通过发行基金单位，汇集众多投资者的闲置资金，由基金托管人托管，由基金管理人统一管理并投资于股票、债券、外汇等金融证券，获得投资收益和资金增值，从而为投资者谋利的一种投资工具。通俗地说，就是投资者把自己的钱交给专家来管理以达到资金的保值增值。它属于一种间接的利益共享、风险共担的证券投资方式。

基金是一种兼顾风险和收益的理财方式。举例来说，假设你有一笔钱想投资债券、股票这类证券进行增值，但自己又一无时间二无精力三无财力，于是想到与其他一些人合伙出资，并雇佣一个投资高手来操作大家合伙的财产进行投资增值。如果将这种合伙投资的模式放大1 000倍、10 000

倍，这就是基金了。如果这种合伙投资的活动经过中国证券监督管理委员会审批，允许这项活动的牵头操作人向社会公开募集吸收投资者加入合伙出资，这就是发行公募基金，也就是大家现在常见的基金。

做明白的基金投资者，一定要知道基金分哪几类，都有什么样的基金供我们投资，以便在众多的基金中选择适合自己收益风险偏好的基金。

1. 封闭式基金

封闭式基金是不可赎回的基金，事先确定发行总额，在封闭期内基金份额总数不变，发行结束后可以上市交易，投资者可通过证券商买卖基金份额。例如：基金开元，发行20亿，那整体就是20亿份，即便买的人多，也不会再增发。封闭期就是15年，或者是固定一个时期，封闭期结束之后，可以转开放的，或是续约。

封闭式基金不可赎回，那投资者买后如何赚钱呢？第一，它可以分红；第二，它可以在证券市场进行买卖，就跟股票一样。比如说，2元钱买的基金，涨到2.1元了，那可以在股票市场上把它卖掉。这样的话，封闭式基金交易类似于股票，在第一次买封闭式基金的时候，投资者跟基金公司接触，从基金公司申购。基金公司封闭期结束了，最后一次，投资者要跟基金公司进行结算，分配剩余资产，或者转成开放式基金。第一次和最后一次跟封闭式基金公司进行接触，其他的时间就跟股票一样进行买卖、分红，跟股票交易非常相似，因为它不可赎回。封闭型基金适合在股票市场不发达时发行，便于管理。像基金开元（184688）、基金金泰（500001）、基金裕隆（184692）、基金鸿飞（184700）、基金银丰（500058），这些就属于封闭式基金。

2. 开放式基金

现在很多人买的基金基本上都是开放式基金。开放式基金是可赎回的基金，在募集期内不规定限额，募集100亿元，还是200亿元，这主要看市场。募集完了以后，也没有一个时间限制，原则上只要基金公司在经营，一代一代地传下去，可以永续地发展，这是开放式基金的特性。

开放式基金适合在成熟的股市中发行。封闭式基金的价格由市场竞价决定，可能高于或低于基金单位资产净值；而开放式基金的交易

价格由基金经理人依据基金单位资产净值而确定，基本上是连续公布的。像天治财富增长（494301）、广发稳健增长（493602）、工银精选（495602）、兴业趋势投资（494202）、交银稳健（495802），这些属于开放式基金。

3. 成长型基金

一些基金公司和机构投资者，希望今天买的股票等着它慢慢成长起来。这种基金可能不重视一时的收益，而是重视很长时间，一段时间的一个平均的收益，今年挣这么多，明年挣这么多，后年还挣这么多，一个平稳的、成长式的发展。这叫做成长型的基金，适合长期投资。像博时新兴成长（050009）、易方达策略成长（110002）、融通蓝筹成长（161605）、大成创新成长（160910）、基金南方绩优成长（202003），这些属于成长型的基金。

4. 收益型基金

很多投资者希望今天买这个基金，明天就涨2分，后天涨5分，再后天涨8分，一下子三天挣个10%。也有这种类型的基金，叫收益型基金。收益型基金在一定时段里，强调的是这段时间的收益，风险也高于成长型基金。收益型基金追求高的收益，那就肯定有风险。收益型基金会拿出很大比例资金买股票，在行情大涨的时候，投资比例可能就倾向于风险大的。它的收益和风险相对成长型基金都要大。像宝盈鸿利收益（203001）、中银收益（163804）、海富收益（519003）、普天收益（160603），这些属于收益型基金。

5. 股票型基金

股票型基金是60%以上的基金资产投资于股票的基金。这样的基金风险比较高，收益也高，收益随着股票市场的波动而波动。还有一些偏股型的基金，即用大部分资金投资股票，而用少量的资金投资债券。像华夏大盘精选（491304）、易方达积极成长（491704）、中邮创业核心优选（496401）、华宝兴业先进成长（493107）、嘉实理财增长（492302），这些属于股票型基金。

6. 债券型基金

债券型基金是80%以上的基金资产投资于债券的基金。根据投资股票

的比例不同，债券型基金又可分为纯债券型基金与偏债券型基金。两者的区别在于，纯债型基金不投资股票，偏债型基金是指投资债券的比例大，投资股票的比例小的基金。像银河银泰理财分红（150103）、国投瑞银融华债券（121001）、南方避险增值（202201）、南方宝元债券（202101）、招商安泰债券A（217003），这些属于债券型基金。

债券基金的投资主要有三类，第一个是国债，第二个是一些政府企业建设债券，第三个投资是一些企业的债券。投资债券主要看的是信用风险，国债信用最高，由国家的信用来担保，政府大型项目债券次之。但是收益比起股票来可能不是太多，当然风险收益都是成正比的。

如果投资企业债券，风险就很大。如果企业突然倒闭了，或者经营不善，就会有投资风险。但是很多债券基金，尤其是偏债的基金，涨势有的甚至超过偏股型和股票型基金，这是因为很多企业既发行股票，又发行债券。看到股市很好，通过证监会批准把债券变成股票，发行可转股的债券。债转股之后，债券基金持有了很多债券，一下变成股票，结果上市交易收益相当好。很多债券基金，尤其是偏债型基金，反而收益要高于偏股型基金。

债券型基金投资的对象就是债券，到期还本，风险低于股票。影响债券基金业绩的因素有：

第一个就是利率风险。如果央行持续加息，而债券基金因为利率固定不变，收益可能比存银行要低。这个就是它的利率风险。例如约定一年以后，企业的债券是5%的利息，结果一年中，央行的利率从3%涨到6%了，我们买这个债券基金就有利率风险。

第二个是信用风险，如果企业信用不好，或者亏损了，信用等级下降，则投资债券基金就有风险。

7．货币市场基金

货币市场基金是用货币市场工具为投资对象的基金，主要投资对象有：短期国债、中央银行票据、商业汇票、银行承兑汇票、银行定存和大额转账的存单。像鹏华货币A（160606）、博时现金收益（050003）、景顺长城货币（260102）、上投摩根货币市场B（370011）、招商现金增值

（217004）、易方达货币基金A（110006）、华夏现金增利（003003），这些属于货币市场基金。

货币市场基金是怎么运作的呢？货币市场基金面值永远是1元。面值永远是1元，怎么计算盈利呢？主要体现的是分红和收益率。货币市场基金，只要存一天钱，货币基金会给你一天的利息，所以它就是每天计息，每月都会分红，当然有的是按天分红，还有的可能是更长一点时间的分红，主要是看每个货币基金的特点。

货币市场基金免除利息税。如果我们到银行存款，获得利息要交纳5%的利息税，而货币市场基金免除5%的利息税。

货币市场基金免收申购赎回费用。货币市场基金在申购和赎回的时候，是免收这些费用的。它只是收一些托管费、管理费和销售费用。在3‰到5‰以下，这个费用很低。它的收益高于银行储蓄，也比较安全，适合替代储蓄。特别是在股市出现大熊市的时候，货币基金就可以替代偏股型和股票型基金，近似于保本。因为还有一些不确定的因素，例如通货膨胀加大，如果货币基金收益5%，现在通货膨胀为6%，这样看似保本，实际也有一定的损失，所以它叫做近似保本。

读者可能会说：谁买它呀，货币市场基金涨得那么慢，股票型基金多好啊，获利比货币型基金多几倍。但是如果是在熊市中买入股票型基金，亏损风险很大，更不好说获利了；如果在熊市买了货币市场基金，不仅有收益，收益还要高于银行的存款。

8. 主动型基金

主动型基金一般以寻求取得超越市场的业绩表现为目标，哪个板块赚钱，基金就买哪个板块，可以主动地去选择股票的配置。股票型基金、偏股型基金、偏债型基金，都是主动型基金。

9. 被动型的基金

被动型基金一般选取特定的指数成分股作为投资的对象，不主动寻求超越市场的表现，而是试图复制指数。所以，被动型的基金也叫做指数型基金，以每个指数为模仿对象，买这些成分指数，如沪深300，上证50，深证100。融通深证100基金，就买深证100这100只成分股，之后可以不再看

它的收益了，只要股指涨多少，它就基本上涨多少。

10. ETF

ETF（Exchange Traded Fund）中文翻译成“交易型开放式指数基金”，又称“交易所交易基金”，是像股票一样能在证券交易所交易的指数基金。这种基金不仅具有股票基金和指数基金的特点，同时还有开放式和封闭型基金的特点。

投资者一方面可以向基金管理公司申购或者赎回基金份额，同时，又可以像封闭式基金一样在证券市场上按市场价格买卖ETF份额。不同的是，它的申购是用一揽子股票换取ETF份额，赎回时也是还回一揽子股票而不是现金。由于同时存在证券市场交易和申购赎回机制，投资者可以在ETF市场价格与基金单位净值之间存在差价时进行套利交易。由于套利市场机制存在，也使得ETF避免了封闭式基金普遍存在的折价问题。

目前，市场上的ETF有易方达深证100ETF、友邦华泰上证红利ETF、华夏中小板股票ETF、华安上证180ETF和华夏上证50ETF，5只ETF分别跟踪不同的指数。

11. LOF

LOF（Listed Open-Ended Fund）中文翻译成“上市型开放式基金”，指基金发行结束之后，投资者既可以在指定网点申购与赎回基金份额，也可以在交易所买卖的基金。

LOF打破了封闭型基金和开放型基金的鸿沟，改变了目前封闭型基金只能在二级市场交易，开放型基金只能在一级市场赎回的局面。其带来的套利机制使LOF在二级市场上的价格和基金净值非常接近，不仅弥补了封闭型基金大幅折价的缺憾，同时也解决了开放型基金销售成本高的问题。LOF主要是面对中小投资者，在股票行情看好的时刻，投资者可以利用其更快的交割制度，从基金投资转到股票投资，提高资金使用效率；在行情难以把握的情况下，投资者可以退而投资基金。

LOF有很多，如南方高增（160106）、嘉实300（160706）、荷银效率（162207）、万家公用（161903）、融通巨潮（161607）、广发小盘（162703）、南方积配（160105）、中银收益（163804）、中银增长

（163803）、鹏华价值（160607）、招商成长（161706）、博时主题（160505）、兴业趋势（163402）、景顺资源（162607）等。

投资者如果是在指定网点申购的基金份额，要想在网上抛出，需办理转托管手续。同样，如果是在交易所网上买进的基金份额，想要在网点赎回，也要办理一定的托管手续。LOF申购和赎回均以现金方式进行。

12. 基金中的基金

顾名思义，这类基金的投资标的就是基金，因此又被称为组合基金。基金公司集合客户资金后，再投资自己旗下或别家基金公司目前最有增值潜力的基金，搭配成一个投资组合。

13. 伞形基金

即指基金下有一群投资于不同标的的子基金，且各子基金的管理工作均独立进行。只要投资在任何一家子基金，即可任意转换到另一个子基金，不需额外负担费用。

14. 对冲基金

这类基金给予基金经理人充分授权和资金运用的自由度，基金的表现全赖基金经理的操盘能力，以及对有获利潜能标的物的先知先觉。只要是基金经理认为“有利可图”的投资策略皆可运用。如套取长短期利率之间的利差，利用选择权和期货指数在汇市、债市、股市上套利。总之，任何投资策略皆可运用。这类基金风险最高，在国外是专门针对高收入和风险承受能力高的人士或机构发行的，一般不接受散户的投资。

投资基金的五大优势

基金投资是一种相对稳健、风险较低的投资方式。基金能受到投资者，特别是中小投资者的青睐，关键原因在于其突出的优点。具体来说，基金具有如下五个优点：

1. 专业管理、专业投资、专业理财

基金管理公司配备的投资专家，一般都具有深厚的投资分析理论功底和丰富的实践经验，用科学的方法研究股票、债券等金融产品，组合投资，规避风险。相应地，一方面基金管理公司每年会从基金资产中提取一定的管理费，用于支付公司的运营成本。另一方面，基金托管人也会从基金资产中提取托管费。此外，开放式基金持有人需要直接支付的有申购费、赎回费以及转换费。封闭式基金和上市开放式基金（LOF）的持有人在进行基金单位买卖时要支付交易佣金。

2. 组合投资，分散风险

基金通过汇集众多中小投资者的资金，形成雄厚的实力，可以同时分散投资于股票、债券、现金等多种金融产品，分散了对个股集中投资的风险。

3. 方便投资，流动性强

基金最低投资量起点要求一般较低，可以满足小额投资者的需求，投资者可根据自身财力决定对基金的投资量。基金大多有较强的变现能力，使得投资者收回投资时非常便利。

4. 严格监管，信息透明

为切实保护投资者的利益，增强投资者对基金投资的信心，中国证监会对基金业实行比较严格的监管，对各种有损投资者利益的行为进行严厉的打击，并强制基金进行较为充分的信息披露。在这种情况下，严格监管与信息透明也就成为基金的一个显著特点。

5. 独立托管，保障安全

基金管理人负责基金的投资操作，本身并不经手基金财产的保管。基金财产的保管由独立于基金管理人的基金托管人负责。这种相互制约、相互监督的制衡机制对投资者的利益提供了重要的保护。

6. 投资起点低，费用低，方便投资

投资基金最低投资额一般都比较低，1 000元就可以进行投资，并且手续费也比较低，投资者可以根据自己的能力购买基金。此外，基金在税收上通常也享有优惠。

 基金赚钱的关键在选择

投资股票，既可以从股票的价差中获利，也可以获取上市公司的分红。那么投资基金呢？引起投资者关注的还是基金的分红。

对于打算投资基金的朋友，当你面对着市场上品种繁多、概念复杂的开放式基金眼花缭乱、不知如何选择的时候，是否也很希望拥有这样一份指南呢？我们到底应该选择什么样的基金呢？所有的专家都会告诉你：选择过往业绩好的。但是，什么叫做好？如何判断好与不好？这似乎就是一本糊涂账了。

事实上，一只基金的好坏在短时间内是很难看出来的，只有经过牛市、熊市的锤炼，在相当长的时间内都能保持较好的收益，这样才能具有说服力。而且作为投资者，将自己多年积攒的真金白银悉数托付出去，这就好比给自家如花似玉的乖女儿找个好人家一样，一定要找个值得信赖的人。那么，究竟符合什么样的定性抑或定量的指标呢？下面就谈谈如何选基金：

1. 投资策略是否合理

基金的投资策略应符合长期投资的理念。投资人应避免持有那些注重短线投机以及投资范围狭窄的基金，如大量投资于互联网概念股的基金。另一方面，基金经理应该有丰富的投资经验，这关系到基金管理人的过往业绩的持续性，必须重点考察。

此外，基金应设有赎回费以减少投资者短期操作的意愿，并采取比较客观公正的估值方法以保证基金资产净值准确地反映其持有资产的当前价值。

2. 费用是否适当

投资人应该把营运费用过高的基金排除在选择范围之外。营运费用指基金年度运作费用，包括管理费、托管费、证券交易费、其他费用等。一般地，规模较小的基金可能产生较高的营运费率，而规模相近的基金营运

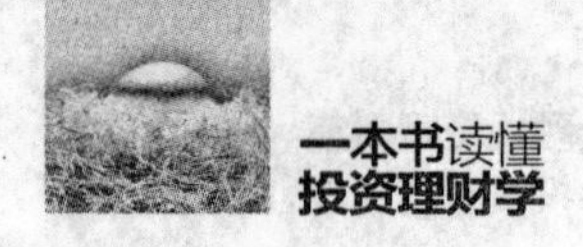

费率应大致在同一水平上。对于有申购费的基金而言，前端收费比后端收费长期来看对投资人有利。在境外，几只基金进行合并时有发生，但合并不应导致营运费用的上升。

3. 信息披露是否充分

基金信息披露是否充分，一方面体现了对投资人的尊重和坦诚，另一方面则关系到投资人能否充分了解其投资策略、投资管理和费用等关键信息。除了通常情况下披露投资策略、基金经理的名字及其背景之外，当投资策略有重大调整、基金经理的职权甚至人员发生变更时，基金应当及时地、完整地公告。投资人还应注意，基金经理是否坦诚地陈述与评价其投资定位和业绩表现，具体可关注年度报告中基金经理工作报告。

境外基金在合并时还应说明基金经理、投资策略和费用水平是否发生变化，并披露基金经理合并时签订的合同期限，包括其中的离职条款。

4. 管理人是否与投资人利益一致

如果有可能，投资人还应当了解基金经理及高层管理人员的报酬机制，尤其是与业绩挂钩的奖金的发放制度。因为基金公司的激励机制应建立在投资者利益最大化的基础上，而不是基金公司股东利益最大化。另一方面，还可以关注基金公司是否有一定的淘汰机制更换业绩差的基金经理。

5. 明确自己应该购买哪一类基金产品

基金的类型之分来自于其投资对象不同，比如60%以上资产投资于股票的就称之为股票型基金。由于不同类型的基金其风险和收益比重也各不相同，因此，投资者在投资基金时要明确自己应该购买哪一类基金产品。

风险承受能力和投资期间的市场表现情况是应该主要考虑的因素。股票型、混合型、债券型和货币型，按风险和收益排序从高到低，一定要根据自己的投资偏好选择。比如，处于退休期间的投资者最好不要太多涉及风险偏高的基金产品，应转而以投资货币市场基金等安全稳定型产品为宜。

此外，投资期间的市场表现如何也要适当考虑。比如，看好未来行情的话，就可以考虑增加对股票型等风险收益偏高的基金的购买。

6. 基金公司是否值得信赖

选定了基金类型，如何再从中选择一只具有投资价值的优质基金呢？

一个值得信赖的基金公司是最先需要考虑的标准。

值得投资者信赖的基金公司一定会以客户的利益最大化为目标，其内部控制良好，管理体系比较完善，与此同时，基金经理人的素质和稳定性也很重要。变动不断的人事很难传承企业文化，对于基金操作的稳定性也有负面的影响。

有了公司作保障之后，就要细细研究一下这只基金的表现如何了，其以往业绩是值得参考的一方面内容。不过，在比较基金以往业绩时，不能单纯地看基金的回报率，还必须有相应的背景参照，如相关指数和投资于同类型证券的其他基金。这样比较基金业绩是在考虑了风险的前提之下的公允比较，更有助于你挑选出优秀的基金。

7. 基金的投资期限是否与你的需求相符

一般来说，投资期限越长，投资者越不用担心基金价格的短期波动，从而可以选择投资更为积极的基金品种。如果投资者的投资期限较短，则应该尽量考虑一些风险较低的基金。

8. 投资者所能承受的风险大小

一般来讲，高风险投资的回报潜力也较高。然而，如果投资者对市场的短期波动较为敏感，便应该考虑投资一些风险较低、收益较为稳定的基金；假使投资者的投资取向较为进取，并不介意市场的短期波动，同时希望赚取较高的回报，那么一些较高风险的基金或许更加符合投资者的需要。

总之，作为新手购买基金之前一定要注意加强学习，毕竟花点时间先搞明白了再做投资也不迟。反之，头脑发热、心理浮躁都会影响自己作出正确的判断。

1. 在申购基金时还是要慎重，不要轻易作出申购决定

生活中，那种见到别人赚钱，不买就来不及了的浮躁心理是切不可取的。毕竟，即使因为自己的犹豫而错失良机，也比贸然申购被套牢要好的多。

此外，选购基金公司旗下的优质老基金，别怕净值高，因为我们买的是增长率而不是净值。净值低的只是说明同样多的金额拥有的份额多而已。

2. 申购后不要轻易改变

基金投资者持有一段时间后，适时选择调仓或者趁优惠时转换或赎回。而且，在此有一点需要大家注意的是，有些公司同类基金转换是免手续费的，大家可以随时登陆公司网站观察动态。

 恰当把握购买和赎回基金的时机

基金作为一种中长期的投资工具，追求的是长期投资收益和效果。盲目地对基金产品进行追涨杀跌的波段操作，只会降低自己的收益。

巴菲特就曾经这样说过："市场对短期投资行为充满敌意，对长期滞留的人却很友好。世界上成功的投资大师，没有做短线交易的。"由此可见，对投资而言，宁可期盼可靠的结果，也切莫期盼伟大的结果。因为实践早已证明了，基金在短期内是很难战胜股票的，但其却能在长期中为你绽放绚烂的财富之花。

而在实际生活中，很多投资者买基金往往抱着急功近利的心态，恨不得这个月买的基金，在下个月就能有20%的收益。这样的投资者完全是用炒股票的心态来买基金，是很不可取的。因为，不同类型基金的收益高低在一定程度上往往取决于正确的买卖时机。因此，对于投资者来说，就必须准确把握基金购买和赎回的时机。

1. 适度选择时机

毋庸置疑，交易时机的选择是基金投资的一个重要影响因素。如果每次交易的节奏正好能吻合股市的波动，自然可以使投资收益最大化。但时机的选择对投资收益的影响只是一个方面，国外早有大批学者做过这方面的研究，资产配置的情况、基金的选择等因素也对收益产生重大影响。

首先，时机的把握是很难的。当我们谈市场时机选择的问题时，因为是回头看，所以我们看得清市场的波动，也因此可以讲，应该在这个时点买

进，那个时点卖出。而在具体的投资操作时，面对的是未来的市场，对于上涨和下跌很难准确把握，事实上经常出现的情况是买入不久后股市下跌了，或者急急忙忙地赎回了，股市却一路疯涨。当然，确实有人可以利用波段操作取得超额收益，但选时和做波段除了运气，更需要超强的专业知识。对于大部分平时要忙于日常工作的普通投资者来说，不要去艳羡别人的超额收益，而应该把精力更多地放在投资工具的选择和资产的配置上。

其次，投资基金也不必像投资股票一样，对时机问题那么敏感。基金净值虽然会随着股市波动起伏，但基金有专业的研究团队，基金经理自然会根据市场波动去调整，放宽时间段来看，只要选择了优质的基金，还是可以获得不错的收益的。而且，基金本身也不是短线投资的产品，从各类投资工具比较来看，基金是一个中间产品，收益和风险都处于中等水平，适合于中长期投资者。

所以，对基金交易时机的选择要适度。选择一个相对低的时点买进，然后坚定投资信念，做中长期投资。投资者应该将更多的精力用于选择优质的基金，做好投资组合。

2. 学会用基金转换

相对于股票来说，基金买卖的手续费比较高，所以，如果每次市场行情下跌时，投资者都选择赎回基金，等市场行情上涨的时候再申购的方式，这无疑会增大投资的成本。其实，完全没必要这样操作，现在很多基金公司都为投资者提供了基金转换的业务，即在同一家基金公司旗下的不同基金之间进行转换，一般的做法是在高风险的股票型基金与低风险的债券型基金、货币市场基金之间进行相互转换。

投资者利用基金转换业务，可以用比较低的投资成本，规避股市波动带来的风险。通常来说，当股市行情不好时，将手中持有的股票型基金等风险高的投资品种，转换为货币市场基金等风险低的品种，避免因股市下跌造成的损失；当市场行情转好时，再将手中持有的货币市场基金等低风险、低收益品种转换成股票型基金或配置型基金，以便充分享受市场上扬带来的收益。

所以，投资者在最初选择基金时，也应该考虑该基金公司旗下的产品

线是否齐全，是否可供市场波动时进行基金转换。另外，投资者需注意的是，不同的基金公司的基金转换业务收费方式不同，具体进行基金转换操作时，需咨询基金公司。

优化基金投资组合

在基金的投资过程中，有很多投资者虽然付出了很多时间和精力，但是收益情况却并不是非常理想，其中一个非常重要的原因就是没有建立合理的基金组合，从而使自己徒劳无功。俗话说得好，不要把所有的鸡蛋放在同一个篮子里。在投资基金上，就是要求要做好基金的有效组合工作，尤其是在股市动荡的今天，科学合理的基金组合显得尤为重要。

那么，投资者应该如何选择资金组合呢?

1. 多种形态需要不同的投资组合

我们投资基金，就是为了避免风险，作一个基金投资组合可以有效地避免非系统性风险。

但是投资基金如果盲目组合也不行，不同的时期需要不同基金组合，不同时期的基金组合可以使我们避免风险，赚取利润。

市场可以分下面几种形态：

（1）漫漫熊市。从2001年至2005年9月之前中国股市就经历了漫长的熊市。

（2）长期大牛市。2005年至2007年，就是一个跨年度的牛市。2005年9月股改之后，到2006年中期是个漫漫的长牛市。长牛市是什么？虽然中间有很大的波动，比如1 000点、2 000点的波动，但是牛市的基础稳定，牛市可以持续5年、10年的繁荣，称作一个长牛市。

（3）盘整行情。盘整行情是行情在一定的时期内，在一个狭窄区间内波动，波动区间很小。盘整想赚到钱，也有不同投资基金的组合。

（4）中级调整。最难把握的就是长牛市中的中级调整。什么是中级调整？有两个层次的概念，一是中级调整的时间可能比较长，二是调整的点位比较大，不好把握。在中级调整之后，市场会出现两种情况：第一，继续走大牛市，应该持有；第二，可能还要下跌，这个时候需要观望。熊市的中级调整，就是难得的反弹机会，反弹之后行情会继续走熊市，所以操作起来是博取反弹为主。

既然市场有多种形态，我们投资基金，一定要做不同的投资组合，才能规避风险达到利润最大化。最先必须判断行情是熊市、牛市，还是长熊市、长牛市，之后根据市场不同作不同市场基金组合。

市场有多种形态，我们投资基金要以理性投资应对市场的不确定性。投资者可采取不同的策略应对市场的变化。

2. 漫漫熊市时的应对策略

熊市的时候，市场交易清淡，门可罗雀，成交量明显减少。熊市中投资组合应该本着避免风险，保证本金安全来组合。

因为任何逆势行为，都是相当危险的。行情在下跌，入场抢反弹，往往90%都是亏损的。这时应该做这样的组合，即持有货币债券基金的比例在90%以上。在漫漫熊市中，偏股型的、指数型的和股票型的基金的净值都是跌破面值的。

债券型基金包括一些保本基金，收益虽然很低，但是在熊市投资中却有优势。债券基金投资国债，投资政府债券，投资一些企业债券，比较安全。在熊市中持有货币和债券型基金，是我们最好的选择。

在漫漫熊市，会偶尔出现一些反弹，可以持有10%的股票型基金，或者指数型基金，来进行抢反弹操作。为什么要持有10%？在逆势操作中90%要亏损，只能持有最少的资金、最少仓位去做一做，你持有股票基金跌破10%的时候，适当止损，不会亏损太多。

漫漫熊市中，我们的投资基金组合应该是以保本为主，持有货币和债券基金为主。本金可以保住，还有超过银行存款的一些收益，何乐而不为呢？

3. 长期大牛市的投资组合

大盘牛市的时候买4只基金足够，买多了虽然分散风险，但是收益也

不会太大。

投资组合第一只基金，一定要买被动型基金。因为被动型基金，它是模仿指数，指数如果在上涨，指数型基金就会跟随大盘运动，我们可以猜到今天这个基金的净值多少。上证50、深圳100、沪深300，基金名字中有这些数字的基金都是指数基金。往往在大盘牛市的时候，指数基金的上涨的幅度要超过很多股票型的开放型基金。

第二只基金，成长型基金。成长型基金是追求一个长期稳定的收益，选择的股票是长期持有的潜力股，如中国平安、中国人寿、工商银行，这些都是大盘股蓝筹股票，市值稳定，可以慢慢持有追求长期投资收益。像这种成长型基金，也是我们必挑的一只基金。成长型基金中可以选择股票型基金，或者偏股型的基金。

第三只基金，中小盘基金。深圳股票市场有一个中小板，股票代码都是002打头。何为中小板？就是企业规模小，规模可能没有超过5 000万股本，8 000万股本在中小板就算大的。但是股价并不低，例如，苏宁电器，股价一直在60元之上，中小盘企业有一个高成长性。中小企业虽小，但是往往一些技术在行业中处于领先地位。中小盘基金涨势在牛市中也非常好，尤其是在中国漫漫的牛市揭开大幕的时候。也就是在这种形势下，包括美国，股市成长的时候，都是由占绝对多数的中小企业支撑美国的繁荣。所以，中小盘基金也是我们应该必须持有的。

第四只基金，债券型基金。为什么要给大家推荐债券型基金呢？因为市场难料。比如说“5·30”大跌，就令市场措手不及，甚至基金都被套。在2007年的交易中，很多债券型基金整体收益并不低于成长型基金和偏股型基金，而且还可以在股票大牛市中超过股票型基金。

持有这四只基金，优点明显。分析基金收益情况，指数基金收益高，可能明年基金投资追求成长性，成长型基金收益更高。在调整时刻，持有债券型基金一部分，可以令整体收益不会调整过多。这样的组合是非常安全的。

长牛市投资组合的资金比例，例如：10万元钱投资基金，长牛市中指数基金的成本低，涨幅应该超过一般主动型基金，所以指数型基金的投

资比例应该在40%左右。股票型基金（成长型）配置20%~25%之间，偏股型基金（平衡型基金）在20%~25%之间，买的债券型基金投资比例在10%~15%之间波动。这样的配置可以说是很好的投资组合。

4. 盘整行情时的投资组合策略

如果到了行情盘整的时候，我们怎么做？行情波动很小，应该以防御性配置为主。多是观望为主，尽量少去操作，盘整的行情是考验耐性，波动的幅度也不会很大。在这种情况下，应该买一些大盘蓝筹基金和一些货币型基金，尽量少买指数型基金。

在行情盘整的时候，基金走势跟股市的走势相一致。股市中，受到政策面的影响，很多没有投资价值的垃圾股票都下跌50%，而很多蓝筹股却在逆势而上，创造新高。这时可以买一些大盘蓝筹基金，因为基金会投资选择市值被低估的股票或者有成长性的股票，如果基金持有这样的股票比较集中，往往这些股票基金下跌幅度小。这就是在盘整市场行情中买基金的一个组合策略。

5. 中级调整时基金组合策略

行情出现牛市中级调整的时候，最难判断行情究竟要调整多久，调整到什么点位。慢涨快跌，是大牛市的特征。

在牛市中级调整的时候，行情从大幅上涨变成大幅下跌，成交量萎缩，股票基金也不能独善其身，净值也会缩水。

在大盘牛市中级调整的时候，股票基金走势跟随股市的走势，中级调整的特征是，蓝筹股票也会出现一定的下跌，如果持有蓝筹股票，可能下跌40%，损失惨重。市场需要挤压泡沫，这个时刻基金也会持有大量现金，以观望为主，市场缺乏交易量。

大盘牛市中级调整的时候，可以持有一些货币型基金和债券型基金，这种投资组合出于避险考虑，因为大牛市的中级调整也是很可怕的。股市调整，指数型基金会和股市同向运动，下跌幅度和股市跌幅基本一致。股票型基金也是一样，所以最好不配置。

在熊市的中级调整中，和牛市的中级调整正好相反，可能有一轮上涨行情，但是这样的上涨仅仅限于反弹，可能昙花一现，所以投资中还是

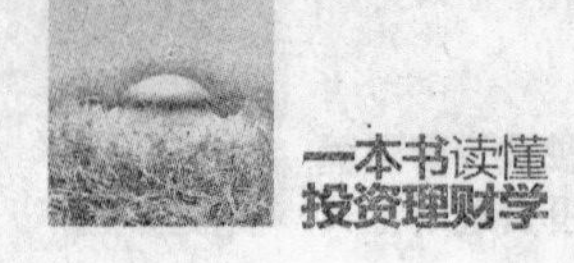

以债券和货币基金为主。因为在熊市中，虽然可以把握行情的波动，但是操作中可能就存在困难，比如反弹时间很短，基金操作有时间迟缓性。反弹是火中取栗，一旦博取反弹错误，反而能引起更大损失。如果想博取反弹，买股票型基金可以，但是配置比例不能超过30%。这就是在大牛市的中级调整市场行情中，我们买基金的一个组合型策略。

6. 依靠专业化操作保证赢利

基金投资虽然有专家理财帮忙，但是没有一定的基金投资知识也是不行的。如果没有专业知识，可以借鉴销售基金的理财人员的一些建议。

投资基金不可忽视风险

证券投资基金的优点在于规模经营、专家理财、风险分散，但是这并不意味着基金就是无风险的金融工具。任何一种投资都会存在风险，基金不仅存在风险，而且还具有自身的特点。

基金风险是指在一定的条件和一定的时期内，由于各种因素的影响，基金收益的不确定性造成基金资产损失，或基金持有人利益不能得到保护的可能性及损失的大小。

在此，澄清几个人们日常生活当中对基金所存在的错误认识：

1. 基金不是股票

生活中，很多投资人把基金和股票混为一谈，其实不然。一方面，投资者购买基金只有委托基金管理公司从事股票、债券等投资，而购买股票则成为上市公司的股东。另一方面，基金投资于众多股票，能有效分散风险，收益比较稳定。而单一的股票投资者往往不能充分分散风险，因此收益波动较大，风险较大。

2. 基金不同于储蓄

由于开放式基金通过银行代销，许多投资人因此认为基金同银行存款

没太大区别。其实两者有本质的区别：储蓄存款代表商业银行的信用，本金有保证，利率固定，基本不存在风险；而基金投资于证券市场，需要承担投资风险。储蓄存款利息收入固定，而投资基金则有机会分享基础股票市场和债券市场上涨带来的收益。

3. 基金不同于债券

债券是约定按期还本付息的债权债务关系凭证。国内债券种类有国债、企业债和金融债，个人投资者不能购买金融债。国债没有信用风险，利息免税；企业债利息较高，但要缴纳20%的利息税，且存在一定的信用风险。相比之下，主要投资于股票的基金收益比较不固定，风险也比较高；而只投资于债券的债券基金可以借助组合投资，提高收益的稳定性，分散风险。

历史告诉我们，没有只涨不跌的股票市场，也没有只赚不赔的金融产品。认识到基金的风险，投资者就要采取必要的措施以减少风险。因此，投资者应根据基金的风险大小以及投资者自身的风险承受能力不同，把基金的业绩和风险与投资者的风险收益偏好特征相匹配。了解了基金投资的风险，就要想方设法防范这种风险，避免给自己造成投资的损失。

对于投资者来说，可以运用下面的几种方法来规避基金投资的风险：

1. 进行试探性投资

“投石问路”是投资者降低投资风险的好办法。新入市的投资者在基金投资中，常常把握不住最适当的买进时机。如果在没有太大的获利把握时将全部资金都投入基市，就有可能遭受惨重损失。如果投资者先将少量资金作为购买基金的投资试探，以此作为是否大量购买的依据，可以减少基金买进中的盲目性和失误率，从而减少投资者买进基金后被套牢的风险。

对于很多没有基金投资经历的人来说，不妨采取“试探性投资”的方法，可以从小额单笔投资基金或每月几百元定期定额投资基金开始。

那么，投资者如何进行试探性的投资呢？

（1）根据风险接受程度选择。如较积极或风险承受力较高，以偏股型为佳，反之则以混合型为好。

（2）选择2~3家基金公司的3~5只基金，以分散投资风险。

（3）选出好公司中表现优秀的基金。如果过去3~12个月的基金业绩表现比指数好，应该不会太差。但不论资金多寡，同时追踪的基金不应超过5只，否则就不易深入了解每只基金。何况基金本身持股就很分散，已在很大程度上降低了风险。

（4）买基金后还要坚持做功课，关注基金的涨跌，并与指数变动做比较，由此提高对基金业绩的分析能力。此外还可登录基金公司网站，收集基金持股资料及基金经理的观点，提升对基金业的认识，几个月后你对投资基金就会有一定的了解。

2. 进行分散投资

投资者宜进行基金的组合投资。开放式基金组合投资的好处首先在于可以分散市场风险，避免因单只基金选择不当而造成较大的投资损失。其次在于可以较好地控制流动性风险，即开放式基金的赎回风险，如果投资过分集中于某一只开放式基金，就有可能在需要赎回时因为流动性问题无法及时变现。一般来说，大规模的机构投资者适宜投资的基金数量应在10只左右。资金规模较小的个人投资者适宜投资的基金数量应在2~3只。如果数量太多则会增加投资成本，降低预期收益。而太少则无法分散风险，赎回变现时则会遇到困难。

（1）分散投资标的，建立投资组合。降低风险最有效同时也是最广泛地被采用的方法，就是分散投资，即马克·吐温所说的："不要将所有的鸡蛋放在同一个篮子里。"这种方法之所以具有降低风险的效果，是由于各投资标的间具有不会齐涨共跌的特性，即使齐涨共跌，其幅度也不会相同。所以，当几种投资组成一个投资组合时，其组合的投资报酬是个别投资的加权平均，其中涨跌的作用会相互抵消，从而降低风险。

如果投资者对大部分的基金投资技巧都不是很精通，同时对大多数基金都不是十分熟悉，分散投资将是一个不错的选择。只要投资者能长期持有，靠平均报酬便足以获得丰厚的回报。

（2）选择分散投资时机。分散投资时机也是降低投资风险的好方法。在时机的选择上，通常采用的方法是：预期市场反转走强或基金基本面优秀时，进行申购；预期市场持续好转或基金基本面改善时，进一步增持；

预期市场维持现状或基金基本面维持现状，可继续持有；预期市场持续下跌或基金基本面弱化时进行减持；预期市场大幅下跌或基金基本面持续弱化时赎回。

3. 长期持有

基金是长期理财的有效工具。长期持有也可以降低基金投资的风险，因为市场的大势是走高的。有位证券分析师说："根据统计，股市有55%的日子是上涨的，有45%的日子是下跌的。糟糕的是，我们不知道哪些天会上涨。"

因此，若你知道明天是涨还是跌，最聪明的办法就是猜明天会涨因为猜的次数越多，猜对的几率就越高。既然每天都猜股市会涨，那么最佳的投资策略就是：有钱就买，买了就不要卖。这种办法看起来非常笨，却是最管用的投资方法。

有人通过对股市的长期跟踪发现，过去投资股市，以持有一个完全分散风险的投资组合而言，持有时间越长，发生损失的几率就越小：持有1天下跌的可能性是45%，持有一个月下跌的可能性是40%，持有一年下跌的可能性是34%，持有5年下跌的可能性已降为1%，若持有10年以上，则完全没有发生损失的可能性。因此，长期持有是降低选错卖出时机之风险的重要手段。

4. 基金定投，平摊成本

基金定投也是降低投资风险的有效方法。目前，很多基金都开通了基金定投业务。投资者只需选择一只基金，向代销该基金的银行或券商提出申请，选择设定每月投资金额和扣款时间以及投资期限，办理完有关手续后就可以坐等基金公司自动划账。目前，好多基金都可以通过网上银行和基金公司的网上直销系统设置基金定投，投资者是足不出户，轻点鼠标，就可以完成所有操作。

基金定投的最主要优点是起点低，成本平摊，风险降低。不少基金一次性申购的起点金额为5 000元，如果做基金定投，每月只需几百元。工行的基金定投业务的每月最低申购额仅为200元人民币，投资金额差为100元人民币。招行的最低门槛也只有500元。

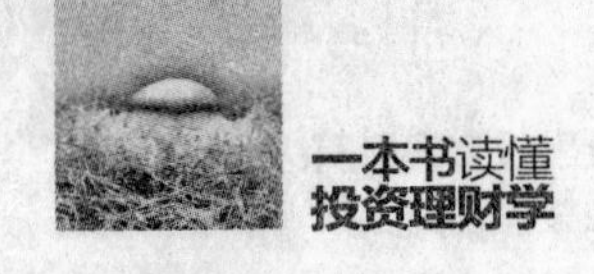

此外，基金定投不必筹措大笔资金，每月运用生活必要支出外的闲置金钱来投资即可，不会造成经济上额外的负担，长期坚持会积少成多使小钱变大钱，以应付未来对大额资金的需求。而且长期的获利将远过定存利息所得。并且投资期间越长，相应的风险就越低。一项以台湾地区加权股价指数模拟的统计显示，定期定额只要投资超过10年，亏损的几率则接近零。

这种“每个月扣款买基金”的方式也兼具强迫储蓄的功能，比起自己投资股票或整笔购买基金的投资方式，更能让花钱如流水的人在不知不觉中每月存下一笔固定的资金。让你在三五年之后，发现自己竟然还有一笔不小的“外快”。

需要注意的是，投资者必须要指定一个资金账户作为每月固定扣款账户，并且这个账户是进行基金交易时的指定资金账户。如果到了扣款日因投资者账户内资金余额不足则会导致该月扣款不成功，因此投资者需要在每月扣款日前在账户内按约定存足资金。

每个人都想在最低点买入基金，但低点买入是可遇不可求的。定额投资，基金净值下降时，所申购的份额就会较多；基金净值上升，所购买到的份额就变少，但长期下来，会产生平摊投资成本的结果，也降低了投资风险。

5. 理性看待基金排名

由于基金行业的竞争，每家投资基金每周要公布资产净值，基金评价机构对基金以净值增长率为核心进行评级排名，这种排名往往忽视或未考虑风险因素。短期排名给各基金管理人很大的压力，基金经理不得不关注自己重仓股的短期涨跌，其投资必然受市场氛围的影响，也必然要动摇长期投资的理念，从而为了短期业绩的考核而采用短视的投资策略。但当市场反转时，众多根据排名和评级进行投资的人不约而同地陷入穷途末路也就是为必然了。

保险——花钱转移风险的双利投资理财工具

是什么阻止我们买保险

在日常生活中，人们往往把保险理解成“稳妥可靠”、“有把握”的意思，我们这里谈的“保险”是一个科学的专业术语，是从英文“Insurance”或“Assurance”翻译过来的，原意是“以经常性地缴纳一定的费用为代价来换取在遭受损失时获得补偿”。这一表述基本上描述了保险的基本特征，但是还很不完整。保险一词在保险学中有广义和狭义之分：广义的保险是指保险人向投保人收取保险费，建立专门用途的保险基金，并对投保人负有法律或合同规定范围内的赔偿和给付责任的一种经济保障制度，一般由社会保险、商业保险和合作保险等组成。狭义的保险就是特指商业保险，《中华人民共和国保险法》对商业保险是这样定义的：保险是指投保人根据合同约定，向保险人支付保险费，保险人对于合同约定的可能发生的事故，因其发生所造成的财产损失承担赔偿保险金责任，或者当被保险人死亡、伤残、疾病或者达到合同约定年龄、期限时承担给付保险金责任的商业保险行为。

买保险要综合考虑个人的保障需求、保险公司的经营业绩以及保险代理人的服务质量等。下面介绍一些保险常识：

1．保险是什么

从广义上说，保险包括有社会保障部门所提供的社会保险，比如社会

养老保险、社会医疗保险、社会事业保险等，除此之外，还包括专业的保险公司按照市场规则所提供的商业保险。

狭义上说，保险是投保人根据合同约定，向保险人支付保险费，保险人对于合同约定可能发生的事故，因其发生所造成的财产损失承担赔偿保险金的责任。或者当被保险人死亡的时候、伤残的时候或者达到合同约定的年龄、期限的时候承担给付保险金责任的商业保险行为。这里主要讲的是商业保险，而不是我们说的社会保险。

2. 保险有哪几类

（1）按保险标的或保险对象划分。按保险标的或保险对象划分，保险主要分为财产保险和人身保险两大类。这是最常见的一种分类方法。

第一类：财产保险。财产保险以物质财产及其有关利益、责任和信用为保险标的，当保险财产遭受保险责任范围内的损失时，由保险人提供经济补偿。财产分为有形财产和无形财产。厂房、机械设备、运输工具、产成品等为有形财产；预期利益、权益、责任、信用等为无形财产。与此相对应，财产保险有广义和狭义之分。广义的财产保险是指以物质财富以及与此相关的利益作为保险标的的保险，包括财产损失保险、责任保险和信用（保证）保险。狭义的财产保险是指以有形的物质财富以及与此相关的利益作为保险标的的保险，主要包括火灾保险、海上保险、货物运输保险、汽车保险、航空保险、工程保险、利润损失保险和农业保险等。

第二类：人身保险。人身保险以人的寿命和身体为保险标的，并以其生存、年老、伤残、疾病、死亡等人身风险为保险事故。在保险有效期内，被保险人因意外事故而遭受人身伤亡，或在保险期满后仍然生存，保险人都要按约给付保险金。人身保险包括人寿保险、人身意外伤害保险和健康保险等。

（2）按承保的风险划分。根据承保风险的不同，保险可划分为单一风险保险和综合风险保险。

单一风险保险是指仅对某一可保风险提供保险保障的保险。例如，水灾保险仅对特大洪水事故承担损失赔偿责任。

综合风险保险是指对两种或两种以上的可保风险提供保险保障的保

险。综合保险通常是以基本险加附加险的方式出现的。当前的保险品种基本上都具有综合保险的性质。例如，我国企业财产保险的保险责任包括火灾、爆炸、洪水等。

（3）按保险的实施方式划分。按保险的实施方式划分，可分为强制保险与自愿保险，或者商业保险与社会保险。

强制保险与自愿保险。强制保险是国家通过立法规定强制实行的保险。强制保险的范畴大于法定保险。法定保险是强制保险的主要形式。

自愿保险是投保人根据自身需要自主决定是否投保、投保什么以及保险保障范围。

商业保险与社会保险。商业保险，又称金融保险，是指按商业原则所进行的保险，以赢利为目的。具体而言，是指投保人根据合同约定，向保险人支付保险费，保险人对于合同约定的因可能发生的事故而造成的财产损失承担赔偿保险金责任，或者当被保险人死亡、伤残、疾病或者达到合同约定的年龄、期限时承担给付保险金责任的保险行为。

社会保险是指国家通过立法强制实行的，由个人、单位、国家三方共同筹资，建立保险基金，对个人因年老、工伤、疾病、生育、残废、失业、死亡等原因丧失劳动能力或暂时失去工作时，给予本人或其供养直系亲属物质帮助的一种社会保障制度。社会保险具有法制性、强制性、固定性等特点，每个在职职工都必须实行，所以，社会保险又称为（社会）基本保险，或者简称为社保。

社会保险按其功能又分为养老保险、工伤保险、失业保险、医疗保险、生育保险、住房保险（又称住房公积金）等。

人身保险投资的基本常识

人身保险是以人的寿命和身体为保险标的的保险。当人们遭受不幸事

故或因疾病、年老以致丧失工作能力、伤残、死亡或年老退休时，根据保险合同的约定，保险人对被保险人或受益人给付保险金或年金，以解决其因病、残、老、死所造成的经济困难。

传统人身保险的产品种类繁多，但按照保障范围可以划分为人寿保险、人身意外伤害保险和健康保险。

而人寿保险又可分为定期寿险、两全保险、年金保险、疾病保险等，健康保险则又可分为疾病保险、医疗保险、失能收入损失保险、护理保险等。

其中，年金保险因其在保险金的给付上采用每年定期支付的形式而得名，实际操作中年金保险还有每季度给付、每月给付等多种形式。养老年金保险可以为被保险人提供老年生活所需的资金，教育年金保险则可以为子女教育提供必要的经费支持。

同时，消费者可能会在人身意外伤害保险和定期寿险的选择上难以抉择，其实两者还是有较大不同的。首先意外伤害保险承保因意外伤害而导致的身故，不承保因疾病而导致的身故，而这两种原因导致的身故都属于定期寿险的保险责任范围。其次，意外伤害保险承保因意外伤害导致的残疾，并依照不同的残疾程度给付保险金。定期寿险有的不包含残疾给付责任，有的虽然包含残疾责任，但仅包括《人身保险残疾程度与保险给付比例表》中的最严重的一级残疾。最后，意外伤害保险一般保险期间较短，多为一年及一年期以下，而定期寿险则一般保险期间较长，可以为5年、10年、20年，甚至更长时间。

以上几种传统人身保险，均为纯保障类型。而随着经济的发展，资本市场化程度的日益提高，近几年在国内投资市场上又出现了将保障和投资融于一体的新型投资型险种，主要包括分红型、万能型、投资连结型等三种类型。

分红型保险，是指保险公司将其实际经营成果优于定价假设的盈余，按照一定比例向保单持有人进行分配的人寿保险。与普通型产品相比，分红型产品增加了分红功能。但需要注意的是，其分红是不固定，也是不保证的，分红水平与保险公司的经营状况有着直接关系。通常来说，在保险公司经营状况良好的年份，客户可能分到较多的红利，但如果保险公司的经营状况不佳，客户能分到的红利就可能比较少甚至没有。

万能型保险，是指包含保险保障功能并设立有保底投资账户的人寿保险，它具有以下特点：一是兼具投资和保障功能。保费的一部分用于提供身故等风险保障，扣除风险保险费以及相关费用后，剩余保费在投资账户中进行储蓄增值；二是交费灵活、收费透明。通常来说，投保人交纳首期保费后，可不定期不定额地交纳保费。同时，与普通型又称传统型人身保险产品及分红保险不同，保险公司向投保人明示所收取的各项费用；三是灵活性高，保额可调整。账户资金可在一定条件下灵活支取。投保人可以按合同约定提高或降低保险金额；四是通常设定最低保证利率，定期结算投资收益。此类产品为投资账户提供最低收益保证，并且可以与保险公司分享最低保证收益以上的投资回报。

投资连结型保险，是指包含保险保障功能并至少在一个投资账户拥有一定资产价值的人寿保险，其具备万能险第一、第二项的特点，但两者之间也有不同。投连险灵活性高，账户资金可自由转换。由于投资连结保险通常具有多个投资账户，不同投资账户具有不同的投资策略和投资方向，投保人可以根据自身偏好将用于投资的保费分配到不同投资账户，按合同约定调整不同账户间的资金分配比例，并可以随时支取投资账户的资金。

另外，投连险通常不设定最低保证利率。投资收益可以在账户价格波动中反映出来，目前我国保险公司通常不少于一周公布一次账户价格，因此，若具体投资账户运作不佳或随股市波动，投入该投资账户的投资收益可能会出现负数。

 财产保险投资的基本常识

财产保险是指投保人根据合同约定，向保险人交付保险费，保险人按

保险合同的约定对所承保的财产及其有关利益因自然灾害或意外事故造成的损失承担赔偿责任的保险。财产保险，包括财产保险、农业保险、责任保险、保证保险、信用保险等以财产或利益为保险标的的各种保险。在这里，我们重点提及一下家庭财产保险的内容。

家庭财产保险是以城乡居民室内的有形财产为保险标的的保险。家庭财产保险为居民或家庭遭受的财产损失提供及时的经济补偿，有利于安定居民生活，保障社会稳定。我国目前开办的家庭财产保险主要有普通家庭财产险和家庭财产两全险。

根据保险责任的不同，普通家庭财产险分为灾害损失险和盗窃险两种。

灾害损失险的保险标的包括被保险人的自有财产、由被保险人代管的财产或被保险人与他人共有的财产。通常包括：（1）日用品、床上用品；（2）家具、用具、室内装修物；（3）家用电器，文化、娱乐用品；（4）农村家庭的农具、工具、已收获入库的农副产品等。有些家庭财产的实际价值很难确定，如金银、珠宝、玉器、首饰、古玩、古书、字画等，这些财产必须由专业鉴定人员进行价值鉴定，经投保人与保险人特别约定后，才作为保险标的。

保险人通常对以下家庭财产不予承保：（1）损失发生后无法确定具体价值的财产，如货币、票证、有价证券、邮票、文件、账册、图表、技术资料等；（2）日常生活所需的日用消费品，如食品、粮食、烟酒、药品、化妆品等；（3）法律规定不容许个人收藏、保管或拥有的财产，如枪支、弹药、爆炸物品、毒品等；（4）处于危险状态下的财产；（5）保险人从风险管理的需要出发，声明不予承保的财产。

家庭财产灾害损失险规定的保险责任包括：火灾、爆炸、雷击、冰雹、洪水、海啸、地震、泥石流、暴风雨、空中运行物体坠落等一系列自然灾害和意外事故。对于被保险人为预防灾害事故而事先支出的预防费用，保险人原则上不予赔偿；但对于在灾害事故发生后，为防止灾害损失扩大，积极抢救、施救、保护保险标的而支出的费用，保险人将按约定负责提供补偿。

保险人对于家庭财产保险单项下所承保的财产由于下列原因造成的

损失不承担赔偿责任：（1）战争、军事行动或暴力行为：（2）核子辐射和污染；（3）电机、电器、电器设备因使用过度、超电压、碰线、弧花、漏电、自身发热等原因造成的本身损毁；（4）被保险人及其家庭成员、服务人员、寄居人员的故意行为，或勾结纵容他人盗窃或被外来人员顺手偷摸，或窗外钩物所致的损失等；（5）其他不属于家庭财产保险单列明的保险责任内的损失和费用。

家庭财产保险的保险金额由投保人依据投保财产的实际价值自行估计而定。若估价过低，会使保障不足；若估价过高，一方面，保费将随之增加，另一方面，实际灾害发生时，保险人将根据补偿原则，以投保财产的实际价值作为赔偿上限，因而被保险人也不可能靠此获利。投保人明智的做法是，对投保财产作出客观合理的估价，使保险金额尽可能接近所投保财产的实际价值。

普通家庭财产险的保险期限为一年，即从保单签发日零时算起，到保险期满日24时为止。

盗窃险的保险责任指在正常安全状态下，留有明显现场痕迹的盗窃行为，致使保险财产产生损失。除自行车、助动车以外，盗窃险规定的保险标的的范围与家庭财产、灾害损失险完全一样。对于由被保险人及其家庭成员、家庭服务人员、寄居人员的盗窃或纵容行为造成的损失以及如房门未锁、门窗未关等非正常安全状态下的失窃损失，保险人均不承担赔偿责任。盗窃险保险金额的确定以及保险期限的规定，均与灾害损失险相同。

家庭财产两全险是一种具有经济补偿和到期还本性质的险种。它与普通家庭财产保险不同之处仅在于保险金额的确定方式上。家庭财产两全险采用按份数确定保险金额的方式：城镇居民每份1 000元，农村居民每份2 000元，至少投保一份，具体份数多少根据投保财产的实际价值而定。投保人根据保险金额一次性交纳保险储金，保险人将保险储金的利息作为保费。保险期满后，无论保险期内是否发生赔付，保险人都将如数退还全部保险储金。

保险理财的常见误区

很多人都会把保险当成收益性金融产品，在购买保险之前，都喜欢算算是否划算。如果自己没有出现意外，没得到理赔，就认为自己赔了，买保险就不划算了。

事实上，从保险生效那一刻开始到保险责任终止，这期间，作为被保险人一直在使用着保险，只是因为保险是一种无形商品，被保险人没有感受到。产生这样的误区的根本原因，是人们还没有真正树立正确的风险观念，或者说对风险的认识还不够。有些错误还是非常普遍的、有代表性的。对于这些典型的认识误区，我们要学会甄别并尽量避免。

1. 买保险不如储蓄和投资

郑先生是一家外企的行政总监，年薪20多万元，还房贷、养车、养孩子……月支出近万元。妻子是全职太太。据郑先生说，他现在有点存款，都用来投资了，他、妻子、孩子都没办保险："我主要是觉得保险没有太大的实际意义，纯消费型的，出事的几率毕竟很小，应该不会发生在我们身上；养老的、教育的，觉得就类似储蓄，又没多大意思。我的原则就是年轻时拼命赚钱存钱，到老那就是我的'保险'。"

郑先生的想法代表了很多人的看法，但这是一个很典型的错误认识。其实，保险最重要的作用是保障功能，对于经济不很宽裕的人来说，保险解决万一发生不幸，收入突然中断时的经济来源问题；而对于有钱的人，保险的作用主要是保全其已拥有的财产。假如一次重病花掉你10万元，就算你的财力没有问题，但是如果你投保了重疾险，可能只需花费几千元就可以解决这个问题了，这无疑就帮你解决了非常重大的经济问题。

特别是一些纯保障的险，如意外险和定期寿险等，都是"花小钱，办大事"，每年几百或是千元左右的保费投入，就能换来几十万元的保障额度。

而且，现在不少储蓄型的险种，都设有保费豁免条款，也就是说，当投保人因意外伤害事故身故或全残时，可以不再继续交纳保费，仍可享受保障，如各保险公司的少儿教育保险等，一旦投保的父母发生意外事故，无力缴纳保费，但孩子的那份保险可以继续有效。这就体现了保险独一无二的保障作用，其他的教育储蓄、基金投资都无法达到这样一种功能。

记住一点，相对储蓄而言，保险能以较小的费用换取较大的保障，一旦保险事故发生时，保险可提供的保障，是远远超过你的保费投入的。

2. 有了社保就不需要商业保险

宋先生是一位典型的年轻白领，收入不错，公司提供的福利也不错，生活看起来很有保障了。他对朋友说："我们单位已经给我交了'五险一金'，保障很全面的，我自己就不用再掏钱买商业保险了。"

宋先生其实踏入了一个认识上的误区。商业保险与各类国家强制的社会保险功能是不一样的，商业保险可以作为国家社保的一种补充保障，两者之间不存在互相替代的作用。

商业保险的保障范围由投保人、被保险人与保险公司协商确定，不同的保险合同项下，不同的险种，被保险人所受的保障范围和水平是不同的，而社会保险的保障范围一般由国家事先规定，风险保障范围比较窄，保障的水平也比较低。这是由它的社会保障性质所决定的。通过二者之间的比较可以发现，社保通常是保障一个人的最低生活水平和医疗保障要求，而不同种类的商业保险可以保证一个人在遭遇不同的困境时，都可以得到相应的、额度较高的赔偿。比如商业的重大疾病保险，就可以弥补基本社保中大病医疗保障方面对于用药、额度等保障力度的不足。

3. 买保险不为保障为投资

王女士最近刚刚买了一份保险，她向理财专家说："这份保险我感觉很划算了，交20年，一年交7 080元，每三年就返款8 200元……"王女士说，她以前也没买过什么保险，但现在条件好了，手里有余钱了，就也想买点保险，就当投资了。

暂且不论这个保险产品的好坏，王女士的这种观念是不对的。虽然，目前很多保险产品具有储蓄和保障双重功能，但更重要的、最独特的还

是保障功能。百姓投保也应更重视保障方面的作用。如果只注重保险的投资功能，必然偏重于储蓄投资类险种，而忽略人身意外险、健康险等的投入，这是保险市场不成熟的表现。

但很多人都像王女士一样，不愿意投保消费型的纯保障类保险，更愿意投保一些返还型的产品。其实消费型保险一般保费都不高，但保障作用却很强，当然由于保险事故只是可能发生而不是肯定发生，因此让许多人认为是白搭，不愿意投保。但要知道，保险预防的就是意外，一旦发生意外事故，保险才真正发挥保障、救急和弥补损失的作用。在安排家庭保险时，一定要先安排基础保障类的保险，然后考虑投资理财型的保险。

4. 买得多就一定会赔得多

郑先生最近在路上被车子刮倒，导致骨折，花去4 000多元医疗费用。虽然行动不便，但他想到自己曾经投保过三份住院医疗费用保险，额度都在5 000元左右，心中颇有几分“窃喜”之意，心想通过保险理赔报销医疗费用，这次意外事故反而可以令自己“赚笔小钱”，倒也是个意外的收获。

不过，郑先生的“小算盘”却失算了，因为在办理理赔的时候，三家保险公司都要求他出具医疗费用凭证原件。

其实，出现这种情况的根源在于郑先生没有了解清楚各类保险的理赔原则是有差异的。如果发生意外残疾或死亡，如果有多份相应的保险，保险理赔上是不会冲突的。但医疗费用保险作为一种补偿型保险，适用补偿原则，即在保险金额的限度内，保险公司按被保险人实际支出的医疗费给付保险金。换言之，不论你在多少家保险公司投保了多少份医疗费用保险，最终的保险金总额不能超过实际支出的医疗费用。

但投保者总是存在一种误解，认为如果在多家保险公司投保医疗费用保险，出险后，各家保险公司均应在其保险额度内给付保险金。

若果真如此，势必就会出现这样的情况：被保险人因为拥有多家保险而更热衷于过度治疗，其住院时间愈长，医疗费花费愈多，意味着获利将愈多。事实上，也的确存在这种道德风险，因此，在各家保险公司条款中，均明确要求提供医疗费原始凭证作为获取医疗费赔偿的先决条件，复印件或其他收费凭证均不被受理。

同时，像家财险投保也是如此，保额并非越大越好，因为真正理赔时，保险公司是按财产的实际价值和损失程度确定赔偿金额。所以在投保时，如果超过财产实际价值确定保险金额，只是浪费保费。

5. 只给孩子保而不保大人

小王在事业单位上班，一个月收入不到2 000元，妻子在一家私企上班，怀孕后不久就把工作辞了，在家准备生育。在初为人父不久的喜悦之后，小王便兴冲冲地给儿子办了两份保险，一份是健康医疗险，一份是教育储蓄险，一年共需交保费4 000多元钱。但由于小王夫妇的家庭经济情况比较拮据，这笔保费对夫妻二人来说是个不小的数目。小王认为，自己和妻子都没办保险，但日子再苦不能委屈了孩子，所以要先给孩子把保险买上。

其实，孩子当然重要，但小王的做法并不科学，这实际上是个误区。现在每家就一个宝贝儿，很怕委屈了孩子，所以孩子刚一出生，就急着给孩子办这个保险那个保险。给孩子办保险当然是好事，但据了解，因为经济条件或观念原因，现在很多家长自己都没有保险，心里却想着先给孩子办好保险，这就走进误区了。

因为，每个家庭的支柱是父母，一旦他们因意外、疾病等丧失工作能力或失去收入的时候，整个家庭就将陷入困境。因此，家庭保险有个原则就是：先大人后孩子，先经济支柱后其他成员。

如果是先给孩子上保险，那么万一家长发生不幸，孩子的保费就无人缴纳了，孩子的保单到时候很可能就只能自然失效了，还谈何保障？所以，只有作为经济支柱的家长平安健康，才能给家庭和孩子一份保障，父母才是孩子的最大保障来源。

保险也要买得“保险”

生活中，许多人之所以不买保险，原因之一就是“投保容易理赔

难”。这种事实上的理赔不及时不仅影响了保险消费者的利益，也在一定程度上使保险公司的信誉受到了损害。

我们可以对一个具体事例加以分析：

某年，在四川卧龙地区发生了一起重大车祸。在遇难者中有一位在校的学生，他曾经在学校投保了某保险公司一年期的重大疾病、寿险、住院医疗团体保险。

校方在获悉后，于次日向该保险公司报了案。该公司在接到报案后，立即启动相关重大事件理赔处理程序，迅速确定保险责任，简化理赔手续，并派专人将20万元理赔款送到了学生家属手中。

在这起理赔案件中，校方的及时报案确保了理赔的进行。此外，在进行调查取证时校方的配合也让索赔材料的核查进展顺利。由于该公司设立了重大事件理赔处理机制，使得赔偿事宜进行得顺利快捷。

投保人出险后，需要根据实际出险情况及其所造成的后果，依据保险合同，向保险公司提出赔偿的要求和理由，以分担出现的风险。对于理赔，投保人应掌握以下内容：

1. 理赔基本要素

（1）理赔种类。理赔分为两种，赔偿和给付。赔偿与财产保险相对应，而由于人身保险是以人的生命或身体作为保险标的的，生命和身体是无法用金钱衡量的，故在出险时，保险公司只能在保单约定的额度内对收益人或被保险人给付保险金。

（2）理赔程序。按顺序有以下程序：立案检验、审查单证、审核责任、核算损失、损余处理、保险公司支付赔款以及保险公司行使代位求偿权利。

（3）理赔时效。保险索赔必须在索赔时效内提出，超过时效，被保险人或受益人不向保险公司提出索赔；不提供必要单证和不领取保险金，视为放弃权利。险种不同，时效也不同，人寿保险的索赔时效一般为5年，其他保险的索赔时效一般为2年。索赔时效应该从被保险人或受益人知道事故发生之日算起，事故发生后，投保人、被保险人、受益人应当先止险报案，然后提出索赔请求。

（4）理赔原则。重合同，守信用；坚持实事求是；主动，迅速，准确，合理。

（5）理赔申请。索赔时应提供的单证主要包括：保险单或保险凭证的正本、已缴纳保险费的凭证、有关能证明保险标的或当事人身份的原始文本、索赔清单、出险检验证明、其他根据保险合同规定应当提供的文件。

（6）纠纷处理。保险合同在履行过程中，双方当事人因保险责任归属、赔偿金额的多少发生争议，应采用适当方式，公平合理地处理。按照惯例，对保险业务中发生的争议，可采用协商和解、仲裁和司法诉讼三种方式来处理。

协商和解一般有自行和解和第三者主持和解两种方法。仲裁是由合同双方当事人在争议发生之前或之后达成书面协议，愿意把他们之间的争议交给双方都同意的第三者进行裁决，仲裁员以裁判者的身份而不是以调解员的身份对双方争议作出裁决。

2. 如何应对理赔难

事实上，保险公司在进行理赔事宜时，以下四点成为纠纷的主要热点问题：隐瞒病史、退保缩水、无效签名及定损分歧。

（1）隐瞒病史。病史纠纷在保险理赔纠纷中较为常见。隐瞒病史主要在两种情况下发生：一是代理人误导；二是被保险人主观隐瞒。保险公司指出，对于第一种情况，保险公司一般要承担全部责任。不过，在如何界定代理人“误导”上，一直存在举证困难。而对于第二种情况，保险公司则可明确拒赔。不是所有患病的人都不能投保，消费者如实告知病史后，可以以亚健康体的标准投保，保险公司一般会酌情提高保费或者降低保额，或详细注明哪些情况发生后不属于保险公司赔付的范围。买保险一定反复看好免责条款，并不能听保险人一面之词。

（2）退保缩水。买保险容易，如果没有到期要退保，则可能要遭受巨大损失。保险不像储蓄，存钱进银行后可以本息兼收。要了解退保时到底能拿回多少钱并不难，每份保险合同中都会附带一份现金价值表，对照这份表格可以清楚知道自己退保时能拿回多少钱。总的来说，投保人已缴纳的保费-保险公司的管理费用开支在该保单上分摊的金额-保险公司因为该

保单向推销人员支付的佣金-保险公司已承担该保单保险责任所需要的纯保费-剩余保费所生利息=现金价值。买保险之前一定要仔细考虑是否买，自己是否可以承受，以免日后损失。

（3）无效签名。按照《保险法》规定，以死亡为给付保险金条件的保险合同，未经被保险人书面同意并认可保险金额的，合同无效。保险公司称，保单代签名之所以不被承认，很重要的是为了防范道德风险。不要自作聪明，买这样的保险一定要被保险人签字。

（4）定损分歧。定损主要发生在车险里。保险公司在理赔定损时与事主发生纠纷的现象并不少见。主要原因是保险公司既当“运动员”又当“裁判员”的做法让人无法信任。一旦当事双方各执一词，可以尝试通过调解委员会重新查勘定损。此外，当事人也可向保险评估公司求助。

3. 投保人要获得合法的支持，准确、快速索赔，要做到以下几点

（1）及时向保险公司报案。报案是保险索赔的第一个环节。一般情况下，投保人应在保险事故发生10日内通知保险公司，由于各个险种的理赔时效不尽相同，所以一定要根据保险合同的规定及时报案，将保险事故发生的性质、原因和程度报告给保险公司。报案的方式有电话报案、上门报案、传真式委托报案等。

（2）符合责任范围。报案之后，保险公司或业务员会告知客户发生的事故是否在保险责任范围之内。客户也可以通过阅读保险条款、向代理人咨询或拨打保险公司的热线电话进行确认。保险公司只是对被保险人确实因责任范围的风险引起的损失进行赔偿，对于保险条款中的除外责任，如自杀、犯罪和投保人和被保险人的故意行为，保险公司并不提供保障。

（3）提供索赔资料。索赔资料是保险公司理赔的依据，大抵有以下三类：一是事故类证明，如意外事故证明、伤残证明、死亡证明、销户证明；二是医疗类证明，包括诊断证明、手术证明及处方、病理血液检验报告、医疗费用收据及清单等；三是受益人身份证明及与被保险人关系证明。

股票——高风险高回报的投资理财工具

快速了解股票

1. 依据股票的上市地点和所面对的投资者，我国上市公司的股票有A股、B股、H股、N股和S股等的区分

（1）A股——人民币普通股票。A股的正式名称是人民币普通股票。它是由我国境内的公司发行，提供境内机构、组织或个人（不含港澳台投资者）以人民币认购和交易的普通股票。

（2）B股——人民币特种股票。B股的正式名称是人民币特种股票。它是以人民币标明面值，以外币认购和买卖，在境内（上海、深圳）证券交易所上市交易的。在深圳交易所上市交易的B股按港元单位计价；在上海交易所上市的B股按美元单位计价。

（3）H股、N股和S股。H股，即注册地在内地，上市地在香港地区的外资股。同理，上市地在纽约的为N股，上市地在新加坡的即为S股。

2. 按投资主体来划分，我国上市公司的股份可以分为国有股、法人股及社会公众股

（1）国有股。国有股指有权代表国家投资的部门或机构以国有资产向公司投资所形成的股份，包括以公司现有国有资产折算成的股份。由于我国大部分股份制企业都是由原国有大中型企业改制而来的，因此，国有股在公司股权中占有较大的比重。

（2）法人股。法人股指企业法人或具有法人资格的事业单位和社会团体以其依法可经营的资产向公司非上市流通股权部分投资所形成的股份。目前，在我国上市公司的股权结构中，法人股平均占20%左右。

（3）社会公众股。社会公众股是指我国境内个人和机构，以其合法财产向公司可上市流通股权部分投资所形成的股份。我国投资者通过股东账户在股票市场买卖的股票都是社会公众股。我国公司法规定，单个自然人持股数不得超过该公司股份的5‰。

3. 根据股票交易价格的高低，我国投资者还直观地将股票分为一线股、二线股和三线股

（1）一线股。一线股通常指股票市场上价格较高的一类股票。这些股票业绩优良或具有良好的发展前景，股价领先于其他股票。大致上，一线股等同于绩优股和蓝筹股。一些高成长股，如我国证券中场上的一些高科技股，由于投资者对其发展前景充满憧憬，它们也位于一线股之列。一线股享有良好的市场声誉，为机构投资者和广大中小投资者所熟知。

（2）二线股。二线股是价格中等的股票。这类股票在市场上数量最多。二线股的业绩参差不齐，但从整体上看，它们的业绩也同股价一体在全体上市公司中居中游。

（3）三线股。三线股指价格低廉的股票。这些公司大多业绩不好，前景不妙，有的甚至已经到了亏损的境地。也有少数上市公司，因为发行量太大，或者身处夕阳行业，缺乏高速增长的可能，难以塑造出好的投资概念来吸引投资者。有些公司虽然业绩尚可，但股价却徘徊不前，也被投资者视为了三线股。

4. 配股及转配股

（1）配股。配股是上市公司根据公司发展的需要，依据有关规定和相应的程序，旨在向原股东进一步发行新股，筹集资金的行为，按照惯例，公司配股时新股的认购权按照原有股权比例在原股东之间分配，即原股东拥有优先认购权。

（2）转配股。转配股又称公股转配股，主要包括上市公司实施配股的过程中，国家股和法人股或因主体缺位或因资金短缺而难以实施配股时，

其它法人和个人根据有关制度受让其部分或全部配股权而购买的股票。其产生有以下几个来源：

一是国有股转让的股权给社会公众股；二是法人股转让配股权给社会公众股；三是已有转配股接受送股或配股后所产生的新股。由于国有股与法人股目前仍不能上市，故而转配股暂时也不能上市交易，但它却同上市股票一样享有分红配股权力。

转转配股是指个人所持有的转配股在公司按股份事务处理决议再次筹集配股时，又参与了国有或法人股放弃的配股权，由此获得的股权就称为转转配。转转配实际上和转配股没有实际上的区别。它可看作第三种来源形式的特殊情况。即转配股所接受的配股权是由国有或法人配股权所放弃而得来。

5. 按股东的权利可分为普通股和优先股

（1）普通股。普通股是随着企业利润变动而变动的一种股份，是股份公司资本构成中最普通、最基本的股份，是股份企业资金的基础部分。

普通股的基本特点是其投资收益（股息和分红）不是在购买时约定，而是事后根据股票发行公司的经营业绩来确定。公司的经营业绩好，普通股的收益就高；反之，若经营业绩差，普通股的收益就低。普通股是股份公司资本构成中最重要、最基本的股份，亦是风险最大的一种股份，但又是股票中最基本、最常见的一种。在我国上交所与深交所上市的股票都是普通股。

（2）优先股。优先股是相对于普通股而言的。主要指在利润分红及剩余财产分配的权利方面，优先于普通股。

优先股的主要特征有：

一是优先股通常预先定明股息收益率。由于优先股股息率事先固定，所以优先股的股息一般不会根据公司经营情况而增减，而且一般也不能参与公司的分红，但优先股可以先于普通股获得股息，对公司来说，由于股息固定，它不影响公司的利润分配；二是优先股的权利范围小。优先股股东一般没有选举权和被选举权，对股份公司的重大经营无投票权，但在某些情况下可以享有投票权。

 股票投资的关键在于选股

世界上没有十分准确的预言。曾经有这样的一个故事，一个学生问一位正在讲授股票价格分析方法的教授："老师，请您告诉我，购买哪只股票能够赚到钱呢？"教授笑着回答说："如果我能准确知道哪只股票赚钱，哪只股票赔钱，我早就到华尔街去了。"这个故事告诉我们，世界上没有哪个寓言可以预测得十分准确。我们在这里介绍股票价格的分析方法，仅仅是给大家提供一个分析的思路。

但是，对于股票投资者来讲，买进和卖出一定品种、一定数量的股票又是必须做出的抉择。因而，广大投资者在面对交易市场上令人眼花缭乱的众多股票，到底买哪种或哪几种好呢？这涉及的问题很多，其实股票投资的关键就在于解决买什么股票、如何买的问题。

股神巴菲特以100美元起家，通过投资而成为拥有数百亿美元财富的世界级大富豪。纵观巴菲特40多年的股坛生涯，其选股共有22只，投资61亿美元，赢利318亿美元，平均每只股票的投资收益率高达5.2倍以上，创造了有史以来最为惊人的股坛神话。其实，巴菲特发迹的秘密就在于：选择好股票，然后长期拥有。

由此可以看出，从某种意义上来讲，股票投资的关键就在选择股票上，在于会挑选好企业的股票。如果我们想选择可以盈利的股票，首先要学会选择有盈利的上市公司，然后持有其股票。

巴菲特曾说过，优秀企业的标准：业务清晰易懂，业绩持续优异，由能力非凡且为股东着想的管理层来经营的大公司。凡是遵循以上所说的标准去选股，就一定能够找到好的股票。

1. 企业管理者的素质

企业的竞争其实就是人才的竞争，企业的发展，管理水平十分重要，

特别是在企业迅速发展的时期，企业规模的急剧扩张，需要有高素质的管理者和良好的管理制度来掌好企业发展的舵。管理者素质不够，企业管理水平跟不上企业发展的需要时，企业经营很容易偏离发展的轨道而陷入泥潭。

同样条件下，同样的企业，有一个优秀的管理团队的企业可以使企业发展更快，利润增长更多。优秀的管理者和管理团队不仅让企业眼前发展迅速，也会创造企业文化，提高企业的竞争力，并且从战略高度为企业未来发展指引方向。我们买股票，就是买上市公司的未来。一个优秀的管理团队势必带出一个高成长性的上市公司。

投资者可以从网络、报纸和一些财经周刊上了解上市公司的管理者的情况，定期参加一些企业的访谈节目，或者从电视等媒体收看企业老总访谈。从对他们的访谈中了解这个企业的经营、领导者的素质。有可能的话最好实地考察这个企业的人事制度、决策机构。

2. 企业产品周期和新产品情况

了解一个企业的产品的销售情况、研发支出和投入的比例，和同行业的销售比较，新产品的开发程度和核心竞争力，日后产品的价格，这个产品的市场垄断程度。

还要关注行业的生存前景。因为一项新的技术发明所推出的新产品可能成为现有产品的替代品，淘汰现有产品，进而使生产这类产品的行业或企业的生存受到威胁。例如，当市场引入CD机后，这一新的产品会使愈来愈多的人放弃使用录音机，而使录音机行业逐步畏缩。又例如，无线通讯技术的快速发展和移动电话的普及，使传呼机生产和经营及无线传呼行业日益萎缩。

技术因素的另一面就是它能增强某一行业的竞争力和扩展发展空间。例如生物技术领域的一些成果在农作物育种方面的应用，就可以直接提高农作物的产量和加工的增值幅度，进而提高整个农业的产出效率。民用航空技术就可促进（旅客）运输业的繁荣，进而带动旅游业收入的增加。

3. 企业的财务报表分析

企业的财务报表是我们得到上市公司信息的主要来源，很多股票投

资者喜欢听一些小道消息，或者专家推荐的股票，而不去自己研究上市公司，其实我们读懂上市公司的财务报表，其中的利润表、资产负债表是投资者决策的重要依据。我们看企业财务表，其实只需要了解几个关键的分析数据就可以了。

上市公司的财务报表是公司的财务状况、经营业绩和发展趋势的综合反映，是投资者了解公司、决定投资行为的最全面、最可靠的第一手资料。

在对一个公司进行投资之前，首先要了解该公司的下列情况：公司所属行业及其所处的位置、经营范围、产品及市场前景；公司股本结构和流通股的数量；公司的经营状况，尤其是每股的市盈率和净资产；公司股票的历史及目前价格的横向、纵向比较情况等。

4. 选股技巧

（1）选择自己熟悉的股票。对于这类股票，你比较容易了解情况，能适时地得到这些公司的各种消息。如果公司有利好题材可以快人一步抢进，利空来临则抢先出逃。

（2）了解上市公司的行业。对上市公司所处行业的特性进行分析，再结合自己的投资策略选择股票。

（3）关注上市公司在行业中的地位。如果是行业“老大”，其经营规模比较庞大，拥有雄厚的资本、一流的技术和庞大的竞争力，抵御风险的能力也很强，困难容易摆脱，业绩不受大影响，而经济回暖后又会有大发展。

（4）选择那些不著名，但成长性好的上市公司。这些公司假以时日，经营规模上来了，其发展可能会一日千里，是潜在的大黑马。

（5）选择题材股。这类股票由于有炒作题材，必然会引起主力大户的注意，反复炒作。适时介入这类股票，待题材明朗时抛出，会有较为丰厚的获利。

（6）选择小盘股。一般来说小盘股筹码较少，机构庄家容易吸筹，一旦介入往往急速飙升，经常成为股市中的黑马。

（7）选择逆市上行的个股。这类股往往是强势股，股价大涨小回，往

往逆市上行，说明庄家资金雄厚，操盘手法娴熟，且这类个股多数都有一定的题材，庄家才敢于逆市坐庄。

（8）选择突破阻力线的股票。突破阻力线的股票，表明卖压减轻，应果断跟进，后市会有一段可观的升幅。

（9）选择换手率高的股票。换手率高的股票，由于筹码得到了充分消化，每个人的成本较高，卖压越来越轻，未来走势肯定有出众的表现，而且换手率高的股票，说明投资大众对其热烈追捧，庄家呵护有加，后市会飙升。

（10）选择大手成交的股票。成交量是投资大众购买股票欲望强弱的直接表现，人气的聚散数量化就是成交量。成交量是股市的元气，股价只不过是它的表征而已。所以，成交量通常比股价先行。如果某个个股成交量放大，而且抛出的筹码被大手承接，显然有主力介入，股价稍有回调即有人跟进，这类个股无疑就是明天的黑马。

掌握股票买入的最佳时机

股市就那么简单，低买了，高卖了就赢利了。但哪里是低，哪里是高，用你的技术去判断，但有一点要注意，技术方法一定是要切入本质，不要模模糊糊，要不然又该说技术无用了。

作为一般股民，大多是不能直接进入证券交易所买卖股票的，而只能通过证券交易所的会员买卖股票，而所谓证交所的会员就是通常的证券经营机构，即券商。你可以向券商下达买进或卖出股票的指令，这被称为委托。委托时必须凭交易密码或证券账户。这里需要指出的是，在我国证券交易中的合法委托是当日有效的委托。这是指股民向证券商下达的委托指令必须指明买进或卖出股票的名称（或代码）、数量、价格。并且这一委托只在下达委托的当日有效。委托的内容包括你要买卖股票的简称（代

码）、数量及买进或卖出股票的价格。股票的简称通常为3~4个汉字，股票的代码为六位数，委托买卖时股票的代码和简称一定要一致。同时，买卖股票的数量也有一定的规定：即委托买入股票的数量必须是100的整数倍，但委托卖出股票的数量则可以不是100的整倍。

股市是高风险高收益的投资场所，可以说股市中风险无处不在，无时不有，而且也没有任何方法可以使这种风险完全避免。当然，作为投资者买股票主要是买未来，希望买到的股票未来会涨。炒股有几个重要因素——量、价、时，时即为介入的时间，这是最为重要的。介入时间选得好，就算股票选得差一些，也会有赚，相反介入时机不好，即便选对了股也不会涨，而且还会被套牢。所谓好的开始即成功了一半，选择“买卖”点非常重要，在好的买进点介入，不仅不会套牢，而且可坐享被抬轿之乐。而如果在错误的时机买入股票，一定会惨遭损失。

那么，投资者该如何把握股票的买入点呢？具体来说，可以根据以下几个方面来确定股票的最佳买入点：

1. 根据消息面判断短线买入时机

当大市处于上升趋势初期出现利好消息，应及早介入；当大市处于上升趋势中期出现利好消息，应逢低买入；当大市处于上升趋势末期出现利好消息，就逢高出货；当大市处于跌势中期出现利好消息，短线可少量介入抢反弹。

2. 根据基本面判断买入时机

股市是国民经济的“晴雨表”。在国民经济持续增长的大好环境作用下，股市长期向好，大盘有决定性的反转行情，坚决择股介入。

长期投资一只个股，要看它的基本面情况，根据基本面，业绩属于持续稳定增长的态势，那完全可以大胆介入；如果个股有突发实质性的重大利好，也可择机介入，等待别人来抬轿。

3. 根据行业政策判断买入时机

根据国家对某行业的政策，以及行业特点、行业公司等情况，买入看好的上市公司，比如国家重点扶持的农业领域，在政策的影响下，农业类的具有代表性的上市公司就是买入的群体。

4. 根据趋势线判断短线买入时机

中期上升趋势中，股价回调不破上升趋势线又止跌回升时是买入时机；股价向上突破下降趋势线后回调至该趋势线上是买入时机；股价向上突破上升通道的上轨线是买入时机；股价向上突破水平趋势线时是买入时机。

5. 根据成交量判断短线买入时机

（1）股价上升且成交量稳步放大时。底部量增，价格稳步盘升，主力吸足筹码后，配合大势稍加拉抬，投资者即会加入追涨行列，放量突破后即是一段飙涨期，所以第一批巨量长红宜大胆买进，可有收获。

（2）缩量整理时。久跌后价稳量缩。在空头市场，媒体上都非常看坏后市，但一旦价格企稳，量也缩小时，可买入。

6. 根据K线形态确定买入时机

（1）底部明显突破时为买入时机。比如：W底、头肩底等，在股价突破颈线点，为买点；在相对高位的时候，无论什么形态，也要小心为妙；另外，当确定为弧形底，形成10%的突破，为大胆买入时机。

（2）低价区小十字星连续出现时。底部连续出现小十字星，表示股价已经止跌企稳，有主力介入痕迹，若有较长的下影线更好，说明多头位居有利地位，是买入的较好时机。重要的是：价格波动要趋于收敛，形态必须面临向上突破。

7. 根据移动平均线判断买入时机

（1）上升趋势中股价回档不破10日均线是短线买入时机。上升趋势中，股价回档至10日均线附近时成交量应明显萎缩，而再度上涨时成交量应放大，这样后市上涨的空间才会更大。

（2）股价有效突破60日平均线时是中线买入时机。当股价突破60日均线前，该股下跌的幅度越大、时间越长越好，一旦突破之后其反转的可能性也将越大。

当股价突破60日均线后，需满足其均线拐头上行的条件才可买入。若该股突破均线后其60日均线未能拐头上行，而是继续走下行趋势时，则表明此次突破只是反弹行情，投资者宜买入。

如果换手率高，30日均线就是股价中期强弱的分界线。

8. 根据周线与日线的共振、二次金叉等几个现象寻找买点

（1）周线与日线共振。周线反映的是股价的中期趋势，而日线反映的是股价的日常波动，若周线指标与日线指标同时发出买入信号，信号的可靠性便会大增。如周线KDJ与日线KDJ共振，常是一个较佳的买点。日线KDJ是一个敏感指标，变化快，随机性强，经常发生虚假的买、卖信号，使投资者无所适从。运用周线KDJ与日线KDJ共同金叉（从而出现“共振”），就可以过滤掉虚假的买入信号，找到高质量的买入信号。不过，在实际操作时往往会碰到这样的问题：由于日线KDJ的变化速度比周线KDJ快，当周线KDJ金叉时，日线KDJ已提前金叉几天，股价也上升了一段，买入成本已抬高。为此，激进型的投资者可在周线K、J两线勾头、将要形成金叉时提前买入，以求降低成本。

（2）周线二次金叉。当股价经历了一段下跌后反弹起来突破30周线位时，我们称为“周线一次金叉”。不过，此时往往只是庄家在建仓而已，我们不应参与，而应保持观望。当股价再次突破30周线时，我们称为“周线二次金叉”，这意味着庄家洗盘结束，即将进入拉升期，后市将有较大的升幅。此时可密切注意该股的动向，一旦其日线系统发出买入信号，即可大胆跟进。

什么时候该卖出股票

在股市里，几乎所有人都遭受过套牢之苦。哪怕当时有一万个理由支持你去买某只股票，但常常被市场中不是理由的理由使你美梦落空。处于股市的复杂环境下，一旦套住，大多数人采取守仓之策，虽然守住不动总有解套之时，但若一年两年五年都解不了套，资金的快速流动和增值就都是一句空话。因此，守仓是一策，但不是上策。

股票赚钱的机会永远都在，今天没有赚到，永远还有明天。许多操作股票失利的人，通常都是涨时追高、跌时停损卖低或融资操作断头出现。为何散户永远被讥讽为“追高杀低”的一群菜鸟，因为他们永远是在错过买点时自怨自艾而忍不住追高，寄希望能赚上一支涨停板，往往成为涨势末端最后一支套牢的白老鼠。而散户在股票套牢后，又常常受不了长期套牢亏损的心理压力，在跌势末端认赔出场。

买股票虽然不容易，但卖股票同样也是一门大学问，许多股民都很会买股票，但却不懂得如何卖股票。事实上，一个真正成功的股民在懂得买股票的基础上，也要懂得在最适当的时机卖出股票。

一般，投资者的目的如果是既定的利润率，在市场给予的利润率达到一定的程度，而这个利润率在短期内进一步上升的可能性较小时，就是投资者卖出股票的时机。“只有傻瓜才会等着股价到达最高位”，一定要学会见好就收。

在股市上，专业散户的标准有很多：会看、会瞄、会买、会跟、会思、会卖、会逃、会分析、会判断……总而言之，会赚钱。但最基础的一点就是要会出逃，会卖掉自己手中的股票。

由此，对投资者来说，该如何找到卖出股票的关键时机呢？

1. 大盘行情形成大头部时，坚决清仓全部卖出

上证指数或深综合指数大幅上扬后，形成中期大头部时，是卖出股票的关键时刻。不少市场评论认为抛开指数炒个股，这种提法不科学。只关注个股走势是只见树木不见森林。根据历史统计资料显示：大盘形成大头部下跌，竟有90%~95%以上的个股形成大头部下跌。大盘形成大底部时，有80%~90%以上的个股形成大底部。大盘与个股的联动性相当强，少数个股在主力介入操控下逆市上扬，这仅仅是少数、个别现象。要逮到这种逆市上扬的“庄股”概率极低。因此，大盘一旦形成大头部区，是果断分批卖出股票的关键时刻。

2. 大幅上升后，成交量大幅放大，是卖出股票的时候

当股价大幅上扬之后，持股者普遍获利，一旦某天该股大幅上扬过程中出现卖单很大、很多，特别是主动性抛盘很大，反映主力、大户纷纷抛

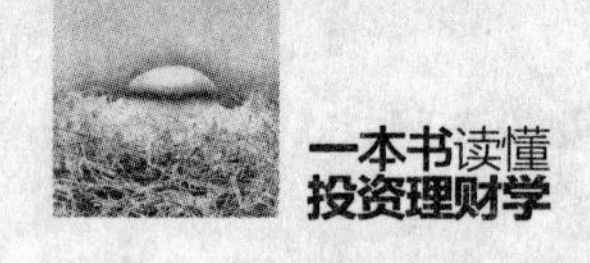

售，这是卖出的强烈信号。尽管此时买入的投资者仍多，买入仍踊跃，迷惑了不少看盘经验差的投资者，有时甚至做出换庄的误判，其实主力是把筹码集中抛出，没有大主力愿在高价区来收集筹码，来实现少数投资者期盼的“换庄”目的。

成交量创下近数个月甚至数年的最大值，是主力卖出的有力信号，是持股者卖出的关键，没有主力拉抬的股票难以上扬，仅靠广大中小散户很难推高股价的。上扬末期成交量创下天量，90%以上形成大头部区。

3. 股价大幅上扬后，除权日前后是卖股票的关键时机

上市公司年终或中期实施送配方案，股价大幅上扬后，股权登记日前后或除权日前后，往往形成冲高出货的行情，一旦该日抛售股票连续出现十几万股的市况，应果断卖出，反映主力出货，不宜久持该股。

4. 上升较大空间后，日K线出现十字星或长上影线的倒锤形阳线或阴线时，是卖出股票的时候

上升一段时间后，日K线出现十字星，反映买方与卖方力量相当，局面将由买方市场转为卖方市场，高位出现十字星犹如开车遇到十字路口的红灯，反映市场将发生转折。股价大幅上升后，出现带长上影线的倒锤形阴线，反映当日抛售者多，若当日成交量很大，更是见顶信号。许多个股形成高位十字星或倒锤形长上影阴线时，80%~90%的机会形成大头部，应果断卖出股票。

5. 该股票周K线上6周RSI值进入80以上时，应逢高分批卖出

买入某只股票，若该股票周K线6周RSI值进入80以上时，几乎90%构成大头部区，可逢高分批卖出，规避下跌风险为上策。

当然，在这里需要提醒投资者注意的是，以上所提及的每种方法都有一定程度的不完善之处，因此在使用时不可过于机械。此外，投资者需要特别注意的是期望在最高点卖出只是一种奢望，唯有保持平和的心态，见好就收才是正确的股票投资方法。

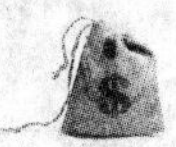

妥善控制股市风险

股票是所有权资产，你拥有的公司股票越多，你在这家公司所占的股份比例就越大。

股票回报来自红利收入和资本收益。因为资本的赢利和亏损决定着红利收入，所以股票是不稳定的。

每家公司都有它自己单独的或特殊的风险，但是所有的公司都面临着更大的市场风险。你不能分散市场风险，但你可以通过投资价值股票和成长型股票来控制风险。你持有股票的时间越长，投资损失的可能性就越低。

我们经常听到专业人士说这样一句话——“股市有风险，入市须慎重”。炒股其实是一把双刃剑，既可能给你带来巨大的收益，同时也可能给你带来巨大损失。

股市中的风险是指在竞争中由于影响股票市场价格的未来经济活动的不确定性，或各种事先无法预料的因素的影响，造成股价随机性的波动，使炒股者的实际收益和预期收益发生背离，从而使炒股者有蒙受损失甚至破产的可能。

可见，作为投资者股民必须要对股票的投资有一定的风险控制策略，也只有这样才可能避免股市的残酷和无情。任何一个准备或已经在股市中的炒股者，在实施炒股活动前，都应认清风险、正视风险，从而树立风险意识。对于个体投资者而言，成功的风险控制主要分为以下几点：

1. 掌握必要的证券专业知识

炒股不是一门科学，而是一门艺术。但艺术同样需要扎实的专业知识和基本技能。你能想象一位音乐大师不懂五线谱吗？所以，花些时间和精力学习一些基本的证券知识和股票交易策略，才有可能成长为一名稳健而

成功的股票投资人。否则，只想靠运气赚大钱，即使运气好误打误撞捞上一笔，你也不可能期望着好运气永远伴随着你。

2. 认清投资环境，把握投资时机

在股市中常听到这样一句格言："选择买卖时机比选择股票更重要。"所以，在投资股市之前，应该首先认清投资的环境，避免逆势买卖。否则，在没有做空机制的前提下，你选择熊市的时候大举进攻，而在牛市的时候却鸣金收兵，休养生息，不能不说是一种遗憾。

（1）宏观环境。股市与经济环境、政治环境息息相关。

当经济衰退时，股市萎缩，股价下跌；反之，当经济复苏时，股市繁荣，股价上涨。

政治环境亦是如此。当政治安定、社会进步、外交顺畅、人心踏实时，股市繁荣，股价上涨；反之，当人心慌乱时，股市萧条，股价下跌。

（2）微观环境。假设宏观环境非常乐观，股市进入牛市行情，那是否意味着随便建仓就可以赚钱了呢？也不尽然。尽管牛市中确实可能会出现鸡犬升天的局面，但是牛市也有波动。如果你入场时机把握不好，为利益引诱盲目进入建仓，却不知正好赶上了一波涨势的尾部，那么牛市你也会亏钱，甚至亏损得十分严重。

所以，在研究宏观环境的同时，还要仔细研究市场的微观环境。

3. 确定合适的投资方式

股票投资采用何种方式因人而异。一般而言，不以赚取差价为主要目的，而是想获得公司股利的多采用长线交易方式。平日有工作，没有太多时间关注股票市场，但有相当的积蓄及投资经验，多适合采用中线交易方式。空闲时间较多，有丰富的股票交易经验，反应灵活，采用长中短线交易均可。如果喜欢刺激，经验丰富，时间充裕，反应快，则可以进行日内交易。

理论上，短线交易利润最高，中线交易次之，长期交易再次。

4. 制定周详的资金管理方案

俗语说："巧妇难为无米之炊。"股票交易中的资金，就如同我们赖以生存、解决温饱的大米一样。"大米"有限，不可以任意浪费和挥霍。

因此，“巧妇”如何将有限的“米”用于“炒”一锅好饭，便成为极重要的课题。

股票投资人一般都将注意力集中在市场价格的涨跌之上，愿意花很多时间去打探各种利多利空消息，研究基本因素对价格的影响，研究技术指标作技术分析，希望能作出最标准的价格预测，但却常常忽略了本身资金的调度和计划。

其实，在弱肉强食的股市中，必须首先制定周详的资金管理方案，对自己的资金进行最妥善的安排，并切实实施，才能确保资金的风险最小。只有保证了资金风险最小，才能使投资者进退自如，轻松面对股市的涨跌变化。

5．正确选择股票

选择适当的股票亦为投资前应考虑的重要工作。股票选择正确，则可能会在短期内获得赢利；而如果选择错误，则可能天天看着其他股票节节攀升，而自己的股票却如老牛拖车，甚至狂跌不止。

6．要控制资金投入比例

在行情初期，不宜重仓操作。在涨势初期，最适合的资金投入比例为30%。这种资金投入比例适合于空仓或者浅套的投资者采用，对于重仓套牢的投资者而言，应该放弃短线机会，将有限的剩余资金用于长远规划。

7．要懂得适可而止

股市风险不仅存在于熊市中，在牛市行情中也一样有风险。在股市脱离其内在价值时，股民应执行投资纪律，坚决离开。

网上炒股注意事项

如今，网上炒股以其方便、快捷、安全的优势，日渐受到广大投资者的青睐。但网上炒股作为一种新的理财方式，多数人对其缺乏一些较深层

次的了解，防范风险意识相对较弱，有时因使用操作不当等原因会使股票买卖出现失误，甚至发生被人盗卖股票的现象。因此，掌握一些必要注意事项，对于确保网上炒股的正确和资金安全是非常重要的。

1. 正确设置交易密码

如果证券交易密码泄露，他人在得知资金账号的情况下，就可以轻松登录您的账户，严重影响个人资金和股票的安全。所以对网上炒股者来说，必须高度重视网上交易密码的保管，密码忌用吉祥数、出生年月、电话号码等易猜数字，并应定期修改、更换。

2. 谨慎操作

网上炒股开通协议中，证券公司要求客户在输入交易信息时必须准确无误，否则造成损失，券商概不负责。因此，在输入网上买入或卖出信息时，一定要仔细核对股票代码、价位的元角分以及买入（卖出）选项后，方可点击确认。

3. 及时查询、确认买卖指令

由于网络运行的不稳定性等因素，有时电脑界面显示网上委托已成功，但券商服务器却未接到其委托指令；有时电脑显示委托未成功，但当投资人再次发出指令时，券商却已收到两次委托，造成了股票的重复买卖。所以，每项委托操作完毕后，应立即利用网上交易的查询选项，对发出的交易指令进行查询，以确认委托是否被券商受理和是否已成交。

4. 莫忘退出交易系统

交易系统使用完毕后如不及时退出，有时可能会因为家人或同事的误操作，造成交易指令的误发；如果是在网吧等公共场所登录交易系统，使用完毕后更要立即退出，以免造成股票和账户资金损失。

5. 同时开通电话委托

网上交易遇到系统繁忙或网络通讯故障时，常常会影响正常登录，贻误买入或卖出的最佳时机。电话委托作为网上证券交易的补充，可以在网上交易暂不能使用时，解您的燃眉之急。

6. 不过分依赖系统数据

许多股民习惯用交易系统的查询选项来查看股票买入成本、股票市值

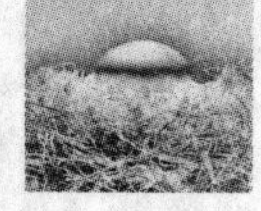

等信息，由于交易系统的数据统计方式不同，个股如果遇有配股、转增或送股，交易系统记录的成本价就会出现偏差。因此，在判断股票的盈亏时应以个人记录或交割单的实际信息为准。

7．关注网上炒股的优惠举措

网上炒股业务减少了券商的工作量，扩大了网络公司的客户规模，所以券商和网络公司有时会组织各种优惠活动，包括赠送上网小时、减免宽带网开户费、佣金优惠等措施。因此大家要关注这些信息，并以此作为选择券商和网络公司的条件之一，不选贵的，只选实惠的。

8．注意做好防黑防毒

目前网上黑客猖獗，病毒泛滥，如果电脑和网络缺少必要的防黑、防毒系统，一旦被黑，轻者会造成机器瘫痪和数据丢失，重者会造成股票交易密码等个人资料的泄露。因此，安装必要的防黑防毒软件是确保网上炒股安全的重要手段。

炒股中，这些错误不要犯

股票投资是一种风险很大的投资方式。的确，赶上大牛市，赚钱是容易的。但如果在股市发展前景并不明朗的情况下，投资股市则是有风险的，从此你将整天受着自己欲望的驱使，再难回头了。

著名投资经理《投资者商业日报》的出版商欧·内尔这样说过：“我不管你是一个职业投资家，还是一个投资新手，我知道你一定会犯错误。对此你应该怎么办呢？是否想另觅一条路径并且设想错误会走开？如果有这样想法的话，那就不要进入市场。”

可见，股民初入股市，由于经验不足等因素，犯错是必然的，任何股民入市都要“交学费”。既然犯错是不可避免的，关键就是要想方设法少犯错误，减少损失。从这个意义上说，少犯错就等于多赚钱。

以下讲的几点是新股民容易犯的致命的错误，希望刚入市的朋友能够尽量避免：

1. 听信小道消息

股市是一个变化莫测的地方，各种消息、预测往往满天飞。一般投资者尤其是新股民由于对股市行情没有太大把握，自然对各种消息特别敏感，一有风吹草动就会贸然行事，因此往往吃亏。投资大师巴菲特曾经说过："我从来没有见过能够预测市场走势的人。"证券分析之父格雷厄姆也曾经说过这样的话："如果说我在华尔街60多年的经验中发现过什么的话，那就是没有人能够成功地预测股市变化。"由此可见，在股市中唯一可以确定的是"不确定"，根据一些不知是真是假的消息来买卖股票绝对是一种不明智的行为。

2. 投资分散

有一种理论说：不要将鸡蛋放到一个篮子里面。其意思是分散风险，这本来没有错，可是我们看到许多散户没有正确地理解这个意思。投资过于分散有很大的弊病：第一，持有股票多肯定使持仓的成本要上升，因为买100股肯定要比买1 000股付出的平均手续费要贵；第二，你不可能有精力对这许多的股票进行跟踪；第三，最糟糕的是这样买股票，你就算是买到了黑马也不可能赚到钱，说不定还要赔，因为一匹黑马再大的力气也拉不动装着10头瘸驴的车，这是很自然的事情！

3. 持股结构不合理

有些股民在选股时也是很不科学的，其所持股票甚至都是同一个属性的，要么就都是大盘股，要么就都属于同一行业，要么就都是科技股。可以看出，这个仁兄的持股结构是扁平的而不是立体的，他不懂持仓要讲究立体性，投资和投机结合，短线和中长线结合等。实在看不出他这和把鸡蛋放进同一个篮子有什么区别，更糟糕的是，很可能这些个篮子的底还是漏的。

4. 没有耐心

不会空仓，严格地说是不愿意空仓，每天在市场里不是买就是卖，反正是不能闲着，好像不买就会错过了黑马，5万元的资金一年恨不能做

出500万元的交易额，这个行为券商最欢迎，因为你这样的做法无疑只是在频繁的转换中平添了很多的交易手续费罢了，对你的投资增值没有半点益处。

5. 太贪心不懂节制

一个资产上亿的富翁，拿出100万元来炒股，就算他想一年赚1 000倍，这也不叫贪心，只能说这对他而言是个有挑战性的游戏。而如果一个总资产只有10万元的工薪阶层，拿出9万元来做投资，只想一年赚10%，这都是贪心，这就叫不贪之贪。倘若你把房产拿去抵押或刷信用卡透支或找亲朋好友们集资来投资基金或股票，哪怕你只想赚1%，那都是贪心之极。

投资的正确心理应该是：该贪时必须贪，不该贪时坚决不贪。你有10万元资产，拿出1万元来炒股，你想赚10倍，这不叫贪心。相反，如果你只赚了10%就收手，不仅是傻，而且还非常危险，因为市场不会总是提供那些低风险的投资机会给你，下一次你可能要追高买进，而紧接着又可能会赶上大跌，你反而变成了亏损，这就是该贪而不贪的结局。

6. 唯专家意见是从

股票投资的关键在于选股，许多人会选择听取所谓"专家"的意见。其实，"专家"的意见是不是可以听，关键还是你自己要有主见。切记不要把脑袋长在别人的脖子上，当然这也并非是说"专家"分析得不好，而是不能偏听偏信，听风就是雨，要养成自己分析的能力，学会积极思考。

7. 太优柔误大事

有些人，本来在家里研究得好好的，对一个股票很有信心，可是到了要买了，心里又开始嘀咕，酝酿了半天还是决定买。要不低点报价吧，谁知道就因为1毛钱股票没有买到，结果第二天股票就封上了涨停板，肠子都悔青了。见人就讲，我本来研究好了的，谁知道就少报了1毛钱，1毛呀，我要多报1毛多好。成了祥林嫂。那位也好不到哪里去，明明看着股票不妙，可是心里却想着怎么盘中也有反弹吧，结果多报了1毛没有卖出去，结果第二天杀跌，好不容易等跑了出去，利润已经没有了大半，也是逢人就说，整个的一个祥林嫂。

8. 不会割肉吃大亏

这个错误有两个方面：第一不愿割，第二不会割。都说会割肉的是爷爷，此话信然。

先说不愿意割的，很多散户朋友手里的股票被套了两三毛钱，分析这个股票后知道它还要调整很长的时间，有人就劝他说割了吧。你猜他怎么说："割肉，我不割，那不是赔了，我就不信它涨不起来。"看看吧，后来真的涨起来了，而且还赚了几毛钱；可是一直拿了半年，虽然最后赚了钱，但是他付出了极大的时间成本和机会成本，从严格意义上说，这样的操作在股票市场上是赚不到钱的。

再说不会割肉的，这种人一般喜欢心存幻想，总是按照自己的设想而不是市场的信号做事情。说白了就是不尊重市场，有点像是我知道我错了，但是我就不改，明明分析技术指标一只股票已经破位，可是总是幻想着它能涨回来，我不赔了我再卖。结果呢，到了不割也得割的时候也割了，这时割肉也就损失了很多。割肉一方面是为了保存资金实力，一方面就是提高资金的使用效率，归根结底还是综合考虑了时间和机会成本的。

9. 炒股喜欢跟庄

我们知道，一个股票上涨，内因可能是这样那样的利好，可是外因确实是主力资金的介入，我们应该承认的是庄家比散户有信息、研究、资金、人员等各方面的优势。明白了这个道理，你就知道教你擒庄杀庄的学问纯粹是害你，因为那是找死。庄家是这个市场的赢家，我们就要向赢家学习，不但要学习，而且要站对位置，什么是正确的位置，就是加入到庄家的队伍里，跟着它，顺着它指引的方向前进。

10. 有地主心理

地主心理就是不劳而获的心理，不去认真地研究政策信息、行业信息，也不想认真地学习股票投资的技术理论，总是想抄近道，一天到晚地跑到市场上打听小道消息，什么哪只股票谁做庄了，哪个公司要重组了，国家要公布什么政策了之类的，梦想着有一天听个大金娃娃回来，从此一朝暴富，子孙三代衣食无忧。岂不知道天底下本没有这样的好事，就是有也轮不到散户来享受，往往是打探到消息之日就是作为散户的你被套之时。

外汇——真正用钱赚钱的投资理财新渠道

炒汇的基本知识

大约在10多年前，人们只要一提“炒汇”这个词，就会下意识地紧张起来，因为当时私下外汇买卖同违法金融活动画上了等号。现在，对于普通老百姓而言，炒汇正在成为投资理财的一种时尚。普通百姓只要在银行办一个外汇活期存折，然后申请一个个人外汇买卖账户，就可以进行外汇交易了。

外汇就是外国货币或以外国货币表示的能用于国际结算的支付手段。外汇是伴随着国际贸易产生的，外汇交易是国际间结算债权债务关系的工具，而且随着国际经济贸易的逐渐发展，外汇交易不仅在数量上成倍增长，而且在实质上也发生了重大的变化。外汇交易不仅是国际贸易的一种工具，而且已经成为了国际上最重要的金融商品。

1. 外汇：外汇有动态和静态两种含义

动态意义上的外汇，是指人们将一种货币兑换成另一种货币，清偿国际间债权债务关系的行为。这个意义上的外汇概念等同于国际结算。

静态意义上的外汇又有广义和狭义之分。

广义的静态外汇是指一切用外币表示的资产。中国以及其他各国的外汇管理法令中一般沿用这一概念。根据《中华人民共和国外汇管理条例》规定，外汇包括外国货币，包括钞票、铸币等；外币支付凭证，包括票

据、银行存款凭证、邮政储蓄凭证等；外币有价证券，包括政府债券、公司债券、股票等；特别提款权、欧洲货币单位；其他外汇资产。从这个意义上说外汇就是外币资产。

狭义的静态外汇是指以外币表示的可用于国际之间结算的支付手段。从这个意义上讲，只有存放在国外银行的外币资金，以及将对银行存款的索取权具体化了的外币票据才构成外汇，主要包括银行汇票、支票、银行存款等。这就是通常意义上的外汇概念。

2. 汇率

汇率，又称汇价、外汇牌价或外汇行市，即外汇的买卖价格。它是两国货币的相对比价，也就是用一国货币表示另一国货币的价格。

在外汇市场，汇率是以五位数字来显示的，如：欧元（EUR）0.9 705、日元（JPY）119.95、英镑（GBP）1.5 237。

汇率的最小变化单位为一点，即最后一位数的一个数字变化，如：欧元（EUR）0.0 001、日元（JPY）0.01、英镑（GBP）0.0 001。

按国际惯例，通常用三个英文字母来表示货币的名称，以上中文名称后的英文即为该货币的英文代码。

3. 汇率的标价方式

汇率的标价方式分为两种：直接标价法和间接标价法。外汇市场上的报价一般为双向报价，即由报价方同时报出自己的买入价和卖出价，由客户自行决定买卖方向。买入价和卖出价的价差越小，对于投资者来说意味着成本越小。

（1）直接标价法。又叫应付标价法，是以一定单位的外国货币为标准来计算应付出多少单位本国货币。这相当于计算购买一定单位外币应付多少本币，所以叫应付标价法。在国际外汇市场上，日元、瑞士法郎、加元等均为直接标价法。比如，日元119.05表示1美元兑换119.05日元。

在直接标价法下，若一定单位的外币折合的本币数额多于前期，则说明外币币值上升或本币币值下跌，叫做外汇汇率上升；反之，如果用比原来较少的本币即能兑换到同一数额的外币，这说明外币币值下跌或本币币值上升，叫做外汇汇率下跌。

（2）间接标价法。又称应收标价法。它是以一定单位的本国货币为标准，来计算应收若干单位的外国货币。在国际外汇市场上，欧元、英镑、澳元等均为间接标价法。如欧元0.9 705即1欧元兑换0.9 705美元。

在间接标价法中，本国货币的数额保持不变，外国货币的数额随着本国货币币值的对比变化而变动。如果一定数额的本币能兑换的外币数额比前期少，这表明外币币值上升或本币币值下降，即外汇汇率上升；反之，如果一定数额的本币能兑换的外币数额比前期多，则说明外币币值下降或本币币值上升，即外汇汇率下跌。

4. 汇率分析

汇率分析的方法主要有两种：基础分析和技术分析。基础分析是对影响外汇汇率的基本因素进行分析，基本因素主要包括各国经济发展水平与状况，世界、地区与各国政治情况，市场预期等。技术分析是借助心理学、统计学等学科的研究方法和手段，通过对以往汇率的研究，预测出汇率的未来走势。

在外汇分析中，基本不考虑成交量的影响，即没有价量配合，这是外汇汇率技术分析与股票价格技术分析的显著区别之一。因为，国际外汇市场是开放和无形的市场，先进的通信工具使全球的外汇市场联成一体，市场的参与者可以在世界各地进行交易（除了外汇期货外），某一时段的外汇交易量无法精确统计。

个人外汇投资入门

时下，很多人都想炒外汇，但又总是感觉外汇过于专业、神秘，其实，要想投资外汇很简单。

1. 个人炒汇如何开户

目前，老百姓的外币资产绝大部分存在银行里，经过多次外币存款利

率的下调，现在通过储蓄来实现外汇资产的保值和增值越来越困难了。于是很多投资者都把目光投向了炒汇。那么，我们应该如何开户？

目前，各大中城市的中行、工行、交行、建行均已开办此项业务。凡持有有效身份证件，拥有完全民事行为能力的境内居民个人，均可进行个人实盘外汇交易。

个人可以持本人身份证和现钞去银行开户，也可以将已有的现汇账户存款转至开办个人外汇买卖业务的银行。

如果采用柜台交易，只需将个人身份证件以及外汇现金、存折或存单交柜面服务人员办理即可。中国银行、交通银行没有开户起点金额的限制，工商银行、建设银行开户起点金额为50美元。如进行现钞交易不开户也可。

如果采用电话交易，需带上本人身份证件，到银行网点办理电话交易或自主交易的开户手续。交通银行的开户起点金额为300美元等值外币，工商银行的开户起点金额为100美元等值外币。

一般情况下，不需要缴纳手续费。要特别提醒投资者的是，各个银行的服务都在不断地改进中，很多银行还对大额交易有优惠，开户时可向银行详细咨询。

2. 如何进行交易

个人外汇买卖方式有柜台交易和电话交易两种。

客户可以到银行柜台办理交易。具体过程如下：

客户在柜台领取个人外汇买卖申请书或委托书，按表中要求填写完毕（一般填写买卖外币种类、金额、认可的牌价并签字），连同本人身份证、存折或现金交柜台经办员审核清点。

经办员审核无误，将外汇买卖申请书或确认单交客户确认。成交汇率即以该确认单上的汇率为准。

客户确认后签字，即为成交。成交后该笔交易不得撤消。

经复核员复核无误后，经办员将确认书、身份证和客户的存折或现金交给客户。

客户还可以通过音频电话或手机完成买卖交易而不需要到银行办理。

客户须先持身份证到银行开立个人外汇买卖电话交易专用存折，预留密码。

进行电话交易之前，客户先领取电话委托交易规程和操作说明，将填好的电话交易申请书（或委托书）和身份证、外币存折交柜台，设定电话委托交易的专用密码（该密码可与存折密码不同）。

按照各银行的交易规程进行交易。

电话交易完成后客户可以通过电话或传真查询证实，成交后该笔交易不得撤消。

最后提醒一下投资者，因为汇市的交易比股市要复杂，需要涉及到两个币种，交易前要认真了解买卖的操作步骤，记住币种的代码，以免操作失误，造成不必要的损失。

3. 如何看汇率报价

各银行的报价是参照国际金融市场的即时汇率，加上一定幅度的买卖差价后确定的。报价随市场波动而波动。各银行一般采用电脑屏幕向客户公布牌价。电话交易可以通过交易热线查询即时汇率。建设银行牌价变动最为频繁，几乎与国际外汇市场同步，大约每隔40秒变动一次，工商银行汇率变动也很频繁，交通银行和中国银行变动相对较少。各行上午汇率变动普遍较少，下午1:30~3:30是变动高潮。

4. 炒汇之前要考虑的问题

（1）要认识你自己。心态的稳定是分析市场最好的武器，外汇市场同样是一个高风险的市场，入市之前请先充分了解你自己，“戒贪、戒躁、戒盲从”是入市三大戒条，更重要的一点还要有耐心！

（2）明确入市资金的用途。当人们手中的外汇逐步增多时，基于传统储蓄理财观念，或是准备将来有机会出国，或是为子女储备留学教育基金，大多数人基本上是将手中的外汇办理外币储蓄。入市前应先明确自己资金的用途，是闲置资金最好，这样才能令自己进退自如。

（3）考虑我能亏多少。汇市有风险，投资者应充分考虑个人经济承受能力和心理承受能力，根据自己的经济状况决定入市投资方案，是投资者入市前必须考虑的问题。在入市前首先定下一个亏损的资金额度，亏损额一到

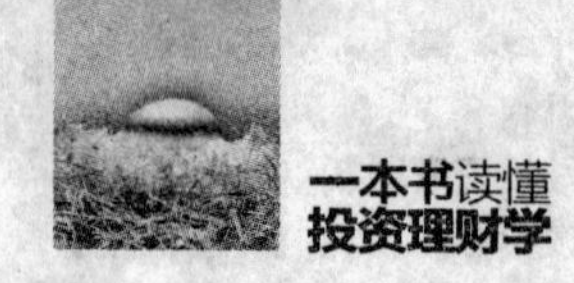

坚决全线撤出，经一段时间总结调整后再重新入市，千万不要心存侥幸。

（4）考虑我要赚多少。汇市无常胜，知足常乐是明智之举。入市前先定下自己市场操作的盈利目标，不恋战，不贪心。毕竟，著名投资家巴菲特平均年盈利率也只有30%左右。

（5）考虑自己是否有空闲时间。汇市瞬息万变，每一个变动都可能造成汇率的波动，所以投资者要及时跟进，才能把握投资交易时机。而且由于市场跟进程度的不同，必然导致交易方案和炒作方式的不同，入市前了解和选择符合自己实际情况、具可操作性的交易方案，同样很重要。

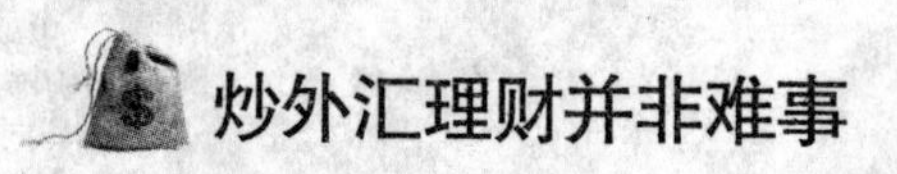

炒外汇理财并非难事

有调查显示，在“股民”中赚到钱的人占20%，在“汇民”中赚到钱的人则高达60%。那么，炒汇是如何实现赚钱的呢，赚钱的妙招到底在哪里呢？

在外汇交易中，一般存在着即期外汇交易、远期外汇交易、外汇期货交易以及外汇期权交易等四种交易方式：

1. 即期外汇交易

即期外汇交易又称为现货交易或现期交易，是指外汇买卖成交后，交易双方于当天或两个交易日内办理交割手续的一种交易行为。即期外汇交易是外汇市场上最常用的一种交易方式，即期外汇交易占外汇交易总额的大部分，主要是因为即期外汇买卖不但可以满足买方临时性的付款需要，也可以帮助买卖双方调整外汇头寸的货币比例，以避免外汇汇率风险。

2. 远期外汇交易

远期外汇交易跟即期外汇交易相区别，是指市场交易主体在成交后，按照远期合同规定，在未来（一般在成交日后的3个营业日之后）按规定的日期交易的外汇交易。远期外汇交易是有效的外汇市场中必不可少的组成

部分。20世纪70年代初期，国际范围内的汇率体制从固定汇率为主导向转以浮动汇率为主，汇率波动加剧，金融市场蓬勃发展，从而推动了远期外汇市场的发展。

3. 外汇期货交易

随着期货交易市场的发展，原来作为商品交易媒体的货币（外汇）也成为期货交易的对象。外汇期货交易就是指外汇买卖双方于将来时间（未来某日），以在有组织的交易所内公开叫价（类似于拍卖）确定的价格，买入或卖出某一标准数量的特定货币的交易活动。其中标准数量指特定货币（如英镑）的每份期货交易合同的数量是相同的。特定货币指在合同条款中规定的交易货币的具体类型，如3个月的日元。

4. 外汇期权交易

外汇期权是指交易的一方（期权的持有者）拥有合约的权利，并可以决定是否执行（交割）合约。如果愿意的话，合约的买方（持有者）可以听任期权到期而不进行交割。卖方毫无权利决定合同是否交割。

另外，随着外汇市场的发展，进行外汇交易的门槛也越来越低，一些引领行业的外汇交易平台只需要250美元就可开始交易，也有一些交易商需要500美元就可以开始交易，这便在某种程度上大大方便了普通投资者的进入。对于一些想投资外汇市场的朋友来说，一般可以通过以下三个交易途径进行外汇交易：

1. 通过银行进行交易

通过中国银行、交通银行、建设银行或招商银行等国内有外汇交易柜台的银行进行交易。这种交易途径的时间是周一至周五。交易方式为实盘买卖和电话交易，也可挂单买卖。

2. 通过境外金融机构在境外银行交易

这种交易途径的时间为周一至周六上午，每天24小时。交易方式为保证金制交易，通过电话进行交易（免费国际长途），可挂单买卖。

3. 通过互联网交易

这种交易途径的时间为周一至周六上午，每天24小时。交易方式为保证金制交易，通过互联网进行交易，可挂单买卖。

需要注意的是，网上外汇交易平台上的交易都是利用外汇保证金的制度进行投资的，也是绝大多数汇民采取的交易途径。在外汇保证金交易中，集团或是交易商会提供一定程度的信贷额给客户进行投资。如客户要买一手10万欧元，他只要给1万欧元的押金就可以进行这项交易了。当然，客户愿意多投入资金也可以，集团和交易商只是要求客户做这项投资时把账户内的资金维持在1万欧元这个下限之上，这个最少的维持交易的押金就是保证金。在保证金的制度下，相同的资金可以比传统投资获得相对多的投资机会，获利和亏损的金额也相对扩大。如果利用这种杠杆式的操作，更灵活地运用各种投资策略，可以以小搏大、四两拨千斤。

在保证金制度下，因为资金少于投资总值，所以不会积压资金、不怕套牢、可买升或跌相向获利。除了周六、日外，外汇市场一个时区接着另一个时区，全天候24小时运作。另外手续费低，少于五千分一的手续费使获利机会更高。

 如何判别外汇走势

汇民做外汇买卖的最大的心理企盼就是准确地预测汇率，以保证自己获利。而基本面分析可以令我们把握外汇市场的国家的经济基本面，从而决定其汇价的长期趋势。

炒汇的难点，一是分辨行情是多头、空头或盘整形态；二是克服逆市操作的人性弱点，为此既要不断积累经验增加认知，又要对基本面、技术面勤加分析，舍此并无捷径可走。

1. 经济增长速度

各国经济的增长速度，是影响汇价的最基本因素。一个国家的经济加速增长会形成利好，这个国家的货币就会升值。在汇市中，美元占据主导地位。美国的经济增长速度影响着汇市，起着举足轻重的作用，一定要关心美

国的经济数据。如果美国公布的经济数据普遍不好，会造成美元大幅下挫。

2. 国际收支

国际收支也是影响汇市的基本因素之一。国际收支是指商品和劳务的进出口和资本的输出和输入。一个国家的对外贸易在国际的收支中，如果收入大于支出，则对外贸易有赢余，也叫顺差；相反，这个国家的对外贸易中收入小于支出，就是贸易赤字，也叫逆差。

一个国家的贸易出现顺差，说明这个国家的经济基本面好，市场对这个国家货币的需求增加，会使这个国家的货币升值。如果一个国家的贸易出现逆差，市场对这个国家货币的需求就会减少，会使这个国家的货币贬值。

例如，2007年美国为了保持其国内的物价稳定，采取了两个政策：一是主动让美元贬值，二是保持巨额外贸逆差。美国的贸易逆差呈现下降趋势，对本国经济增长会发挥积极的作用。但是，长期大量的贸易逆差会使外国持有美元者信心受到动摇，从而加大美元贬值。这带来的后果是国际市场以美元计价的商品价格猛涨，如石油、铁矿石等。这种上涨趋势会传递到其他国家，直接造成以进口原材料生产的产品成本上升，销售价格随之水涨船高。

3. 货币的供应量

货币的供应量是指一个国家的央行或发行货币的银行发行货币的数量，这对汇率的影响也很大，一个国家必须保证它的货币供给保持一定的数量。如果发行的纸币过多，就会造成纸币大幅贬值，以致整个金融市场崩溃的情况。

如果一个国家的经济增长速度缓慢，或者经济在衰退，那么这个国家的央行就要考虑增加货币的供应量来刺激经济，它会奉行调低利率等宽松的货币政策，这个国家减息的可能性就会加大。反之，如果在采取了这种政策之后，经济好转，货币发行过多，会造成货币增长过快。那么，这个国家的央行就要采取紧缩的货币政策，它要减少货币供应量，以避免通货膨胀。

4. 利率水平

利率和汇价是紧密联系的。如果一个国家的利率过低，就有可能造成货币从一个低利率的国家流出，流向一个高利率的国家，大家以此获取息差。在国际上有一种“抛补套利”的做法就是根据这个原理操作的。

2005年，国际外汇市场完全陷入利率漩涡之中，美元的走势受利率影响最大。2004年6月份美联储开始了它的加息之旅，进入2005年后，美联储加息带来的利好效应开始呈现，而此后美联储继续一系列加息举措使美元成为市场焦点，美元的霸主地位凸现。美联储利率与美元汇率节节攀升，取得了双赢效果。然而，好景不长，在经历了利率风波后，美元疲态尽现。

2006年美元进入调整年份，而2007年，美元更是步入了空前的下跌之中。美联储连续降息后，美元的利率水平已经很低，于是它对其他的主要货币连续地贬值。

汇市风云变化无常，三十年河东，三十年河西。利率虽然不是外汇市场变动的主因，但它仍是主导全球汇市的重要因素，并左右汇率发展方向。

5. 生产者物价指数

生产者物价指数表明生产原料价格的情况，可以用来衡量各种不同的商品在不同生产阶段的价格变化。各国通过统计局向各大生产商搜集各种商品的报价，并通过自己的计算方法计算出百进位形态以便比较。

例如，现在美国公布的PPI数据以1967年的指数当作100来计算，这个指数由美国劳工部公布，每月一次。大家看到如果公布的这个指数比预期高，说明有通货膨胀的可能，有关方面会就此进行研究，考虑是否实行紧缩的货币政策，这个国家的货币因而会升值，产生利好。如果这个指数比预期的差，那么该货币会下跌。

6. 消费者物价指数

消费者物价指数反映消费者支付商品和劳务价格的变化情况，这个指数也是美国联邦储备委员会经常参考的指标。美联储主席格林斯潘就用它来衡量美国国内的通货膨胀已经到了什么程度，是否以加息或减息来控制美国的经济。

这个指数在美国由劳工部每月统计一次后公布，我们应该引起重视。这个指数上升，显示这个地区的通货膨胀率上升了，说明货币的购买力减少了，理论上对该货币不好，可能会引起这个货币的贬值。目前，欧洲央

行把控制通货膨胀摆在首要位置。低通货膨胀率有利于这个货币，假如通货膨胀受到控制，利率同时回落，欧元的汇率反而会上涨。

7. 失业率

失业率是由国家的劳工部门统计，每月公布一次的国家人口就业状况的数据。各国的政府通过对本国的家庭抽样调查，来判断这个月该国全部劳动人口的就业情况。有工作意愿，却未能就业的人数比例，就是失业率。这个指标是很重要的经济指标。

当欧元启动时，欧盟各国的失业率在10%以上，高于美国，于是导致欧元一路下跌。2009年11月初，日本的失业率由5.5%下降为5.4%，日元因此一举突破了121的关口，直至119价位。同时，市场全年净减少260万个工作岗位，创二战结束以来最高纪录。

8. 综合领先指标

综合领先指标是用来预测经济活动的指标。以美国为例，美国商务部负责收集资料，其中包括股价，消费品新订单，平均每周的失业救济金，消费者的预期，制造商的未交货订单的变动，货币供应量，销售额，原材料的生产销售，厂房设备以及平均的工作周。

经济学家可以通过这个指标来判断这个国家未来的经济走向。如果领先指标上升，显示该国经济增长，有利于该国货币的升值。如果这个指标下降，则说明该国经济有衰退迹象，对这个国家的货币是不利的。

外汇投资的买卖技巧

外汇交易也同股票等其他投资方式一样都有其应该遵循的规则，作为一名外汇投资者，除了要具备良好的心理素质之外，掌握必要的交易技巧也是必不可少的。只要你在交易的过程中遵循这些法则，就能够让你的投资如虎添翼。

1. 利用模拟账户寻找炒汇的感觉

在投资市场上，任何一种投资都不是稳赚不赔的，炒汇当然也不例外。所以，在决定投资外汇之前，一定要耐心学习，循序渐进，可以先用模拟账户体验一下炒汇的感觉。模拟账户和真实账户的网上操作界面和使用方法完全一致，报价也是真实的，投资者可以通过模拟账户的操作，先熟悉交易平台及操作方法。然后再逐步地接触一些基本面、技术面知识，积累一些交易经验与交易技巧，最后再根据自己的赢利情况，决定是否入市。

2. 寻找最佳时机建立头寸

"建立头寸"即开盘的意思。在外汇投资市场，开盘也叫敞口，就是买进一种货币，同时卖出另一种货币的行为。所以，选择适当的汇率水平及其时机建立头寸是赢利的前提。

建立头寸看似一个非常简单的问题，但实际上玄机多多，把握得好自可日进斗金，把握得不好，也就只能看着自己账户上的资金逐渐缩水。

3. 在汇市最活跃时参与交易

汇价在交易清淡的时刻，行情波动会很小。这个在汇市中叫做"横盘"。从交易的角度来看，在趋势明朗后追击入市，风险最小。

在汇价横盘时买入，趋势不明朗，上升和下跌的概率各50%，那么你可能遭受损失。买卖之后汇价不升不跌，必然会增加心理负担。如果是短线投机，则失败的机会更大。

如果交易活跃，那时市场的买卖双方的力量不是势均力敌，而是有一方支持不住，汇价发生大幅波动。如果你买入的点位不好，一定会被深度套牢。

汇评中分析师经常会说到上档阻力位，下方支撑位，可见这2个点位对交易的重要。汇价上探到了阻力位，肯定受压制。如果这回上升的力量很强，突破了这个阻力位，后市肯定是继续往上走。如果不能突破阻力位，后市肯定是见底回落。找出阻力位和支撑位，后市的操作方法就有了。

前期未能突破的高点或低点。前期没有突破的高点肯定是阻力，前期没有突破的低点肯定是支撑。这样我们可以在没有突破高点做空，在低点受到支撑做多。

4. 学会从各种消息中发现良机

炒外汇就要及时关注定期公布的经济数据及影响消息的事件。能否在第一时间获得经济数据的信息和掌握第一手重大事件的内容对外汇投资者就显得非常关键了，特别是对短线的外汇投资者来说尤其重要。一旦有新闻消息传入市场，原有的平稳状态就会立即被打破。一位有经验的外汇投资者会分析消息对经济金融方面的影响，果断买入或者卖出某种货币，从而获得比较丰厚的收益。

5. 正确判断顶部和底部

在外汇交易的过程中，如何判断顶部和底部是在操作时最基本的看盘技巧和成功交易的重要手段。尤其是在某一币种连续的上涨或者下跌过程中，投资者进行外汇交易时如果能够判断出行情的底部或者顶部，那么投资者就可以在建仓的过程中尽量降低持仓成本，取得交易的成本优势，取得很好的收益。

6. 熟练使用均线

炒汇要经常使用蜡烛图进行分析。和蜡烛图配套使用的就是均线，就凑成了蜡烛图和均线一起使用的图。很多炒汇都采用这种方式来进行最基本的分析，这个指标的准确性还是很高的。均线是必须掌握的基本技术指标之一。

在交易中，经常使用简单移动平均线，因为它对行情的了解最快速，最容易看到，并采取相应的对策。

简单移动平均线：就是数天之内的收盘价相加，再被这个天数整除，就得到了一个平均值。依此类推，把随后的数值继续按照这个方法来做，就得到了很多平均值。把这些值连在一起，就形成了一条直线，这就是一条简单的平均线。

一般的交易中，5日、10日、20日、30日是短线操作的重要判断依据。60日均线、100日均线和150日均线可以做为中期的一个判断依据，而200日均线、250日均线可以做为长线的操作依据。

美国投资专家葛兰碧先生对均线的研究很有造诣，他创造了葛兰碧八大法则。投资者掌握了这些法则，均线就会成为手中的利器。

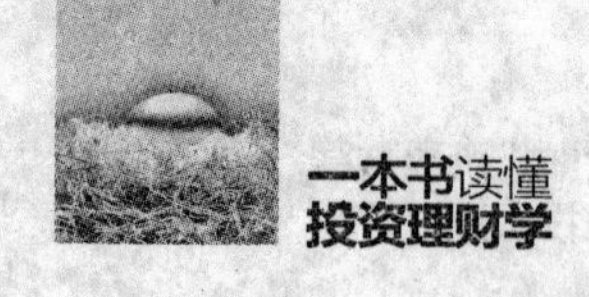

法则原理：汇价要始终围绕平均移动线上下波动，不能偏离太远。如果汇价距离均线太远，就应该向均线回归。

（1）当移动平均线从下跌转到盘整或者上升，汇价已经从均线的下方向上突破，穿过均线并继续向上时，这是个最重要的买入信号。

（2）汇价连续上升并持续在均线之上，或者远离平均线又突然下跌，但是并没有跌破移动均线又继续上升。

（3）汇价在短时间跌破均线，但又快速回升到均线之上，这时均线呈向上趋势。

（4）汇价突然下跌，跌幅可观，已经远离移动平均线，这时汇价开始回升再次触及移动平均线。

出现以上这四种情况，基本上是买入的信号，尤其以第一种为追买的信号，入场获利的可能性比较大。

（5）当汇价由上升转势开始走平、盘整或者逐渐下跌，汇价从均线上方跌破均线时，这是个重要的卖出信号。

（6）汇价在均线以下移动，然后向均线反弹，但是未能突破均线而继续下跌。

（7）汇价向上突破移动平均线后没有站稳，立刻下跌到均线以下，这时均线继续下跌。

（8）汇价快速上升突破均线并远离均线，上升幅度很可观，随时可能发生回调而下跌。

在这八个法则中，尤其以（5）表述的情形下跌的幅度最大。遇到这样的情况，应立刻止损。

如汇价没有突破长期均线，或突破后又迅速拉到均线以下，或盘整后依然没有突破，就是买入的好机会。

7. 把握炒汇中的细节问题

在外汇买卖的过程当中，存在着许多需要投资者密切注意的细节，若能把握得住，就会赚得比别人多。

（1）仔细观察外汇的习性。

（2）注意全球一些市场假期对汇市的影响。

 如何规避外汇投资的风险

利用基本因素去分析炒汇市场变化。

1. 利率

利率是影响炒汇市场波动的主要因素，就像股票市场中的股息是投资者的一种投资收益，所以利率高的货币就会吸引众多投资者去买，买的人多汇率就自然会上升。相反，汇率低就会使得买的人少，汇率就会下跌，这就是供求关系。

2. 中央银行的政策

中央银行制定的政策是为了调节国家的整体经济，本国货币汇率的大幅度波动会不利经济的发展，因此中央银行会利用各种政策去稳定汇率，如调整利率或货币供应量来干预外汇市场，因此中央银行的政策会对外汇市场产生很大的影响。

3. 国际政治局势

当国际政治局势发生变化之后，会对外汇市场构成重大影响。

4. 国家经济景气状况

经济发展状况决定了一个国家货币的强弱。

投资者决定投资外汇市场，应该仔细考虑投资目标、经验水平和承担风险的能力。在外汇市场上遭受一部分或全部初始投资的损失的可能性是存在的，因此不应该以不能全部损失的资金来投资，并且还应该留意所有与外汇投资相关的风险。否则，不控制风险，随意操作，要想从外汇市场上赚钱简直就是天方夜谭。要控制风险就要做好投资计划，设好止损点，坚持操作纪律，顺势而为，巧妙解套。

1. 以闲暇资金投资

如果投资者以家庭生活的必须费用用于投资，万一亏损，就会直接影响家庭生活，在投资市场里失败的机会就会增加。因为用一笔不该用来投资的钱来生财时，心理上已经处于下风，故此在决策时亦难以保持客观、冷静的态度。

2. 制订投资计划

这是投资者最重要最经常性的工作之一。在外汇投资过程中，没有投资计划，盲目行动，最终的结果只有一个——亏。

投资大师巴菲特曾说过，他可以大谈他的投资哲学，有时候也会谈他的投资策略，但他绝不会谈他的投资计划。因为，那是重要的商业秘密，是核心竞争力的集中体现。每个投资者水平如何，业绩差异多大，最终要落脚在投资计划上。由此可见投资计划的重要性了。

3. 顺势交易是外汇市场制胜的秘诀

人们在买卖外汇时，常常片面地着眼于价格的浮动而忽视汇价的上升和下跌趋势。当汇率上升时，价格越来越贵，越贵越不敢买；在汇率下跌时，价格越来越低，越低越觉得便宜。因此，实际交易时往往忘记了“顺势而为”的格言，成为逆市而为的错误交易者。

缺乏经验的投资者，在开盘买入或卖出某种货币之后，一见有赢利，就立刻想到平仓收钱。获利平仓做起来似乎很容易，但是捕捉获利的时机却是一门学问。有经验的投资者，会根据自己对汇率走势的判断，决定平盘的时间。如果认为市场走势会进一步朝着对他有利的方向发展，他会耐着性子，明知有利而不赚，任由汇率尽量向着自己更有利的方向发展，从而使利润延续。一见小利就平盘不等于见好即收，到头来，搞不好会赢少亏多。

4. 市场不明朗决不介入

在外汇市场上，没有必要每天都入市炒作，特别是市况不明朗的时候，一定要学会等待。初入行者往往热衷于入市买卖，但成功的投资者则会等机会，当他们入市后感到疑惑时亦会先行离市。他们在外汇交易的时候，一般都秉持“谨慎”的策略。外汇交易切忌赌博的心态，如果用博的心态，十有八九都要输。孤注一掷的交易方式往往会伴随着亏损，做外汇交易，也需要稳扎稳打，只有看准机会，才可以大笔投入。而

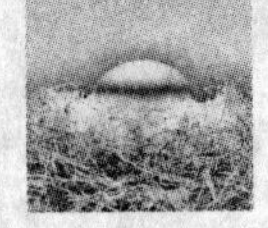

且，外汇保证金的交易方式，具有杠杆放大的效果，赢利当然可以放大，但是亏损也同样会被放大。如果投资者盲目入市，遭遇巨大亏损的可能性非常大。

5. 止损是炒汇赚钱的第一招

波动性和不可预测性是市场最根本的特征，这是市场存在的基础，也是交易中风险产生的原因，这是一个市场本身固有的特征。交易中永远没有确定性，所有的分析预测仅仅是一种可能性，根据这种可能性而进行的交易自然是不确定的，不确定的行为必须得有措施来控制其风险的扩大，而止损就是最得力的措施。

止损是人类在交易过程中自然产生的，并非刻意制作，是投资者保护自己的一种本能反应，市场的不确定性造就了止损存在的必要性和重要性。成功的投资者可能有各自不同的交易方式，但止损却是保障他们获取成功的共同特征。

6. 建仓资金需留有余地

外汇投资，特别是外汇保证金交易的投资，由于采用杠杆式的交易，资金放大了很多倍，资金管理就显得非常重要了。满仓交易和重仓交易者实际上都是赌博，最终必将被市场所淘汰。所以，外汇建仓资金一定要留有余地。

7. 交叉盘不是解套的“万能钥匙”

做交叉盘是外汇市场上实盘投资者经常使用的一种解套方法，在直盘交易被套牢的情况下，很多投资者不愿意止损，而选择交叉盘进行解套操作。

交叉盘，也就是不含美元报价的货币对，比如欧元/英镑、英镑/日元等都是交叉盘，平时多数投资者都喜欢看直盘，其实交叉盘上机会也有很多，尤其是在套牢时，转做交叉盘会更灵活一些。如果投资者做多欧元/美元被套，那他可以考虑做交叉盘来解套，方法是将头寸转换到比欧元强势的货币上，比如在欧元/英镑中，欧元在跌，英镑在涨，那么就可以转换为英镑，以此类推，可以转换为日元、澳元等，待获利后再转向欧元，持有欧元数量增加，则视为成功的交易。

通常情况下，交叉盘的波动幅度都要大于直盘，走势相对也比较简单明快，转做交叉盘常常会有出人意料的收获。当然，交叉盘尽管波幅大，机会多，但风险同样很大。

8. 自律是炒汇成功的保证

自律就是以一定的标准和行为规范指导自己的言行，严格要求自己和约束自己，因而在种种诱惑面前，能守得住规矩。说得简单一点，自律就是自己监督自己，自己制约自己，自己控制自己，自己规范自己，自己严格要求自己。

期货——以小搏大的大手笔投资理财手段

常用期货投资术语

期货的英文为Futures，是由“未来”一词演化而来的，其含义是：交易双方不必在买卖发生的初期就交收实货，而是共同约定在未来的某一时候交收实货，因此就称其为“期货”。

广义的期货概念还包括了交易所交易的期权合约。大多数期货交易所同时上市期货与期权品种。

期货交易的对象并不是商品（标的物）的实体，而是商品（标的物）的标准化合约。

期货交易的目的是为了转移价格风险或获取风险利润。期货交易是在交纳一定数量的保证金后在期货交易所内买卖各种实物商品或金融商品的标准化合约的交易方式。期货交易者一般通过期货经纪公司代理进行期货合约的买卖，另外，买卖合约后所必须承担的义务，可在合约到期前通过反向的交易行为（对冲或平仓）来解除。

期货交易是从现货交易中的远期合同交易发展而来的。在远期合同交易中，交易者集中到商品交易场所交流市场行情，寻找交易伙伴，通过拍卖或双方协商的方式来签订远期合同，等合同到期，交易双方以实物交割来了结义务。交易者在频繁的远期合同交易中发现：由于价格、利率或汇率波动，合同本身就具有价差或利益差，因此完全可以通过买卖合同来

获利，而不必等到实物交割时再获利。为适应这种业务的发展，期货交易应运而生。

1570年伦敦开始的世界第一家商品远期合同交易所——皇家交易所。为了适应商品经济的不断发展，1865年芝加哥谷物交易所推出了一种被称为“期货合约”的标准化协议，取代原先沿用的远期合同。使用这种标准化合约，允许合约转手买卖，并逐步完善了保证金制度，于是一种专门买卖标准化合约的期货市场形成了，期货成为投资者的一种投资理财工具。

期货最大的特征是依托一种投资机制来规避资金运作的风险，同时又具有在金融市场上炒作交易、吸引投资者的功能。期货如同一把锋利的双刃剑，以其独特的高风险和高收益特征，让投资者又爱又恨。

作为投资者要投资期货，就要首先对期货交易的常用语有所了解：

1. 期货市场

期货市场是买卖期货合约的市场。这种买卖是由转移价格波动风险的生产经营者和承受价格风险而获利的风险投资者参加的，在交易所内依法公平竞争而进行的，并且有保证金制度为保障。保证金制度的一个显著特征是用较少的钱做较大的买卖，保证金一般为合约价值的5%~15%。

2. 期货合约

由期货交易所统一制订，规定在将来某一特定的时间和地点交割一定数量和质量实物商品或金融商品的标准化合约。

3. 开仓

开始买入或卖出期货合约的交易行为称为“开仓”或“建立交易部位”。

4. 平仓

卖出以前买入开仓的交易部位，或买入以前卖出开仓的交易部位。

5. 保证金

指期货交易者开仓和持仓时须交纳的一定标准比例的资金，用于结算和保证履约。

6. 结算

只根据期货交易所公布的结算价格对交易双方的交易赢亏状况进行的

资金清算。

7. 结算价

以交易量为权重加权平均后的成交价格。

8. 持仓量

某商品期货未平仓合约的数量。

9. 交割

指期货合约到期时，根据期货交易所的规则和程序，交易双方通过该期合约所载商品所有权的转移，了结到期未平仓合约的过程。

10. 现货月

离交割期最近的期货合约月份，又称交割月。

11. 穿仓

指期货交易账户中“浮动赢亏=总资金-持仓保证金”，即客户账户中客户权益为负值的风险状况，也即是客户不仅将开仓前账户上的保证金全部亏掉，而且还倒欠期货公司的钱。

12. 出市代表

指证券交易所内的证券交易员。他们又称“红马甲”，早期没有远程自助交易，所有的客户交易指令都是通过电话报给交易员，由交易员敲进交易所的交易主机内才最后成交的。

13. 主力合约

某品种系列期货合约中成交最活跃或持仓量最大的合约。

14. 移仓

由于期货合约有到期日，若想长期持有，故需通过买卖操作将所持头寸同方向的由一个月份移至另一个月份。

15. 升（贴）水

（1）交易所条例所允许的，对高于（或低于）期货合约交割标准的商品所支付的额外费用。

（2）指某一商品不同交割月份间的价格关系。当某月价格高于另一月份价格时，我们称为高价格月份对较低价格月份升水，反之则成为贴水。

（3）当某商品的现货价格高于该商品的期货价格时，亦称之为现货升

水；反之则称之为现货贴水。

16. 套期保值

套期保值就是对现货保值。简单地说，就是在现货市场买进（或卖出）商品的同时，在期货市场卖出（或买进）相同数量的同种商品，这样当市场价格出现波动时，一个市场上的亏损可以通过另一个市场上的赢利来补偿。

17. 期货投机

即指不以买卖实物为目的，而是利用期货价格波动，预测将来某时买进或卖出某种商品期货能够赢利，并在现时就从事这种商品期货买卖的行为。但需要引起注意的是，这种行为与社会上利用政策和管理漏洞进行投机的行为还是有着严格的区分的。

影响期货价格的因素

期货投资具有高风险性，这一点是投资者不可忽视的，但任何投资品种都有它特有的规律和特点，只要我们把握住了市场的脉搏，就可以有效地控制住其中的风险。

通常，总体上说期货的市场供应趋势是供大于求时，期货价格下跌；反之，期货价格就上升。其他一些因素只是在期货价格上涨或下跌的过程中虽然会对价格有一些短期波动的影响，但是决定期货价格的根本因素只能是供求关系。

一般，影响期货价格变动的因素主要有八种，即：

1. 市场供求关系

一般来说，对于供给而言，商品供给的增加会引起价格的下降，供给的减少会引起价格的上扬；对于需求而言，商品需求的增加将导致价格的上涨，需求的减少则导致价格的下跌。

2. 气候与天气

某些期货产品，诸如大豆等农副产品，无论现货价格还是期货价格都会受到气候与天气因素的影响。

3. 政策因素

对于某些期货而言，其受国家政策影响非常严重，譬如有指导购价、种植补贴等，还有收储政策。国家提高指导收购价，当然会使价格上涨；提高收储率，使市场供应减少，也会提高价格。

4. 节假日

某些期货价格还受到节假日因素的影响，在进入节假日里这些产品进入消费旺盛时期，价格往往比较高；反之下跌。

5. 国际期货市场的联动性

随着国际一体化进程的发展，世界上主要期货市场价格的相互影响也日益增强。各国、各地区现货价格同国际期货价格相关性很强，国内期货价格同国际价格在变动趋势上具有一定的趋同性。

6. 国际、国内政治经济形势

世界经济景气与否是决定商品期货价格的重要因素之一。当经济景气时，生产扩张，贸易活跃，从而引起商品需求的增加，推动期货价格的上涨；反之下跌。

国内经济形势的变化，特别是国民经济主要指标的变化，将直接影响农产品期货价格的变化。当国内消费指数偏高时，投资者要考虑未来走势；当国家宏观经济宽松时，社会发展稳定，资金供应量较为宽松，不仅经济发展速度加快，而且投入期货市场的资金也增多，反之减少。

7. 经济周期

经济周期是市场经济的基本特征，一般由复苏、繁荣、衰退和萧条四个阶段组成。在经济周期中，经济活动的波动发生在几乎所有的经济部门。受此影响，期货的价格也会出现相应的波动。从宏观进行分析，经济周期是非常重要的影响因素之一。

8. 其他因素

一些突发事件，如禽流感、非典等对市场的价格会产生一定的影响；

利率变化、汇率变化、通货膨胀率、消费习惯、运输成本难易等因素的变化也会对期货价格产生一定的影响；市场投机力量和变化及心理因素也常常会影响期货价格的走势。

 期货交易的特点及基本程序

期货交易是21世纪世界上最伟大的投资之一，特别是随着现代经济与信息技术的发展，投资者通过期货投资参与全球金融市场，其收益是显而易见的。

期货交易是在现货交易的基础上发展起来的，是指交易双方在期货交易所买卖期货合约的交易行为。期货交易的对象并不是标的物的实体，而是标的物的标准化合约。期货交易的目的是为了转移价格风险或获取风险利润。

1. 期货交易的特点

（1）以小搏大。杠杆原理是期货投资的魅力所在。期货市场里交易无须支付全部资金，目前国内期货交易只需要支付5%的保证金即可获得未来交易的权利。

由于保证金的运用，原本行情被以10余倍放大。假设某日黄金价格涨停（期货里涨停仅为上个交易日的3%），如果我们操作正确，资金的利润率达到60%（3%÷5%）。当然，如果操作错误，损失也被放大，所以说期货交易风险高。

（2）交易便利。由于期货合约中主要因素（如商品质量、交货地点等）都已标准化，合约的互换性和流通性较高。另外，期货是“T+0”的交易，你可以随时交易，随时平仓，使资金的应用达到极致。

（3）信息公开，交易效率高。期货交易通过公开竞价的方式使交易者在平等的条件下公平竞争。同时，期货交易有固定的场所、程序和规则，

运作高效。

（4）双向操作。期货交易可以双向交易，既能做多也能做空。价格上涨时可以低买高卖，价格下跌时可以高卖低补。做多可以赚钱，做空也可以赚钱，所以说期货无熊市。

（5）合约的履约有保证。期货交易达成后，需通过结算部门结算、确认，无须担心交易的履约问题。期货交易的费用低：对期货交易国家不征收印花税等税费，唯一费用就是交易手续费。国内三家交易所目前手续费加上经纪公司的附加费用，单边手续费亦不足交易额的1‰。

（6）期货是零和市场。期货市场本身并不创造利润。在某一时段里，不考虑资金的进出和提取交易费用，期货市场总资金量是不变的，市场参与者的赢利来自另一个交易者的亏损。

（7）期货交易风险巨大。期货由于实行保证金制、追加保证金制和到期强行平仓的限制，从而使其更具有高报酬、高风险的特点，在某种意义上讲，期货可以使你一夜暴富，也可以使你顷刻间一贫如洗。

2. 期货初次交易前的准备工作

（1）心理上的准备。市场上，期货价格无时无刻不在波动中，对于这个变化的市场自然是判断正确的获利，判断失误的亏损。因此，入市前亏损的心理准备是十分必要的。

（2）知识上的准备。期货交易者应掌握期货交易的基础知识和基本技巧，了解所参与交易的商品的交易规律，正确下达交易指令，使自己在期货市场上处于赢家地位。

（3）市场信息上的准备。在期货市场这个完全由供求法则决定的自由竞争的市场上，信息显得异常重要。实际上，谁能及时、准确、全面地掌握市场信息，谁就能在竞争激烈的期货交易中获胜。

（4）拟订交易计划。为了将损失控制到最小，使赢利最大化就要有节制地进行交易。因此，在入市前拟订一个合理的交易计划作为自己参加交易的行为准则就十分必要。

3. 期货交易程序

（1）选择期货经纪公司。选择期货经纪公司时，要考虑如下一些因素。

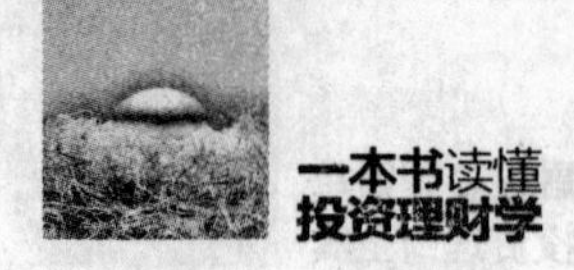

①资本雄厚，信誉好。

②联系方便及时，服务质量好。

③能主动向客户提供各种详尽的市场信息。

④主动向客户介绍有利的交易机会，并且诚实可信、稳健谨慎，有良好的商业形象。

⑤收取合理的履约保证金。

⑥合理、优惠的佣金。

⑦能为客户提供理想的经纪人。

（2）开户。客户选择一个期货经纪公司，在该经纪公司办理开户手续。当客户与经纪公司的代理关系正式确立后，就可根据自己的要求向经纪公司发出交易指令。

开户的基本程序如下：

①提供有关文件、证明材料。

②在准确理解《风险揭示声明书》和《期货交易规则》的基础上，在《风险揭示声明书》上签字、盖章。

③与期货经纪机构共同签署《客户委托合同书》，明确双方权利义务关系，正式形成委托关系。

④期货经纪机构为客户提供专门账户，供客户从事期货交易的资金往来，该账户与期货经纪机构的自有资金账户必须分开。客户必须在其账户上存有足额保证金后，方可下单。

（3）入市交易准备。在入市交易之前，应做好以下一些准备工作。

①心理上的准备。期货价格无时无刻不在波动，因此入市前做好盈亏的心理准备十分必要。

②知识上的准备。期货交易者应掌握期货交易的基本知识和基本技巧，了解所交易商品的交易规律，正确下达交易指令，使自己在期货市场上处于赢家地位。

③市场信息上的准备。在期货市场这个完全由供求法则决定的自由竞争市场上，信息显得异常重要。谁能及时、准确、全面地掌握市场信息，谁就能在竞争激烈的期货交易中获胜。

④拟订交易计划。为了将损失控制到最小，使赢利更大，就要有节制地进行交易。入市前有必要拟订一个交易计划，作为参加交易的行为准则。

期货交割的“金科玉律”

商品期货交易的了结（即平仓）一般有两种方式，一是对冲平仓；二是实物交割。实物交割就是用实物交收的方式来履行期货交易的责任。因此，期货交割是指期货交易的买卖双方于合约到期时，对各自持有的到期未平仓合约按交易所的规定履行实物交割，了结其期货交易的行为。

顺势而为永远是期货操作的主基调，因为市场永远是对的。投资者会熟练地背诵很多经过市场检验的格言，诸如要顺势、要轻仓、不加死码、不怕错就怕拖等，但在所有的期货交易者当中，成功的不超过25%。但总有那么一些人在期货交易上累积了百万美元以上的利润，为什么他们能如此地不同呢？人们开始竞相讨论这些百万富豪遵循的买卖规则，这些规则有些是大众认可的，但有些却与一般所认可的恰恰相反。大多数人知道分析方法和掌握规则，但对所运用的分析方法的内涵及意义并不了解，往往只是依据对规则、知识的一知半解来进行分析和交易。

来看看下面这则实例：

杜颖在12月2日做多了白糖，做多的理由是：新年马上就要到了，不久后还有春节，那么白糖需求肯定多。需求多，白糖价格肯定会大涨。很显然他的分析依据是基本分析，先不说基本分析的各个要素，就谈谈基本分析的定义，然后看看他的交易理由是否能站住脚。

什么是基本分析？基本分析是需要在具备丰富专业知识和具备分析能力下，对市场供求变化、政治形势以及经济形势与期货市场彼此关系的角度所进行的分析。表面看来，杜颖依据的是基本分析，但是根据定义他的分析根本就不是基本分析，既没有翔实可靠的需求统计资料和数据，也没

有系统地描述影响价格变动的各种供求因素之间相互制约、相互作用的关系，他只是根据个人的主观想象和猜测。另外，更重要的是基本分析从来不会提供起始时间，它只能提供一个大的方向。所以，按照杜颖的分析，白糖可能确实会上涨，可是到底哪天开始上涨呢？以什么方式上涨呢？我们没有办法知道。结果杜颖买后只微微上涨了3天，然后就停止步伐，随后开始大幅下跌，后来他在26号出局，使买入资金亏损了30%。过后，白糖真的涨起来了，他又后悔不迭。

很多投资者都会犯这样的错误，因为知道得不全面，理解得不透彻，这样的交易往往是以失败告终，而且很容易陷入深深的困境之中。如何成为那25%的成功者中的一员，是很多期货交易者的梦想，我们来看看以下期货交易高手的期货交易心得：

1. 闲钱投机，赢钱投资

用来投资的，必须是你可以赔得起的闲钱。不要动用其他资金或财产，如果是以家计中的资金来从事期货投资，那注定要失败的，因为你将不能从容运用，可能由于较多的牵挂而无法作出正确的判断，最终导致投机失败。“买卖的决定，必须不受赔掉家用钱的恐惧感所左右。”若赢钱，拿出赢利的50%，投资不动产。心智上的自由才能作出稳健的买卖决定，这是期货商品买卖的成功要素之一。

2. 认识自我，控制情绪

投资者需要有冷静客观的气质，心平气和，具备控制情绪的能力，对于市场上突如其来的变化，能做到“宠辱不惊”。虽然这种功夫需要日积月累才能够锻炼出来，但成功的商品买卖者似乎向来就能在交易进行当中泰然处之。“在期货商品市场中，每天都有许多令人激奋的事情发生，所以你必须要有决断的心态，有能力应付市场短期的状况，不然你会在短短几分钟之内，数度改变你的心意和合约方向。”

3. 小额开始，循序渐进

对于初涉市场的投资者而言，必须从小额规模的交易起步，选择价格波动较为平稳的品种入手，逐渐掌握交易规律并积累经验，才能增加交易规模，选择价格波动剧烈的品种。

4. 建仓数量不超过资金的1/3

投资者一般动用资金的1/3开仓，必要时还需要减少持仓量来控制交易风险，避免资金由于开仓量过大、持仓部位与价格波动方向相反等因素的影响而蒙受较重的资金损失。最好的方法，就是交易资金常保持3倍于持有合约所需的保证金。这个规则可帮助你避免用所有的交易资金来决定买卖，有时会被迫提早平仓，但你会因而避免大赔。

5. 交易判断不应带主观希望

投资者在交易中不要太过希望立刻有所进展，否则你会根据希望进行买卖，违反基本的买卖规则。成功的投资者通常将自身情绪与交易活动严格分开，以免市场大势与个人意愿相反而承受较重风险。

6. 选择买卖市场上交投活跃的合约或最活跃的合约月份进行投资

投资者交易时一般选择成交量、持仓量规模较大的较为活跃的合约进行交易，以确保资金流动的畅通无阻，即方便开仓和平仓。而在活跃交易月份中做买卖，可使交易进行更为容易。

7. 进行交易时，选择相关商品中价格偏差较大的商品，选择较为熟悉的商品

当某一商品价格与其他相关商品价格偏离较多，则该商品价格相对于其他相关商品价格升水较大即是抛售时机，而该商品价格相对于其他商品价格贴水较大即是吸纳时机。投资者对各商品的熟悉程度各有差异，不可能对多种商品都很熟悉，而多种商品同时出现投资机会的可能性也较小，且投资者同时交易多种商品将分散注意力，难以在多种商品交易中同时获利，因此投资者应选择较为熟悉的商品进行投资。

8. 交易过程中不要随意改变交易计划

一旦当投资者对市场已确立一个初步的概念，确定操作策略后，投资者切不可由于期货价格剧烈波动而随意改变操作策略。交易计划轻易改变将使投资者对大势方向的判断动摇不定，错过获取较大赢利的时机，导致不必要的亏损，另外还要承受频繁交易的交易手续费。

9. 坐壁观望，适当休息

每天交易不仅增加投资错误概率，而且可能由于距离市场过近、交易

过于频繁导致交易成本增加，每天交易还会使投资者疲惫，判断力钝化。学会观望、适当休息，将使投资者能更加冷静地分析判断市场大势发展方向，同时，还会让投资者以另一个心境来看自己以及下一个目标。

在投资者对市场走势判断缺乏足够信心之际，也应该学着观望，稍作休息，懂得忍耐和自制，以期重新入市的时机。

10. 忌随波逐流，适当的“我行我素”

历史经验和经济规律证明，当大势极为明显之际，如经济剪刀差的最高点和最低点，可能是大势发生逆转之时，多数人的观点往往是错误的，而在市场中赚钱也仅仅是少数人。当绝大多数人看涨时，或许市场已经到了顶部，当绝大多数人看跌时，或许市场已到了底部。因此投资者不要轻易让别人的意见、观点左右自己的交易方向，必须时刻对市场大势作出独立的分析判断，有时反其道而行往往能够获利。

11. 价格的显著升降常伴以关键性的反转

价格突破极限位置时，应进行买卖交易。当价格突破上一交易日、上周交易、上月交易的高点、低点之际，一般预示着价格将形成新的趋势。在头一天，市场价格上涨至新高的高价位，以强劲的高价收盘，第二天市场可能在前一天的高收盘价左右开盘，然后才急剧下跌收盘。如果价格在第一天开盘时就跃上新的高点，而第二天开盘时又跳下来，那就形成“岛型反转”，投资者应当机立断，分别进行买卖交易。

12. 金字塔式交易

当投资者持仓获得浮动赢利时，如加码持仓必须逐步缩小，即逐渐降低多单均价或提高空单均价，风险逐渐缩小；反之，将逐渐增加持仓成本，即逐渐提高多单均价或降低空单均价，风险逐渐扩大。

13. 不要以同一价位买卖交易，亏损持仓通常不宜加码

投资者开仓交易之际，较为稳妥的方法是分多次开仓，以此观察市场发展方向，当建仓方向与价格波动方向一致时用备用资金加码建仓，当建仓方向与价格波动方向相反时又可回避由于重仓介入而导致较重的交易亏损。当投资者持仓处于亏损之际，除了投资者准备充足资金进行逆势操作之外，一般来说，投资者不宜加码，以免导致亏损加重、风险增加的不利局面发生。

14. 赚钱不宜轻易平仓，要让赢利积累

将赚钱的合约卖出，获小利而回吐，将可能是导致商品投资失败的原因之一。假如你不能让利润继续增长，则你的损失将会超过利润把你压垮。成功的交易者说，不可只为了有利润而平仓；当市场大势与投资者建仓方向一致之际，投资者不宜轻易平仓，在获利回吐之前要找到平仓的充分理由。

15. 学着喜爱损失，随时准备接受失败

“学着喜爱损失，因为那是商业的一部分。如果你能心平气和地接受损失，而且不伤及你的元气，那你就是走在通往商品投资的成功路上。”期货投资作为一种高风险、高赢利的投资方式，投资失败在整个投资中将是不可避免的，也是投资者吸取教训、积累经验的重要途径。投资者面对投资失败，只要仔细总结，就能逐渐提高投资能力，回避风险，力争赢利。

16. 对季节性因素需要辩证地看待

农产品产销季节性因素是影响价格走势的重要因素之一，价格因此出现周期性的波动，但季节性因素往往也成为资金实力较强的主力反向建仓的良好时机，因此投资者既要顺应季节性因素进行操作，又不能只凭借季节性因素进行操作，同时还需要考虑季节性因素占所有影响因素中的比重和权数。

17. 不要期望在最好价位建仓或平仓

在顶部抛售和在底部买入都是小概率的事件，逆势摸顶和摸底的游戏都是非常危险的，当投资者确认市场大势后，应随即进入市场进行交易。投资者追求的合理的投资目标是获取波段赢利。

18. 重大消息出台后或有暴利时应迅速行动

买于预期，卖于现实。当市场有重大利多或者利空消息，应分别建仓抑或卖空，而当上述消息公布于众，则市场极可能反向运行，因此投资者应随即回吐多单抑或回补空单。当投资者持仓在较短时间内获取暴利，应首先考虑获利平仓再去研究市场剧烈波动的原因，因为期货市场瞬息万

变，犹豫不决往往将导致赢利缩小，或者导致亏损增加。

19. 要学会做空

对于初入市的投资者来说，逢低做多较多，逢高做空较少，而在商品市场呈现买方市场的背景下，价格下跌往往比价格上涨更容易，因此投资者应把握逢高做空的机会。

20. 着重研究国际、国内整体经济形势

我们仍然以铜为例子，在所有行业中，金属行业受经济形势的影响是比较明显的，而且铜又是重要的工业原材料，所以整体经济形式与其需求量密切相关。总之，国际、国内的整体经济形势是期货投资基本分析中的一个重点。

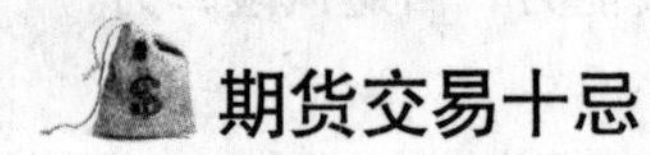

期货交易十忌

1. 盲目跟风

期价波动受诸多复杂因素的影响，其中期民的跟风心理对期市影响甚大。有这种心理的投资人，看见他人纷纷跟风买进时，也深恐落后，在不了解期货市场规律的情况下，也进行自己并不了解的期货交易。有时看到别人止损离场时，也不问他人砍仓理由，就糊里糊涂地平掉自己手中后市很有潜力的仓单。谣言四起，由于“羊群心理”（跟风心理）在作怪，致使期货市场掀起波澜，一旦群体跟风买卖，市场供求失衡，供大于求，期货价格一泻千丈。这样往往会上那些在期货市场上兴风作浪的用意不良的人的当，往往会被这些人所吞没而后悔莫及。因此，投资者要树立自己买卖期货的意识，不能跟着别人的意志走。

2. 忌急躁，追涨杀跌

急躁必败，争先恐后，怕赶不上车，好不容易攀上车门，一遇到大震荡，又会不幸地掉下去，掉下去之后，短时间是爬不起来的。要注意今天

期货投资有好的行情，明天或后天还会有，所以不要太急，心急是不能吃热粥的。

3. 忌多空通吃

多空都吃，有利都要，寸步不让。新手们看论坛上的嘴盘大师们多空转换如此得心应手，心里羡慕得要死。有的新手甚至还会对照当天日内波动大的分时图，做出在低点①买入，高点①平多翻空，在低点②平空翻多，在高点②平多翻空……的假设，算计如果依此满仓操作能获利多少。此想法幼稚可笑，但确实有不少人有过，事实上只有神仙能做到如此境界。

4. 忌赌徒心态，满仓操作

在你春风得意的时候，就是危机四伏的时候。新手们（有时候老手也一样）一旦在期货投资满仓操作屡屡得手时，多半会被胜利冲昏头脑，觉得自己最近手气顺。像赌棍一样频繁操作，恨不得把自己的身家性命都押到期货投资上去，直到输个精光为止。在你屡战屡败时，就是再战仍败的时候。当期货投资失利时，常常不惜背水一战，把全部资金甚至不惜借债投在期货上，这类人多半落得个倾家荡产的下场。所以，期货市场不是赌场，不要赌气，不要昏头，要分析风险，建立投资计划。有赌气行为的人买卖期货一定要首先控制投资资金比例，一般在自有流动资金的25%以内。

5. 忌抄底摸顶

追涨杀跌当然会给投资者带来不理想的后果，但在趋势未改变之前，只要你有足够的耐心，通常只亏时间不亏钱。相对而言，抄底摸顶的祸害更大，在你为抄底或摸顶的品种涨了或跌了1%沾沾自喜，有可能错过了10%甚至更多的下跌或上涨幅度。如果真的改不了抄底摸顶的习惯，一定要控制好仓位和止损。切忌把亏损的抄底摸顶单子由短线扛成中线再扛成长线，期间不断加仓拉低成本，最终很有可能是暴仓或者穿仓。

6. 忌见好就收

进入期货投资，首先应当自信。许多投资者买卖期货，持有一段时间，有浮盈了，便迫不及待地要平仓获利。他们相信，只有把钱装进口袋

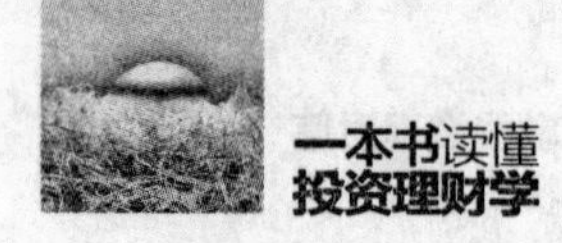

里才算安全。能扛亏损的单子，却留不住盈利的单子。获小利而亏大钱，这是期货投资者的通病。

7. 忌捕风捉影

作为投资者，要在不利持仓的消息面前保持镇定，仔细分析消息的可靠性。若证明确有其事的话。还要看这种消息所产生的影响是长久性的，还是暂时的，若是后者，也没有必要改变手中的持仓。

8. 忌病急乱投医

有的人做期货遭遇失败后，全权委托所谓的理财专家或经纪人操纵，自己不敢操作。这种做法在期货市场中遇到负责任的操盘手还可以少亏点钱，但如果碰到赌性比你还大的人，后果可就难以预计了，搞不好血本无归也说不定。值得一提的是，操盘手大多数是输了自己的资金想借别人的资金一搏的，赌性不可能不大。做了期货，你就是期货市场中的一员，应时时关注期货市场的动态。关心自已的持仓，不要轻信自己的所谓的理财专家或经纪人，如果实在不信自己，果断退出期货市场是不失为明智之举。

9. 忌不愿止损

在充满竞争、充满风险的期货市场里，没有常胜的将军。关键是要随着期货市场行情的变化，采取灵活应对的策略。当期货价格方向走反，不要被损失所纠缠，而应当机立断，忍痛割爱，及时放手。亏损的单子好比恶性肿瘤，大多数时候是越长越大的，早期发现了却不割，不是求死是什么？不要总想着去拉低持仓成本。

10. 忌回忆昨天

不要为打翻的牛奶而永远哭泣。“昨天下错了单”，“昨天砍错了单”，“昨天平错了单”，“如果前天不平仓”，“如果前天就止损”，如果新的一天开始，你的脑子里还在冒上面的泡，就是失败的前兆，世界上本没有后悔药，回忆的人多了，就以为有了后悔药。实际操作中，后悔只能给你的分析带来困扰，设置障碍，行情千变万化，你要做的是今天的单，停止亏损或者放大盈利或者安排新的投资计划。

如何规避期货投资的风险

与现货交易和股票投资相比较，投资者在期货市场上的投资资金比其他投资要小得多，俗称“以小搏大”。期货交易的目的不是获得实物，而是回避价格风险或套利，一般不实现商品所有权的转移。期货市场的基本功能在于给生产经营者提供套利保值、回避价格风险的手段，以及通过公平、公开竞价形成公正的价格。

期货交易实质上是一种风险交易，期货交易管理更多的是风险管理。实际上，完善的期货市场的风险主要是系统风险，非系统风险并不突出。然而，在我国目前信誉机制缺乏的情况下，道德风险问题及非系统风险在期货市场上也十分突出。不少专家认为，我国目前还不具备大力发展期货市场的社会经济环境与条件。主要的理由是我国现货市场并不发达，这在客观上限制了对期货市场的需求。我国20世纪80年代末期，期货市场发育初期的“火爆”现象，恰恰说明了当时我国期货市场是相当盲目、无序和幼稚的，同时也说明我国市场经济体制有待完善。

尽管期货投资充满了各种难以预测的风险，但是因为大家都知道期货是获利最多、最迅速的投资工具之一，所以投资者们才不畏风险，依然在“期货海洋”里搏击。事实上，期货投资的利益确实是比较诱人的。但是其前提就是必须要有效地避免风险，那么对于期货应如何规避风险呢?

或许你听说过参与期货市场会一夜暴富的例子，你或许也曾听说过有的人却一夜之间倾家荡产的事情。那么，期货市场的风险到底有多大呢?期货市场的风险是否可以控制呢?理财专家认为，无论对于个人投资者来说，还是对于机构投资者来说，期货市场都是一个很好的市场，当然这中间也存在着很多未知的危险因素。

与现货市场相比，期货市场上价格波动更大，更为频繁，其交易的远

期性也带来更多的不确定因素。交易者的过度投机心理，保证金的杠杆效应，增大了期货交易风险产生的可能性。可以说，期货投资的风险是非常大的。因此，投资期货市场应首先考虑的问题是如何回避市场风险，只有在市场风险较小或期货市场上投机所带来的潜在利润远远大于所承担的市场风险时，才可选择入场交易。

一般而言，期货投资的风险体现在以下几个方面：

1. 杠杆使用风险

资金放大功能使得收益放大的同时也面临着风险的放大，因此对于10倍左右的杠杆应该如何用，用多大，也应是因人而异的。水平高一点的投资者可以5倍以上甚至用足杠杆，水平低的投资者如果也用高杠杆，那无疑就会使风险失控。

2. 强行平仓和爆仓风险

交易所和期货经纪公司要在每个交易日进行结算，当投资者保证金不足并低于规定的比例时，期货公司就会强行平仓。有时候如果行情比较极端甚至会出现爆仓即亏光账户所有资金，甚至还需要期货公司垫付亏损超过账户保证金的部分。

3. 交割风险

普通投资者做多大豆不是为了几个月后买大豆，做空铜也不是为了几个月后把铜卖出去，如果合约一直持仓到交割日，投资者就需要凑足足够的资金或者实物货进行交割（货款是保证金的10倍左右）。

4. 经纪公司和居间人风险

选择的期货公司或居间人的不正规操作也可能带来损失。

5. 委托代理风险

把账户交给职业操盘手做的投资者，还要承担委托代理的风险。

虽然期货交易的风险很大，但投资者可以通过有效的防范来规避风险。期货风险的产生与发展存在着自身的运行规律，做好适当的交易风险管理可以帮助投资者避免风险，减少损失，增加投资者在交易过程中的收益。规避期货风险可以从四个方面来进行：打好基础、计划交易、资金管理、及时止损。

打好基础是指熟练掌握期货交易的相关知识。在进行期货交易之前，对期货交易基础知识和交易品种都要有详细了解。因为进行期货交易会涉及到金融、宏观经济政策、国内外经济走势等多方面的因素，同时，不同的上市品种还具有各自的走势特点，尤其是农产品期货受到天气等自然因素影响很大。在参与期货交易之前，应对上述内容有一个全面的认识，只有准确了解上述内容才能准确把握行情走势。

计划交易是指投资者在交易前制订科学的交易计划，对建仓过程、建仓比例、可能性亏损幅度制定相应的方案和策略；交易时，严格执行此计划，严格遵守交易纪律；交易后，及时总结反思该计划。但要使自己的投资能够获得大部分利润，减少损失，不仅取决于投资者是否严格执行其交易计划，还取决于资金管理的能力。

资金管理在期货交易中非常重要。期货交易切忌满仓操作，投入交易的资金最好不要超过保证金的50%，中线投资者投入资金的比例最好不超过保证金的30%。实际操作中，投资者还应根据其各自资金实力、风险偏好，以及对所投资品种在历史走势中逆向波动的最大幅度、各种调整幅度出现概率的统计分析，来设置更为合理有效的仓位。

及时止损往往是中小投资者，特别是在证券市场上养成了“死捂”习惯的投资者难以完成的工作。投资者必须清醒地认识到期货市场风险的放大性，“死捂”期货带来的实际损失很可能会超过投入的资金，因此，及时止损至关重要。投资者应根据自己的资金实力、心理承受能力，以及所交易品种的波动情况设立合理的止损位。只要能及时止损，期货投资的风险就会降低很多。

总之，只要投资者在充分了解期货市场风险的基础上，合理做好期货交易的风险管理，仍可有效地控制期货交易风险，提高自身的盈利水平。

规避期货交易风险：

1. 提高保证金成数

保证金成数是保证金额占整个投资总金额的百分比。提高保证金的成数，也就等于降低了整个的投资金额。这样，就可以有效减少亏本的数目。但这一做法的缺点就是当你赚钱的时候，你所获得的利润也会相应降低。

2. 选择价格波动幅度小的商品

在观察期货商品的价格之后，你可以发现其中有些商品的价格浮动比较大，这部分商品适合短期投资，而且是可能大赚也可能大赔的投资商品。但是，其中有一些价格波动幅度较小的商品，还是比较稳定的投资，无论是赚钱还是赔钱，金额都比较小。如果你不想承担太大的风险，就可以选择这类价格波动幅度比较小的商品，这也是降低风险的一种方式。

3. 建立停顿

停顿是指当你投资的商品价格下跌时，跌到某一价格使你的亏损达到保障金额的某一个百分等级的时候，你应设法停止亏损。这种停顿制度的建立有时是非常必要的，这也是避免风险的一种方式。

4. 充实自己的投资知识

为了避免风险，应该充实自己对于各种商品及全球化经济市场的知识。除随时参考各种经济信息，更要随时关心时事，培养敏锐的观察力。因为期货市场的变化很大，如果能充分了解各项时事对商品价格及整个投资市场的影响，培养出灵敏的应变能力，只要一有情况，你就能够准确察觉并做好准备。这样的决策对你的投资决策来说，将有着非常重要的作用。

信托——贵族游戏式的投资理财方式

信托理财知识入门

信托起源于英国，是建立在信任的基础上，财产所有者出于某种特定目的或社会公共利益，委托他人管理和处分财产的一种法律制度。信托制度在财产管理、资金融通、投资理财和发展社会公益事业等方面具有突出的功能，尤其是在完善财产制度方面发挥了重要作用，已经为世界上许多国家所采用。就个人信托而言，发展到现在其功能已经相当广泛，包含财产转移、资产保全、照顾遗族、税务规划、退休理财、子女教育保障等。我国正处于信托观念启蒙期，推出的信托产品还只局限在投资型信托。随着人们生活水平的不断提高，信托这种安全有效的财产管理制度必将得到更加广泛的应用。

信托的定义依照我国信托法第二条的规定，是指委托人基于对受托人的信任，将其财产权委托给受托人，由受托人按委托人的意愿以自己的名义，为受益人的利益或者特定目的，进行管理或者处分的行为。简而言之，信托为一种财产管理制度，是由财产所有人将财产移转或设定于管理人，使管理人为一定之人之利益或目的，为之管理或处分财产。

时下，信托这种新型理财方式和众多信托品种的接连出现，为广大投资者提供了一条生财之路。如何选择信托新产品，投资者需要了解信托理财的基本知识。只有真正了解信托，才能生财不断。

1. 受人之托代人理财

信托产品的预计收益率往往高于同期其他固定收益类投资产品，这也是为什么信托产品销售非常火爆的原因。投资者要选择信托产品，首先要了解什么是信托理财。

目前，许多投资者可能对“信托”这两个字眼还比较陌生，对“信托投资公司”在做什么、能做什么还不大了解。实际上，信托作为法律上的一种财产管理制度，在发达的市场经济国家，已经与“银行、保险、证券”并称为现代金融业的四大支柱产业。

信托是信用、委托的意思。根据2001年10月1日正式施行的《中华人民共和国信托法》，信托是指委托人基于对受托人的信任，将其财产权委托给受托人，由受托人按委托人的意愿以自己的名义，为受益人的利益或者特定目的进行管理或者处分的行为。上述财产权，是指以财产上的利益为标的的权利，包括物权、债权、知识产权，以及其他除身份权、名誉权、姓名权以外的无形财产权。简单地说，信托就是“受人之托，代人理财”。

信托制度作为一种财产管理方式，它的一个很重要特点是信托财产是区别于委托人、受托人和受益人其他财产的独立财产，不受委托人、受托人和受益人的债务纠纷的影响，因此受托人必须设立独立的账户来管理信托财产，保证了信托财产的独立性和安全性。

2. 信托的优越性

信托这种独特的制度设计使其能很好地平衡财产安全性与理财效率两者间的关系，在为委托人提供充分保护的同时，方便了受托人管理，因而使其在个人理财中具有其他金融理财工具无法比拟的优势。主要表现为：

（1）专业的财产管理与灵活的理财规划。与个人单独理财相比，专家理财省时省心，风险低收益高。通过信托集中起来的个人资金由专业人士进行操作，他们可以凭借专业知识和经验技能进行组合投资，从而避免个人投资的盲目性，以达到降低投资风险，提高投资收益的目的。同时，信托公司还可以根据客户的喜好和特性，度身定做非标准产品，通过专家理财最大限度地满足委托人的要求。这种投资方式和产品的灵活性也是券商和基金公司所缺乏的，也是目前所无法提供的。

（2）家族保障。信托可对家庭提供保障，并保护资产不受侵害，使资产不会被为了财产而与家庭成员结婚之人有机可乘，使资产不会落入可能将家庭财富挥霍殆尽的无能后嗣之手。

（3）继承安排。信托是安排财产继承的有效方法，让你可依照心愿，预先安排资产分配与各家庭成员、亲友、慈善团体及其他机构。在一些有继承限制的国家，信托可助你弹性安排资产继承，你的财富更毋须受到复杂冗长的遗嘱认证程序影响，让你指定的受益人能尽快继承应得资产。

（4）绝对保密。由于你的资产已转移至受托人名下，大多数的法定管辖区域均无关于公开披露的规定，而且信托契约无须向任何政府机构登记，亦不公开供公众人士查询，因此受益人的个人数据及利益均绝对保密，直至信托终止为止。此外，信托通常具有可充当公司股东之用，更可进一步隐藏公司实际拥有人的身份。

（5）资产保障。在法律许可的情况下，成立信托可使你的资产获得长期保障，此资产在法律上登记于受托人或指定人名下，而非你居住或设籍的国家，因此亦可保障你的资产免受债权人索偿。

（6）资产统筹及管理。信托可助你将遍布全球的资产归纳入同一个架构之下，简化资产管理及统一财务汇报。

（7）税务规划。成立信托可减轻甚至豁免所得税、资本利得税、赠予税、财产税、遗产税等税务负担。

（8）灵活运用。信托契约中可保有适度的弹性（尤其是全权委托信托），以确保受托人随外在环境的变迁，仍能为受益人谋求最佳的福利。

信托本身具有相当的灵活度：信托是可被撤销的，受托人可以辞职（或被撤换）；若基于政治或其他情势考虑，而有采取较为谨慎行动的必要，信托设立及执行的地点可以移转至其它法定管辖区域；信托财产的行政管理及操作、分配可随时更改。契约中与你切身相关的条款，常会受不同因素影响，其中包括你财产规划的目标、你所选择的信托法定管辖区域与居住国之法律，以及你所要求的信托灵活度等。

3. 个人信托的运用范围

投资理财，使财产保值、增值；个人或家庭的财产管理、移转及节税规

划；子女生活、教养及创业资金的准备及管理；身心障碍子女或其他家属的照护；退休安养生活的照料；夫妻财产保障；家族股权的控制；遗族的照顾等。

4. 使用信托达到人生目标

从人生的发展过程中，我们发现在不同的生命阶段中，会有不同的人生目标，而信托可以帮助我们在各个阶段中达成不同的人生目标，其情形可区分如下：

20岁以前（求学期）。此阶段主要的生活资金供给来源为父母亲，自己的经济能力较差，故可考虑以金钱信托、信托存款等方式累积资金。

21~30岁（创业期）。此阶段主要为开始成家立业阶段，虽具有自己的经济能力，但因刚在起步阶段，收入较低，此时仍宜以金钱信托或信托存款等方式累积资金。

31~40岁（安家期）。此阶段，经济能力逐渐增强，但随着子女的诞生，使得生活的负担增加，此时除以金钱信托或信托存款等方式累积资金外，亦可考虑办理个人人寿保险信托以防万一。

41~50岁（成熟期）。此阶段，收入继续增加，贷款陆续偿还，小孩逐渐长大，有比较充裕的资金，故可考虑将多余的资金从事证券投资信托及特定金钱信托。此时如有专利权或其他资产，也可考虑著作权、专利权的信托及不动产、动产的信托或租赁权的信托。

51岁以后（退休期）。此时主要考虑退休金的运用、继承及遗产等问题，可利用的有退休给付的年金信托、不动产有效利用的不动产信托、遗书保管、遗嘱执行、遗产整理及办理继承等信托。

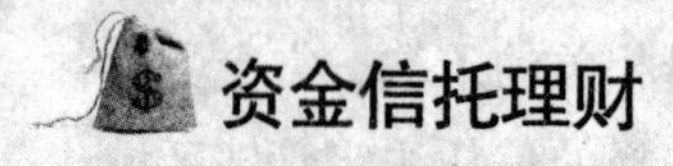

资金信托理财

从理论上讲，信托可以对资金、有价证券、动产、不动产、知识产权等各类财产和财产权进行管理、运用和处分，又可从事投资、贷款、出租、出售、同业拆放、项目融资、公司理财、财务顾问等多方面的业务。因此，信托是一种综合性的理财工具。

资金信托业务是指委托人基于对信托投资公司的信任，将自己合法拥有的资金委托给信托投资公司，由信托投资公司按委托人的意愿以自己的名义，为受益人的利益或者特定目的进行的管理、运用处分的行为。

1. 资金信托业务

资金信托业务的形成有以下几个原因：委托人对自己的资金在运用上不谙某种专门技术知识，为避免资金损失而采取资金信托方式；委托人对自己的资金无暇自为运作生利，而委托信托投资机构处理；委托人不愿自己出头露面而委托信托投资机构代为处理其资金。

我国现行的资金信托包括：信托存款（又分为单位信托存款、公益基金信托存款、劳保基金信托存款、个人特约信托存款）、信托贷款（又分为技术改造信托贷款、横向联合信托贷款、联营投资信托贷款、补偿贸易信托贷款、耐用消费品信托贷款、专项信托贷款、房地产开发信托贷款）、委托贷款（包括一般委托贷款和专项委托贷款）、委托投资、信托投资。

2. 资金信托操作流程

信托公司（受托人）制订信托计划，并向广大投资者（委托人）发售，汇集信托资金，投资者为信托财产的受益人；信托公司作为受托人将信托资金投入到信托计划描述的项目中，信托财产从现金形态转化为股权（股权投资）或债权（向项目贷款）形态。

因此，实际上资金信托就是“筹资+投资”的过程，在台湾地区一般将之称为投资信托。但是应当说信托的融投资功能与公司的股权融资、银行业的间接融资相比，并无明显的优势，这些产品的成功很大程度上与我国公司立法的不完善，与银行业的私人银行业务发展不够有关。如我国的公司法中规定的公司形态单一，对有限责任公司的股东有50人的上限要求，而对股份有限公司来说，股份私募又受到很多政策的限制，以致无法通过股权方式取得更多的资本金。目前，我国的银行业提供的服务品种单一，无论对资金供给者还是资金需求者，都还没有提供令人满意的服务，这些因素给了这些信托产品一定的生存空间限制。

3. 单一资金信托

单一信托就是受托人接受单个委托人的委托，单独管理和运用信托财产的方式。单一信托是信托公司专门为高端客户理财，这类产品的认购门槛较高，最低门槛在100万元。单一信托的委托人一般为单个拥有成熟心态且具有更强势力量的个体。

在客户群的定位上，信托公司在沿着“靠大”的思路进行。有数据显示，目前信托公司集合资金信托计划的数量大量下降，而单一信托成为信托公司追捧的对象。

4. 集合资金信托

集合类信托主要是指受托人把多个委托人交付的信托财产（动产或不动产或知识产权等）加以集合地管理、运用或处分的方式。

与其他理财工具相比，集合资金信托是唯一获准能够跨越货币市场、资本市场和产业市场的金融产品，可采用贷款、投资、同业拆借、融资租赁等多种形式进行运用，投资渠道广泛，投资手段灵活，具有其他理财产品无法比拟的优势，因此不少投资者十分热衷信托理财。但也有投资者反映，由于集合资金信托品种较多，购买时不仅需要了解信托公司的情况，还要了解项目情况、风险揭示及风险防范，繁琐的程序让他们对信托理财望而却步。

其实，任何一种投资行为都需要理性地分析。全面地了解投资产品有助于投资者有效防范和控制投资风险的出现。信托理财之所以给投资者的购买带来了些许不便，主要是因为：

首先，信托产品销售网点少，按监管政策规定，信托公司在我国是可以异地开展业务但不允许开设分支机构的，不能像银行、保险公司、证券公司、基金公司等金融机构进行全国性的区域机构布局。

现在信托产品的销售途径主要有两个：一种是银行代销，一种是信托公司直销。通过银行代销可以充分利用银行网点众多的优点，但由于银行代销产品通常较多，同时银行工作人员可能对信托理财了解不深，因此很难满足投资者对信托理财的各种咨询。而通过信托公司直销可以有效地

解决这个问题，作为专业理财机构，信托公司不仅能够全面解答投资者的各种咨询，而且通常根据投资者的实际情况向投资者提出合理化建议。因此，目前仍以信托公司直销为主。

其次，按照监管规定，信托公司不得通过报刊、电视、广播和其他公共媒体进行营销宣传。据了解，时常有投资者因为不能及时获取信托产品的发售信息，而错过了投资机会，造成了资金闲置。

由于信托理财的独特优势深受广大投资者青睐，信托计划预约一直十分踊跃。因此，建议投资者如果有即将到期的资金，应该至少提前1~2周时间，就开始关注信托产品情况。信托公司通常每月都会有新的信托产品推出，投资者可以通过进入信托公司网站，或者通过电话进行咨询，如果遇到适合自己的投资产品就可及时预订。

如果投资者想购买异地资金信托产品，应该注意：银监会下发的《关于进一步规范集合资金信托业务有关问题的通知》，虽然对信托产品异地销售“开了闸”，但对信托公司和认购人都有严格的资格规定。其中《通知》规定“接受异地推介的资金信托合同，每份合同金额不得低于人民币100万元，自然人委托人需同时出具个人稳定的年收入不低于10万元的收入证明”。这与普通信托产品5万元以上的起点要求有着不小的差距，异地销售的信托产品定位是百万级的高端用户，是一般个人投资者难以达到的标准。

《通知》还规定“信托公司要到注册地所在银监局提出申请”，“信托产品异地推介之前必须向推介地银监局和注册地银监局报告”，“每个集合信托计划最多只能同时在不超过两个城市推介”。有了以上的限制，个人投资者要想购买非本地的信托产品，首先要有足够的资金，其次还要做好亲自前往销售城市进行购买的准备。

5. 银行信托理财产品

随着沪、深股市的盘整震荡，以及开放式基金净值的变化起伏，人们把目光又转向了风险相对较低的银行理财产品。有关数据显示，股市从6 000多点回落以来，购买银行理财产品的人数明显增多。但面对琳琅满目的银行理财产品，很多投资者感到非常困惑：银行理财产品到底是怎样运

作的，个人投资者又该如何正确选择银行类理财产品呢？

可考虑用信托项目类理财替代储蓄。信托项目类理财产品是指投资者将资金委托给银行，并指定银行作为代理人，代其与信托公司签署《资金信托合同》，从而进行资金信托理财。信托产品的投向一般为国家或省市政府的重点工程，投资者可根据信托计划投资对象的信用状况获得理财收益。

它的门槛比直接购买信托产品低。普通信托计划的投资起点较高，当前个人直接购买信托产品的起点多数在数十万元以上，而银行发行的信托项目类理财产品的起点只有5万元。有的银行规定，只要在该行购买理财产品的总额超过5万元，也可以以1万元作为起点，购买信托类理财产品。

此类产品投资的信托计划由政策性银行或国有商业银行提供连带责任保证，并且信托公司资金账户由银行进行账户严密监控，确保资金专款专用，收益相对稳妥。银行作为投资者的信托代理人，为投资者选择优质的信托计划项目和信托公司，并代理投资者与信托公司间的签约和追偿事宜。

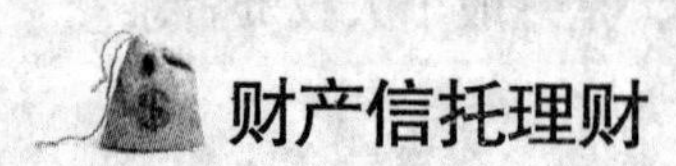

财产信托理财

随着社会经济的不断发展和财富形式的增多，为适应社会多种理财需求，信托公司适时推出新的财产信托品种更有效地发挥“受人之托，代人理财”职能。

1. 财产信托产品收益

财产信托产品的收益来源于信托财产本身。投资者购买财产信托产品时，由于信托财产可见，所以信托财产产生的信托收益也真实可见，从而避免赖以产生信托收益的财产形成过程中的风险。

财产信托中一般设置优先信托权益和剩余（或次级）信托权益，并作

为控制风险的一种方式，投资者所持有的是从已存在的大额资产中优先受益的权利。而且财产信托产品没有份额的限制，投资起点较低，一般为5万元，符合各类投资者的购买能力。

财产信托产品和资金信托产品，二者的收益率大致相当，财产信托产品不仅投资门槛较低，收益水平有一定保障，能有效地将投资风险控制在一定水平，实现投资者保值、增值的目的，更为重要的是，财产信托能够帮助投资者合理节省一定税额。

2. 三大原则识别财产信托

在选择财产信托产品时，重要的原则就是控制投资风险。投资者可以通过以下三个方面识别和选择财产信托产品：

一是识别信托财产的质量。财产信托收益来源于信托财产本身，高质量的信托财产应是变现能力较强的财产。一类为财产，如房地产、作为造纸原料的林木等；另一类是财产收益权，如银行信贷资产、高速公路的收费、融资租赁收入等。高质量的信托财产是信托期满前信托权益变现的重要保证，信托财产质量越高，风险越小。

二是识别信托相关方的资信水平。一般而言，绩优股的上市公司、经营业绩较好的大型企业集团、商业银行等均具有较好的资信水平，相关方的资信越好，风险越小。

三是明确优先及剩余信托权益的配比关系。优先信托权益在整个信托权益中占的比例越低，风险越小。

3. 财产信托成为节税新选择

随着生活水平的提高，个人财产不断积累，人们在日常消费之余开始理财，追求财产的保值、增值。而投资净收益除了要考虑表面收益率，还应该考虑相关税费。

财产所有人避税最理想的方式是成立信托，通过信托的设立，信托财产不受信托人死亡的影响，并可在合法渠道下节省可观的费用。如美国、加拿大、中国香港、中国台湾、英国等很多国家和地区，遗产的转移均需课征遗产税，并需在财产移转前付清，税率一般高达50%左右。所以财产信托通常被视为合理节税的一个重要渠道。

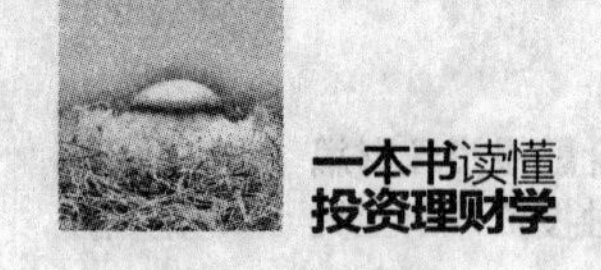

由于目前国内没有课征遗产税和赠予税，财产信托的合理节税主要是一种税务成本的比较。通过增值税和营业税的差额，以及所得税的部分转移等手段，是可以合理节省税费的。

财产信托在获得信托权益之时，将个人财产委托给信托公司，根据各个信托机构的不同，可以将财产增值税不同程度地转移给信托机构，形成信托机构的营业税，节省的税额是财产增值税与信托机构的营业税之差。

同时，在财产信托期满变现或信托凭证转让时，获得的收益需缴纳所得税，一般也少于个人直接进行投资所获收益需缴纳的所得税。

个人财产信托在实际运作上极富弹性，在符合法令的要求下，其目的、范围或存续期间等均可依委托人的个别需要而制定，进而达到保存财产、投资增值、合理节税等多样化目的。因而，财产信托是理财节税的优良工具。

通过信托集中起来的个人财产，由专业人才进行操作，他们可以凭借专业知识和经验技能进行组合投资，从而避免个人投资的盲目性，以达到降低投资风险，提高投资收益的目的。

4. 如何选购财产信托产品

现实中，财产信托和资金信托收益率大致相当。比较而言，财产信托产品风险低，投资收益更有保障，投资金额门槛也不高，更符合多数投资者的投资需求。因此，财产信托比资金信托更加值得投资。

其实，在收益率大致相当的情况下，选择财产信托产品的一个重要原则，就是控制投资风险。那么，识别财产信托产品风险有哪些技巧呢？

首先，应学会识别信托财产的质量。因为财产信托收益来源于信托财产本身，高质量的信托财产应是市场变现能力强、较为紧缺的财产。信托财产质量越高，风险越小。

其次，要学会识别信托相关方的资信水平。因为投资者的信托利益就来源于该方支付的货币资金。通常，绩优股的上市公司、经营业绩较好的大型企业集团、商业银行等均具有较好的资信水平。相关方的资信越好，风险越小。

还有，要注意听取专业机构的意见。投资者一般可参照专业的中介机构（如律师事务所、评估机构、会计师事务所）的专业意见。一般大型或

有名的中介机构较注重从业声誉，出具的专业意见较为公允，参考价值比较大。

最后，要看优先及剩余信托权益的配比关系。通常财产信托都分优先信托权益和普通信托权益，优先信托权益在整个信托权益中占的比例越低，风险越小。

信托理财风险规避

信托与其他金融理财产品一样，都具有风险。对投资者来说，在购买信托产品时，应该了解信托的基本知识，强化风险意识。通常做好以下几点，信托风险大都可以规避：

1. 信托理财别忘风险

信托公司按照实际经营成果向投资者分配信托收益，信托理财风险体现在预期收益与实际收益的差异。投资者既可能获取丰厚收益，但也可能使本金亏损。

产生风险有两大类原因：第一，信托公司已经尽责，但项目发生非预期变化；第二，信托公司消极懈怠，或违法违规操作。由于现在信托业处于发展初级阶段，信托公司都着重于建立良好的理财业绩，以及树立知名度，所以目前出现第二类原因的可能性较小。至于第一类原因，最能反映信托公司的理财水平。这类原因又可以细分出许多具体原因，例如利率变动、销售失败、履约人无力履约、债务人破产、政策法规改变等。每一具体原因出现的概率也不相同，可能造成的损失程度也不一样。

判断信托产品的风险，需要根据信托资金的投向，具体分析风险的大小，由委托人作出判断和选择，不能一概而论。从理论上讲，信托理财风险可以根据各种标准大致由小到大排序。根据资金投向行业风险衡量，依次为货币市场、债券、垄断性项目（如基础设施等）、竞争性行业、房地

产、MBO融资、企业并购融资、股票、期货。根据流动性风险（受偿先后顺序）衡量，依次为有抵押债权、无抵押债权、优先股权、普通股权；根据控制项目的力度风险衡量，依次为控股、参股、贷款；根据信托期限风险衡量，时间从短到长。这是一个定性的排序，不是精确的定量计算结果，仅能供投资者作为参考。

因此，委托人在行使投资信托产品决策权的时候，既要详细阅读信托产品的相关材料，以便充分了解信托资金运用的有关情况，也应具有承担信托风险的能力。

2. 选择信誉好的信托公司

这几年，我国有关监管部门对信托业进行了多次整顿，信托市场已经较为规范，但也可能存在缺乏良好职业道德的公司。所以投资者在考虑某信托产品是否值得投资时，很重要的一点就是要看它是哪家公司推出的，要选择资金实力强、诚信度高、资产状况良好、人员素质高和历史业绩好的信托公司进行委托。

3. 看信托产品本身的盈利前景

目前市场上推出的信托产品大多为集合资金信托计划，即事先确定信托资金的具体投向。选择信托时要看投资项目的好坏，如项目所处的行业、项目运作过程中现金流是否稳定可靠、项目投产后是否有广阔的市场前景和销路。这些都隐含着项目的成功率，关系着你投资的本金及收益是否能够到期按时偿还。对于信托公司推出的具有明确资金投向的信托理财品种，投资者可以进行分析。

有的信托公司发行了一些泛指类信托理财品种，没有明确告知具体的项目名称、最终资金使用人、资金运用方式等必要信息，只是笼统介绍资金大概的投向领域、范围。因此，不能确定这些产品的风险范围及其大小，也看不到具体的风险控制手段，投资者获得的信息残缺不全，无法进行独立判断。对这类产品，投资者需要谨慎对待。

4. 考虑信托产品的期限

资金信托产品期限至少在一年以上：一般而言，期限越长，不确定因素越多，如政策的改变，市场的变化，都会对信托投资项目的收益产生影

响。另外，与市场上其他投资品种相比，资金信托产品的流动性比较差，这也是投资者需要注意的。因此，在选择信托计划时，应结合该产品的投资领域和投资期限，尽量选择投资期短的信托产品。

5. 考虑投资担保问题

对于有担保的信托计划，委托人（也就是投资者）还要看担保的主体是否合法，切实了解担保方的经营状况。需要提醒的是，委托人不能只看担保方的资产规模的大小，其合适的资产负债比例、良好的利润率、稳定的现金流和企业的可持续发展，才是重要的考虑因素。

对于担保中的抵押（质押）物是否过硬，抵押（质押）比率是否安全，担保方信用级别和资金实力如何，有无保险介入、专项赔偿基金是否充足以及受益权当中次级受益权的规模和承担的义务情况等，也要特别关注。

要考虑到万一信托项目出现到期兑付困难时，原先预设的担保措施能否及时有效地补偿信托本息。假如该项目是具备银行担保或银行承诺后续贷款的项目，其安全系数往往会高于一般信托计划，当然收益会相对低一些。

6. 行使委托人的权利

根据我国《信托法》第20条的规定：委托人（投资者）有权了解其信托财产的管理运用、处分及收支情况，并有权要求受托人作出说明。委托人有权查阅、抄录或者复制与其信托财产有关的信托账目以及处理信托事务的其他文件。

同时，第22条还规定：受托人违反信托目的处分信托财产或者因违背管理职责、处理信托事务不当致使信托财产受到损失的，委托人有权申请人民法院撤销该处分行为，并有权要求受托人恢复信托财产的原状或者予以赔偿；该信托财产的受让人明知是违反信托目的而接受该财产的，应当予以返还或者予以赔偿。

另外，第23条规定：受托人违反信托目的处分信托财产或者管理运用、处分信托财产有重大过失的，委托人有权依照信托文件的规定解任受托人，或者申请人民法院解任受托人。因此，充分利用法律赋予委托人的

这些权力可以更加主动地控制信托投资的风险。

7. 关注是否缴税

目前，由于信托的相关配套政策还未到位，资金信托产品的税收还是空白，因此，投资者在投资资金信托产品时，要关注是否缴税。在国外，信托税制多奉行信托导管原理和税负不增加原则。根据信托导管原理，信托是向受益人分配信托利益的管道，信托当事人之间相互转移财产的行为不具有实质经济意义，因而在税收上也就不像对普通交易行为那样课税。

8. 结合自身风险承受能力

信托公司在办理资金信托时，不得承诺资金不受损失，也不得承诺信托资金的最低收益。所以，投资者在面对琳琅满目的资金信托产品（计划）时，还是应保持清醒的头脑，根据自己的风险承受能力，有选择地进行投资。

从投向来讲，房地产、股票市场，风险略高，收益也相对略高一些；而能源、电力等项目比较稳定，现金流量明确，安全性好，但收益相对较低。不同投资者应该购买不同风险收益特征的信托产品，对于养老资金或者是为今后子女教育筹备的长期资金等，建议购买低风险、适中收益的信托产品，如城市基础建设信托等；对于愿担风险的年轻投资者而言，建议关注房地产、证券市场投向的信托产品，一般会有较高的回报。

一本书读懂
投资理财学

实物投资理财篇

财富增值保值的好选择

Read A Book to Learn
Investment

黄金——永不过时的发财路

通货膨胀的克星——黄金

黄金作为一种全球性资产成为投资工具，古今中外早就因其稀有、耐腐蚀和观赏价值而成为贵重的奢侈消费品和纪念品。近年来，随着国际油价的一路上涨，国际黄金市场的价格也是一路高涨，越来越多的个人投资者开始关注曾一度淡出人们视线的黄金投资市场。

在通货膨胀到来的时候，买什么最好？答案是——黄金。现在，世界范围内的通货膨胀都在抬头，作为一种增值保值的理财工具，黄金又到了大显身手的时候了。目前，黄金价格仍处在上升周期中，投资者把握好机会，无疑将会有很大获利空间。在通货膨胀苗头日益显现的时候，黄金确实是非常不错的保值工具，值得中长期持有。

此外，黄金本身就是一种商品，国际黄金的价格是以美元定价的，在黄金产量增长稳定的情况下，停留于黄金市场中的美元越多，每单位黄金所对应的美元数量将越大，即金价将越高。而且，现在美元的泛滥也不是什么秘密，部分资金流向商品市场，这正是国际金价持续上涨的真实背景，并且在相当长的一段时间内这种趋势还是不会得到逆转的。

1. 保值增值的最佳理财工具

理财，首先是保值，然后才是增值。在物价上涨、通货膨胀风险上升的情势下，我们如何回避风险，保护住自己的财产呢？

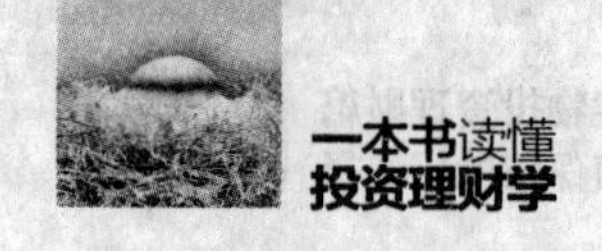

储蓄，已经不是很合算了，因为我国人民币存款长期存在实际负利率的倒挂现象。国家征储蓄税，受通货膨胀影响，有时名义利息高，而实际利息可能低。

炒股票，也有很大风险。股票赢利波动较大，容易发生变化，种类多，受政治和宏观经济影响较大。没有很高的能力，很难赢利，亏损的几率还是很大的。

在世界性的超长周期的通货膨胀时代，对大多数普通投资者来讲，投资黄金是最好的抵御方法。黄金的抗风险能力和抵御通货膨胀的功能是吸引大家投资的一个重要原因，投资黄金，不仅保值还增值，于是老百姓越来越青睐黄金投资。黄金资源不可再生，金矿勘探开发周期也要7~10年，作为稀有金属，近年来，黄金价格不断攀升，黄金投资市场处于长期牛市，并将延续牛市。

投资黄金，是一种理智的选择。黄金相对其他资产或者投资的优势在于黄金内在的价值始终较高，保值和变现能力强，从长期看，具有抵御通货膨胀的作用：

（1）黄金是永恒的储值和支付手段。

（2）黄金是投资实现多元化的有效手段。

（3）黄金可变现性强。

黄金作为国际市场唯一的硬通货，势必成为投资者资金保值的最佳方案之一。由于黄金本身的固有特性，不论年代有多久远，其质地根本不会发生变化，价值恒久。黄金的投资价值在于其具有对抗通货膨胀、无时间限制的公平交易、实物交收便利等方面的独特优势。但黄金同时也存在价格变化比较慢、本身不能生息、不具备增量功能，它的保值增值能力更多地体现在价格变动和价差上。

即便现在黄金的流动性不是很好，但仍可以拿黄金去兑换人民币，或者作为普通商品在商场里买卖。支持黄金价格上涨一个很重要的因素在于黄金的稀有性，未来将会是一个超级大牛市。

从国内来看，目前中国黄金的储量是4 000~5 000吨，内地范围内人均拥有量仅为3.5克。在这样的市场上，一定会有更多人买黄金进行保值和增值。

2. 迎接黄金投资时代

中国现在几乎是全民炒股，股市狂热，经历过股市牛熊市的投资者都清楚一个规律：当大多数人拥有股票的时候（满仓），往往是顶部；当大多数人没有股票的时候（空仓），股票一定是在底部。

黄金市场也是一样道理。很明显，目前中国几乎所有的投资者根本就没有注意到黄金，他们没有持有黄金，他们在黄金上是空仓的，当中国的投资者要增加黄金储备的时候，必然要引起整个市场的波动，也是因为这个原因，黄金会有一个很大的上涨空间，因为现在全中国几乎都是空仓黄金。

黄金在中国人的印象当中似乎总是在每克100多元上下波动，很多人认为黄金是不太会上涨的。但只要投资者看看黄金的40年历史走势图，就会发现黄金是“不涨则已，一涨惊人”的类似超级小盘绩优股的投资品种。现在黄金处于一个20年熊市调整完成的状态，也就是说，黄金处在一个超级大牛市中，这是一个非常完整的黄金40年的走势图。

历史上黄金从1971年的35美元/盎司一口气暴涨到了1980年的850美元/盎司，这段暴涨只用了9年多的时间，价格涨幅达到了23倍，这是黄金价格走势的第一个牛市。

经历了20世纪70年代的黄金大幅暴涨后，黄金价格出现了一个20年的熊市调整，直到2001年黄金的大熊市才结束。2001年，黄金开始了第二个大牛市的征程，这次牛市的规模要比上次牛市（1970~1980年）的规模还要庞大，至少还将持续10年以上，黄金价格还有两到三倍的涨幅。

任何一个市场开放得越晚，它的投资机会就越大。我们的黄金市场是在2003年的时候才可以自由地买卖黄金，可以自由地拥有黄金，所以黄金的投资机会在中国才刚刚开始。

3. 黄金投资正当时

从2005年下半年开始，黄金逐渐成为吸引人们眼球的新热点，但这多半还是源于金价大幅上涨的刺激，市场中真正意识到黄金具有投资意义的投资者还很缺乏。

在人类历史上，唯一横跨三个领域的特殊物品就是黄金，黄金是货

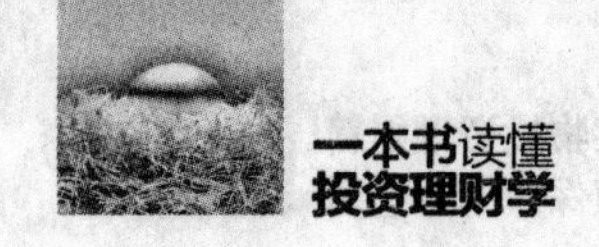

币，黄金是金融工具，黄金是商品。

黄金具有货币属性，至今黄金是除美元、欧元、英镑、日元之外的第五大国际结算货币。虽然自20世纪70年代国际货币布雷顿森林体系崩溃以来，黄金走向了非货币化，但至今谁也无法取消黄金的货币属性。在1998年亚洲金融危机时，韩国、泰国政府用民间捐助的黄金支付债务度过金融危机的经历，更让人们无法忘怀黄金的货币功能。

黄金具备金融工具属性，由黄金演变而来的金融投资工具，在世界范围内已经有百余种，各种黄金衍生投资工具层出不穷。

此外黄金还具有普通商品功能，可以制作成各种黄金制品，如首饰、摆件、金章、医疗器械、工业原料等，与普通商品一样可以自由买卖。

近年来，黄金价格持续上扬，不断创新高。在股市持续动荡的前提下，黄金产品凭借其独特的保值性和安全性，又成为人们投资关注的热点。

随着国际原油价格的不断攀升，我国CPI的逐渐走高，特别是随着近期大盘沪深两市指数的大幅震荡调整，黄金作为一种中长期投资，保值功能在国内投资中逐渐升温。

2007年10月，上证指数一举突破6 000点大关，并一路向上。可好景不长便掉头向下，开始了两周的震荡回调。回顾2007年下半年频频出现的指数涨个股跌现象，众多投资者一时不敢贸然进入。

反观黄金市场，2009年以各种货币计价的黄金市场价格势如破竹，屡创新高。其中计价黄金2009年9月份以来基本保持在1 000美元/盎司上方运行，并创下1 226.4美元/盎司的纪录。黄金的投资价值凸显，从股票、基金市场撤出的投资者，不妨转战黄金这个大牛市。

投资黄金不但能增值更能保值，是对抗通货膨胀的最理想工具。此外，黄金价格不易受操控，比较真实有效地反映了市场中多空双方的实力对比。

2007年以来，国际金价连创新高，投资者对金融市场及经济的担忧、美元的疲软、高通货膨胀率、上市交易基金需求的增长，以及黄金生产商减少对冲等各种因素，均对黄金价格构成支撑，黄金价格还将继续看涨。

综合来看，黄金价格仍处在一个持续上涨周期，是一个现阶段可介入的、非常适宜普通投资者的投资品种。

世界主要黄金市场简介

世界各地约有40多个黄金市场。黄金市场的供应主要包括：世界各产金国的矿产黄金；一些国家官方机构，如央行黄金储备、国际货币基金组织以及私人抛售的黄金；回收的再生黄金。目前欧洲的黄金市场所在地是伦敦、苏黎世等，美洲的主要集中在纽约，亚洲的在香港。国际黄金市场的主要参与者，可分为国际金商、银行、对冲基金等金融机构、各个法人机构、私人投资者以及在黄金期货交易中有很大作用的经纪公司。

目前，伦敦是世界上最大的黄金市场。伦敦黄金市场交易所的会员由具有权威性的五大金商及一些公认为有资格向五大金商购买黄金的公司或商店所组成，然后再由各个加工制造商、商店和公司等连锁组成。交易时由金商根据各自的买盘和卖盘，报出买价和卖价。伦敦没有实际的交易场所，灵活性非常强，采用黄金现货延期交割的交易模式，黄金的重量、纯度都可以选择等，吸引大量的机构和个人投资者参与进来，造就了全球最为活跃的黄金市场。

苏黎世黄金市场是在第二次世界大战后发展起来的国际黄金市场，没有正式的组织结构，只是由瑞士三大银行：瑞士银行、瑞士信贷银行和瑞士联合银行负责清算结账。苏黎世黄金市场的金价和伦敦市场的金价一样受到国际市场的重视，在国际黄金市场上的地位仅次于伦敦。

纽约商品交易所（COMEX）和芝加哥商品交易所（IMM）既是美国黄金期货交易的中心，也是世界最大的黄金期货交易中心。两大交易所对黄金现货市场的金价影响很大。纽约商品交易所仅为交易者提供一个场所和设施，其本身并不参加期货的买卖，但是它制定了一些法规，保证交易双

方在公平和合理的前提下交易。

国际上的黄金市场交易体系完善、运作机制健全，黄金投资在发达国家已超过100多年的历史，其黄金市场的投资环境较为成熟。中国的黄金市场起步较晚，目前只有香港黄金交易市场和上海黄金交易市场两大黄金交易市场。

香港黄金市场以其优越的地理条件，可以连贯亚、美、欧地区而一跃成国际性的黄金市场。目前香港有三个黄金市场，一是以华资金商占优势有固定买卖场所的传统现货交易贸易场；二是由外资金商组成在伦敦交收的没有固定场所的本地伦敦金市场，同伦敦金市联系密切，也是实金交易；三是正规的黄金期货市场，交投方式正规，制度完善，但成交量不大。

上海黄金交易所是由中国人民银行组建，经过国务院批准，在国家工商行政管理局登记注册的，不以营利为目的，实行自律性管理的法人，遵循公开、公平、公正和诚实信用的原则组织黄金、白银、铂等贵金属交易。目前，上海黄金交易所是国内最大的黄金交易平台。无论是从交易成本，还是从市场流动性、市场有效性等来看，上海黄金交易所对个人开放的黄金投资，与国际市场的连贯性等方面都有着极大的优势。上海黄金交易所本身也并不参与市场交易，这样的交易模式只有当市场达到相当高的容量后才具备较高的有效流动性，就目前较一般个人黄金投资与中小机构而言已经足够。

近年国际黄金价格的历史走势：20世纪70年代以前，世界黄金价格比较稳定，波动不大；金价的大幅波动是20世纪70年代以后才开始的。特别是近两年来，金价表现出大幅走高后剧烈振荡的态势。近年来，受美国次贷危机引发的金融海啸的影响，美元持续贬值，地缘政治的不稳定，石油持续涨价等，引发投资者不安，黄金作为最可靠的保值手段，以其能够抵抗通货膨胀的特性迅速在投资地位中攀升。2008年上半年，国际黄金价格创出超过1 000美元/盎司的历史最高点位，因此，很多人相信黄金投资是继证券、期货、外汇之后又一个新的投资宝藏。的确，到今天还没有任何一种商品能取代黄金的这种特殊功效。从长远的发展角度来看，黄金投资

市场的开放并与电子商务的完美结合，黄金这一崭新又古老稳健的投资品种，将会带来不可估量的财富！

影响黄金价格波动的因素

黄金投资和外汇投资、股票投资一样，要时时关注行情的变化和走势。在市场上，黄金价格的波动，绝大多数原因是受到黄金本身供求关系的影响。除此之外，由于黄金的特殊属性，以及宏观经济、国际政治、投机活动和国际游资等因素，黄金价格变化变得更为复杂，更加难以预料。影响黄金价格变化的基本因素概括起来主要包括以下几个方面：

1. 供求关系是影响黄金价格的基本因素

众所周知，商品价格的波动主要受市场供需等基本因素的影响。黄金交易是市场经济的产物。地球上的黄金存量、年供应量、新的金矿开采成本等都对供给方面产生影响。黄金的需求与黄金的用途有着直接的关系。

2. 美元走势与金价密切相关

美元虽然没有黄金那样的稳定，但是它比黄金的流动性要好得多。因此，美元被认为是第一类的钱，黄金是第二类。一般在黄金市场上有美元涨则金价跌，美元降则金价扬的规律。

通常投资人士在储蓄保本时，取黄金就会舍美元，取美元就会舍黄金。黄金虽然本身不是法定货币，但始终有其价值，不会贬值成废铁。若美元走势强劲，投资美元升值机会大，人们自然会追逐美元。相反，当美元在外汇市场上走弱时，黄金价格就会走强。

3. 利率对黄金价格走势的影响

利率调整是政府紧缩或扩张经济的宏观调控手段。利率对金融衍生品的交易影响较大，而对商品期货的影响较小。投资黄金不会获得利息，黄金投资的获利全凭价格上升。对于投机性黄金交易者而言，保证

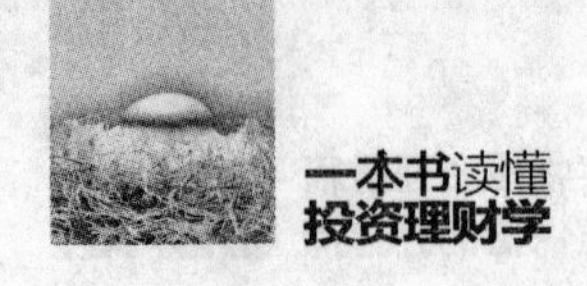

金利息是其在交易过程中的主要成本。在利率偏低时，黄金投资交易成本降低，投资黄金会有一定的益处；但是利率升高时，黄金投资的成本上升，投资者风险增大，相对而言，收取利息会更加吸引人，无利息黄金的投资价值因此下降。特别是美国的利息升高时，美元会被大量的吸纳，金价势必受挫。

4. 经济景气状况

世界经济是否景气直接影响投资者对黄金的需求。通常，经济欣欣向荣，人们生活无忧，自然会增强人们投资的欲望，黄金需求上升，金价也会得到一定的支持。相反情况下，民不聊生，经济萧条时期，人们连基本的物质基础保障都得不到满足时，黄金投资自然不提，金价必然会下跌。因此，预测金价特别是短期金价，要关注各国政府或机构公布的各项经济数据，如GDP、失业率等。

5. 通货膨胀对黄金价格的影响

从长期来看，每年的通胀率若是在正常范围内变化，物价相对较稳定时，其货币的购买能力就越稳定。那么其对金价的波动影响并不大，只有在短期内，物价大幅上升，引起人们的恐慌，货币的单位购买能力下降，持有现金根本没有保障，收取利息也赶不上物价的暴升，金价才会明显上升。总的来说，黄金不失为对付通货膨胀的重要手段之一。

6. 石油价格

在国际大宗商品市场上，原油是重中之重。原油对于黄金的意义在于，油价的上涨将推生通货膨胀，黄金本身作为通胀之下的保值品，与通货膨胀形影不离。石油价格上涨意味着金价也会随之上涨。一般来说，原油价格的小幅波动对黄金市场的影响不大，当石油价格波动幅度较大时，会极大地影响到黄金生产企业和各国的通货膨胀，因而影响黄金市场的价格趋势。同时，石油和黄金各有各自的供求关系，如果在通胀高的情况下，石油跌不一定黄金也跌。因为仅仅石油跌对通胀的影响毕竟有限。所以投资者要全面分析，避免陷入被动。

7. 世界金融危机

世界金融危机出现时，人们为了保留住自己的金钱纷纷去银行挤兑，银行出现大量的挤兑后导致破产或倒闭。大金融危机爆发后，所有品种全部暴跌，唯有黄金还在高位震荡。在经济萧条的经济形势下，黄金作为一种重要的储备保值工具，人们开始储备黄金，金价即会有一定程度上扬。

8. 国际政局动荡、战争等

战争和政局震荡时期，经济的发展会受到很大的限制。国际上重大的政治、战争事件都将会影响金价。政府为战争或为维持国内经济的平稳而支付费用，大量投资者转向黄金保值投资。这时，黄金的重要性就淋漓尽致地发挥出来了。

9. 各国黄金储备政策的变动

各国中央银行黄金储备政策的变动引起的增持或减持黄金储备行动也会影响黄金价格。

 找到适合自己的黄金投资方式

时下，黄金价格节节攀升，许多投资者对此心动不已，且随着各家银行相继推出各类的黄金业务，越来越多的市民也开始对“炒金”投资跃跃欲试。但乍一接触黄金市场，不禁会产生这样的疑问：现在市场上究竟有多少黄金产品可以购买？要不要买？买什么样的产品呢？投资者又怎样在令人眼花缭乱的市场中看得清楚、想得明白、自己做主呢？

目前，市场上的黄金交易品种中，纸黄金投资风险较低，适合普通投资者；黄金期货和黄金期权属于高风险品种，适合专业人士；实物黄金适合收藏，需要坚持长期投资策略。

1. 实物黄金

实物黄金买卖包括黄金、金币和金饰等交易，以持有黄金作为投资，只可以在金价上升之时才可以获利。

从权威性来看，人民银行发行的金银币最权威（币类标有“元”），

是国家法定货币。市民目前对金条比较热衷，仍未完全注意到金银币的升值潜力。热门金银币主要有奥运题材的金银币和纪念币、生肖金银币、熊猫金银币，以及《红楼梦》系列、京剧艺术系列和《西游记》系列金银币。

题材好的实物黄金升值潜力更大。2008年上市的奥运金第三组已由发售价188元/克涨到了260元/克。而已连续发行6年的贺岁金条升值仍主要取决于金价上涨，6年前的原料金价是每克95元，羊年贺岁金条发行价为110元左右，如今原料金价临近200元，羊年贺岁金条的回购价不到190元。不过，题材好的实物黄金的发行溢价也较多，不适合短线投资。

实物黄金也是不错选择。目前兴业银行和工行推出了个人实物黄金交易业务，这是一种全新的炒金模式，个人买卖的是上海黄金交易所（简称“金交所”）的黄金，金交所过去只针对企业会员提供黄金买卖业务。实物黄金的购买起点是100克，投资门槛将近2万元，比纸黄金更高，但手续费较低。投资者在兴业可提取实物黄金，如果不提取，个人实物黄金交易业务就可以像纸黄金那样操作。

投资者要区分两种实物金条：投资型的实物金条和工艺品式的金条。

实物金条报价是以国际黄金现货价格为基准的，加的手续费、加工费很少。投资型金条在同一时间报出的买入价和卖出价越接近，则黄金投资者所投资的投资型金条的交易成本就越低。只有投资型金条才是投资实物黄金的最好选择。

工艺品式的金条，溢价很高，比如说同是四个9的黄金，投资型黄金每克报价是50多元，它可能要报80多元甚至100元（有加工费在里面）。如有的金条报280元/克，比一般的价格高很多，这已经不是纯黄金了，而是工艺品了。

真正投资黄金，要买投资型的黄金制品，比如说含金量是AU9999的，不能是三个9的。目前国内很多厂家都推出了AU9999的黄金，投资黄金应该投资这个。

2. 纸黄金

“纸黄金”其实就是指黄金的纸上交易。投资者的买卖交易记录只在个人预先开立的“黄金存折账户”上体现，而不必要进行实物黄金的提取，这样就省去了黄金的运输、保管、检验、鉴定等步骤，其买入价和卖出价之间的差额要小于实金买卖的差价。

当然，不管是投资“纸黄金”，还是实物黄金，最终能否赢利还是要依赖于国际金价的走势。理财专家提醒，投资“纸黄金”应综合考虑影响价格的诸多因素，尤其要关注美元“风向标”。专家刻意提醒，在目前投资黄金要注意市场风险，毕竟金价目前处于相对高位，尤其黄金是一个“慢热”投资品，不会像股票那样频繁涨跌，因此也不适于频繁买卖。

3. 黄金期货

作为期货的一种，黄金期货出现得比较晚，期货是人类商品发达的必然产物，黄金期货，跟其他的农产品期货一样，按照成交价格，在指定的时间交割，是一个非常标准的合约。

黄金期货具有杠杆作用，能做多做空双向交易，金价下跌也能赚钱，满足市场参与主体对黄金保值、套利及投机等方面的需求。

从目前测试的黄金期货合约来看，交易单位从原来的每手300克提高到了1 000克，最小变动价位为0.01元/克，最小交割单位为3 000克。期货公司认为，这可能是黄金期货合约最后的交易模式。

以国内现货金价200元/克粗略估算，黄金期货每手合约价值约从6万元上升到了20万元，按照最低交易保证金为合约价值的7%来计算，每手合约至少需要缴纳保证金1.4万元，合约即将到期，黄金期货保证金率提高到20%，每手的保证金将增至4万元。如果从仓位管理的角度计算，以后做一手黄金差不多需要5万元左右。

如果投资者看多黄金，某一月份合约价格对应的是每克190元，此时买入需要缴纳的保证金是1.33万元，如果金价涨到了210元，投资者获利退出，可获利2万元[1 000克×（210−190）元/克]，投资收益为150%（2÷1.33）；但是如果金价下跌，投资者需要不断追加保证金，一旦没有资金追加，投资就会被强制平仓，比如金价跌到了180元/克，投资损失为1万元[1 000克×（190−180）元/克]，亏损率高达75.188%（1÷1.33）。黄金期货风险较大，普通投资者参与要谨慎。

黄金期货推出后，投资者可到期货公司买卖。期货开户只需要带上身份证和银行卡就可以办理，与证券开户类似，只是将“银证对应”换成了“银期对应”，一个期货账户还可以同时对应多个银行账户。

4. 黄金期权

期权是指在未来一定时期可以买卖的权力，是买方向卖方支付一定数量的金额（指权利金）后拥有的在未来一段时间内（指美式期权）或未来某一特定日期（指欧式期权）以事先规定好的价格（指履约价格）向卖方购买（指看涨期权）或出售（指看跌期权）一定数量的特定标的物的权力，但不负有必须买进或卖出的义务。黄金期权就是以黄金为载体做这种期权。在国内，中国银行首家推出了黄金期权交易，其他的银行也会陆续开办。国内居民投资理财又多了一个交易工具。

黄金期权也有杠杆作用，金价下跌，投资者也有赚钱机会，期权期限有1周、2周、1个月、3个月和6个月5种，每份期权最少交易量为10盎司。客户需先到中行网点签订黄金期权交易协议后才可投资，目前该业务只能在工作日期间在柜台进行交易。

据了解，支付相应的期权费（根据期权时间长短和金价变动情况而不同）后，投资者就能得到一个权利，即有权在期权到期日执行该期权（买入或卖出对应数量的黄金）或放弃执行（放弃买入或卖出）。

如何用黄金期权来获利或者避险？举一个例子：李先生预计国际金价会下跌，他花1 200美元买入100盎司面值1月的A款黄金看跌期权（执行价650美元/盎司，假设期权费1盎司12美元）。假设国际金价像李先生预期的一样持续下跌至615美元/盎司时平仓，则李先生的收益为（650−615）×100=3 500美元，扣掉1 200美元的期权费，净收益为2 300美元。如果金价不跌反涨至700美元，投资者可放弃行权，损失1 200美元期权费。

这就是期权的好处。风险可以锁定，而名义上获利可以无限。期权投资是以小搏大，可以用很少的钱，只要看对了远期的方向，就可以获利，如果看错了方向，无非就是不执行，损失期权费。

在国内投资黄金中，如果纸黄金投资和期权做一个双保险挂钩的投资，就可以避免纸黄金单边下跌被套牢。因为纸黄金只能是买多，不能买

空。如果在行情下跌的时候，买入纸黄金被套，又不愿意割肉，可以做一笔看跌的期权。

例如：320美元买入纸黄金，同时做一笔看跌期权，当黄金价格跌到260美元，纸黄金价格就亏损，但是在看跌期权补回来，整体可能是平衡，或者还略有盈利。

这个就是把纸黄金和黄金期权联合在一起进行交易的好处。

5. 黄金饰品

其实，在日常生活当中一提到黄金投资，很多人还是会认为是购买金饰，其实不然。金饰品的收藏、使用功能要强于投资功能。从投资的角度看，投资黄金饰品是一项风险较高且收益较差的投资行为。其原因是，金饰品的买入价和卖出价之间往往呈现出一种倒差价状态，即金饰品的初次买入价往往大于以后的卖出价，且许多金饰品的价格与其内含价值相距甚远。由于金饰品的投资收益在短时间内难以实现，因此买卖金饰从严格意义上来讲是一种长期投资行为或者是一种保值措施。

6. 量身定做

最后，也是最为重要的一点，投资理财应密切结合自身的财务状况和理财风格。也就是说要明确个人炒金的目的，你投资黄金，意图是在短期内赚取价差呢？还是作为个人综合理财中风险较低的组成部分，意在对冲风险并长期保值增值呢？对于大多数非专业投资者而言，基本以长期保值增值目的为主，所以用中长线眼光去炒作黄金可能更为合适。他们应看准金价趋势，选择一个合适的买入点介入金市，做中长线投资。

2009年末，伴随着美元的区间盘整，黄金的价格基本上从几年前约250美元/盎司，持续涨到现在的1 128美元/盎司。国际的金融投资大师罗杰斯、索罗斯一直看好黄金的走势，他们认为，黄金处于一个上涨阶段。我们在做投资的时候，黄金是可以中长期持有的品种，中长期投资，收益会大一些。如果在黄金大牛市的时候做短线，可能会得不偿失的。

根据上海黄金交易所网站统计，国内投资者所选的黄金投资品种中，纸黄金超过4成，实物黄金接近4成。投资黄金市场，操作很方便，和其他投资方式比较，盈利见效比较快。黄金投资和股票最大的区别是黄金不受庄家操控。像纸黄金这种账户型投资品种，没有实物提取，所以成本低一些，流动性比较好。黄金期货风险相对较大，需要很高的技术，投资者参与时务必谨慎。

巧妙应对黄金投资的风险

巴菲特说："投资的第一条原则是不要亏损，第二条原则是牢牢记住第一条。"同其他投资产品一样，黄金投资也是有风险的，投资者面对金市这样一个迅速发展并成为热点的理财市场，风险意识显得尤为重要。要规避黄金投资的风险，首先要了解其风险特征，主要有以下几个方面：

1. 投资风险的广泛性

在黄金投资市场中，从行情分析、投资研究、投资方案、投资决策，到风险控制、账户安全、资金管理、不可抗拒因素导致的风险等，几乎存在黄金投资的各个环节。

2. 投资风险的可预见性

投资风险虽然不受投资者的主观控制，但却具有一定的可预见性。

只要投资者对影响黄金价格的因素进行详细而有效地分析即可。

黄金市场价格是由黄金现货供求关系、美元汇率、国际政局、全球通胀压力、全球油价、全球经济增长、各国央行黄金储备增减、黄金交易商买卖等多种力量平衡的结果。形象点说，这是一个有着无数巨人相互对抗、碰撞和博弈的市场，投资者在这里面所要考虑的因素，远远超过股市。

3. 投资风险存在的客观性

投资风险是由不确定的因素作用而形成的，而这些不确定因素是客观存在的，之所以说其具有客观性，是因为它不受主观的控制，不会因为投资者的主观意愿而消逝。单独投资者不控制所有投资环节，更无法预期到

未来影响黄金价格因素的变化，因此投资的风险性客观存在。

4. 投资风险的可变性

投资风险具有很强的可变性。由于影响黄金价格的因素在发生变化的过程中，会对投资者的资金造成赢利或亏损的影响，并且有可能出现赢利和亏损的反复变化。投资风险会根据客户资金的赢亏增大或减小，但这种风险不会完全消失。和其他投资市场一样，在黄金投资市场，如果没有风险管理意识，就会使资金处于危险的境地，甚至失去赢利的机会。合理的风险管理方式，可以合理有效地调配资金，把损失降到最低限度，将风险最小化，创造更多的获利机会。

5. 投资风险的相对性

黄金投资的风险是相对于投资者选择的投资品种而言的，投资黄金现货和期货的结果是截然不同的。前者风险小，但收益低；而后者风险大，但收益很高。所以风险不可一概而论，它有很强的相对性。

黄金价格的剧烈波动，也使一些投资者开始考虑如何能既不承担亏损的风险，又能分享黄金市场的高收益。最低限度地说，投资者投资与黄金挂钩的理财产品，不失为一种较理想的选择。这些产品一般都有保本承诺，投资者购买这样的理财产品，既可实现保本，又可根据自己对黄金市场的判断进行选择，获得预期收益。

6. 要有投资风险的意识

对于收益和风险并存这一点，多数人首先是从一种负面的角度来考虑风险，甚至认为有风险就会发生亏损。正是由于风险具有消极的、负面的不确定因素，使得许多人不敢正视，无法客观地看待和面对投资市场，所以裹足不前。

投资者在交易中要知道自己愿意承担多少风险，能够承担多少风险，以及每笔交易应有的回报。

投资者参与黄金市场的过程，就是正确认识风险，学会承担风险，然后对风险进行规避的过程。在投资市场如果没有规避风险的意识，就会使资金出现危机，失去赢利的机会。那么，怎样做才能真正地降低黄金投资的风险？以下几种方式非常值得借鉴：

1. 关心时政

国际金价与国际时政密切相关，比如美伊危机、朝鲜核问题、恐怖主义等造成的恐慌、国际原油价格的涨跌、各国中央银行黄金储备政策的变动等。因此，新手炒黄金一定要多了解一些影响金价的政治因素、经济因素、市场因素等，进而相对准确地分析金价走势，把握大势才能把握赢利时机。

2. 选准时机

每年的8月中旬至11月，黄金市场最大的消费国印度有多个宗教节日，这将极大地刺激市场对黄金饰品的需求。此外，第四季度适逢西方的感恩节、圣诞节和中国的农历新年等传统黄金需求旺季，此时金价也会有一定的上涨空间。

3. 多元化投资

从市场的角度来看，任何资产或者投资的风险都由两部分组成，一是系统性风险，指宏观的、外部的、不可控制的风险，如利率、现行汇率、通货膨胀、战争冲突等，这些是投资者无法回避的因素，是所有投资者共同面临的风险。这是单个主体无法通过分散化投资消除的。另外一个是非系统风险，是投资者自身产生的风险，有个体差异。多元化投资可以在一定程度上降低非系统化风险，从而降低组合的整体风险水平。新手炒金由于缺乏经验，刚开始时投入资金不宜全仓进入，因为市场是变幻莫测的，这样做风险往往很大，即使有再准确的判断力也容易出错。炒"纸黄金"的话，投资专家建议采取短期小额交易的方式分批介入，每次买进10克，只要有一点利差就出手，这种方法虽然有些保守，却很适合新手操作。

一般在黄金投资市场，如果投资者对未来金价走势抱有信心，可以随着金价的下跌而采用越跌越买的方法，不断降低黄金的买入成本，等金价上升后再获利卖出。

4. 采用套期保值进行对冲

套期保值是指购买两种收益率波动的相关系数为负的资产的投资行为。

例如，投资者买入（或卖出）与现货市场交易方向相反、数量相等的同种商品的期货合约，进而无论现货供应市场价格怎么波动，最终都能取得在一个市场上亏损的同时在另一个市场赢利的目的。而且，套期保值可以规避包括系统风险在内的全部风险。

5. 建立风险控制制度和流程

投资者自身因素产生的如经营风险、内部控制风险、财务风险等往往是由于人员和制度管理不完善引起的，建立系统的风险控制制度和完善管理流程，对于防范人为的道德风险和操作风险有着重要的意义。

6. 树立良好的投资心态

理性操作是投资中的关键。做任何事情都必须拥有一个良好的心态，投资也不例外。心态平和，思路才会比较清晰，面对行情的波动才能够客观地看待和分析，减少情绪慌乱中的盲目操作，降低投资的风险率。并且由于黄金价格波动较小，投资者在投资黄金产品时切忌急功近利，建议培养长期投资的理念。

7. 选购黄金藏品

黄金原料价格市场波动，黄金藏品的投资价值不断攀升，因为黄金藏品不仅具有黄金的本身价值，而且具有文化价值、纪念价值和收藏价值，对新手而言，黄金藏品的投资比较稳当。

房地产——“黄土”变黄金的魔法游戏

房地产吸引人们投资的因素

房子，不仅可以自己居住，还可以作为一种家庭财产保值增值的有效方式。如果你有一定的闲置资金，投资房产是个不错的选择。而且伴随着中国人口的高速增长，户籍制度的建立，使得大城市的人口越来越集中，而土地有限。中国的城镇化进程正是热火朝天的时候，城镇的有限土地资源就显得更值钱了。房产能够抵消通货膨胀带来的负面影响，在通货膨胀发生时，房产也会随着其他有形资产的建设成本不断上升，房产价格的上涨也比其他一般商品价格上涨的幅度大。因而投资房产成为人们的首选。

众所周知，投资房产以买卖形式进行房产交易，存在着较大的风险性：一是低买高卖的时机难以把握；二是交易成本高，对于一般家庭来说，购置房产也算是一笔不小的开支，可能会影响到整个家庭生活，且缺乏灵活的变现能力。但对于一个聪明的现代人而言，与其他投资理财工具相比，房产是创造和积累财富最好的途径之一。

今天百亿身价的超级富翁，90%是大片地产的拥有者。无论是在美洲、欧洲，还是在日本、中国香港，他们是拥有大量财富、土地的家族，无论是社会动荡还是政府更替，甚至战争，他们的财富似乎都照样不变。名列港澳十大首富榜首的李嘉诚，是长江实业集团、和记黄埔集团主席。李嘉诚是名副其实的地产大王，他从地产业发迹，最终成为压倒群雄的“地产界巨子”；有“中国电影大王”之称的邵逸夫爵士，财产遍及美国、加拿大及东南亚。他这样谈及自己的致富之道：“我的财产主要来自购入的地皮升值，我买戏院时，总会买下附近的地皮，戏院带旺附近区域后，买入的地皮便会大幅升值”；靠黄金珠宝业起家的郑裕彤，成为超级巨富，仍是离不开地产。他对投资珠宝和地产津津乐道：“凡与民生有密切关系的生意都有可为，女人喜爱珠宝，举世皆然。人要住屋，年轻人成家后喜欢自辟小天地，对楼宇便有大量需求，做这些生意不会错到哪里。”

房产投资让许许多多的人着迷，最突出的一点就是可以用别人的钱来赚钱。我们大部分的人，在今天要购买房屋时，都会向银行贷款，越是有钱人，越是如此。同时，银行乐意贷款给你，是因为房产投资的安全性和可靠性。房地产投资在个人理财中的优势，集中体现在三个方面：

1. 规避通货膨胀的风险

在家庭资产中，视家庭的经济状况将资产进行有效组合，以规避风险和获取较高的收益，是家庭理财的主要目标。一般来讲，在宏观经济面趋好时，会带动房产升温和价格上涨，投资者可以从中获利。宏观经济面恶化时，房产价格的抗通货膨胀的能力也强得多。

2. 利用房产的时间价值获利

房产投资是一项长期的投资，它的投资价值是逐步凸显的。纵观世界经济的发展趋势，城市房产的供求关系必将受到一定程度的影响。从长远角度上看，城镇特别是经济活跃的大中型城市，其房产价格必将会一步步上涨。

3. 利用房产的使用价值获利

其主要渠道就是出租，即将投资的商品房或门店通过出租的方式获取收益。通过这种方式获利，其核心就是要明晰所投资的房产有没有发展的潜力和价值。如商品房，一定要看社区的规模、配套设施、环境、交通、治安和人文环境等因素。以及将来是将房产租给打工族住，租给白领住，抑或租给其他人群住？现在出租，在使用价值上能不能获利，能获利多少？将来在时间价值上，房子能不能增值，能增值多少？

总之，房产投资不是盲目的买房卖房，必须要充分了解市场，因此表现出来的投资方式、投资结果也不尽相同，这就需要投资者在具体的操作中加以分辨了。

 房地产投资前的五大注意事项

任何投资都有风险，房地产投资也不例外。房价起起落落，楼市沉沉浮浮。尽管收益越来越变幻莫测，但是房产投资市场依然吸引着众多投资者。要想防止自己的房产投资变成一块“鸡肋”，投资者在入市前就应该关注房地产投资风险及其化解之道。

只有把握科学的介入时机，才能获取较好的收益。因此，在房产投资前，需要对以下事项引起注意：

1. 注意国家的经济增长率

一个国家的经济增长水平，反映了国家的发展速度和景气程度。经济增长率高且持续发展，必然会刺激房地产业的快速发展，房地产的建设和成交量会十分活跃，新楼盘不断涌现，有效供给不断增加，使房地产业一片繁荣，特别是国家把房地产业作为经济增长点和国民经济的支柱产业后，必然会在政策上予以支持，使商品房大量上市，给购房者以充分的选择余地，可以用相对较低的投入获得比较满意的住房。

2. 注意开发商的平均利润

房地产开发商牟取暴利的时代已经过去。从房地产上市公司提供的数据表明，房地产开发企业的平均利润由1994年的32.4%，降低到1997年的12.45%，即使平均利润为10%，也是泡沫多多。随着房市愈加成熟和规范，未来市场的投机机会越来越少，投机成本越来越接近国际平均的利润率（即6%~8%）。

3. 注意利率的变化

在买房时，购房者大多离不开银行的支持，特别是工薪族大多利用银

行贷款购房。从目前情况看，银行几次降息，住房贷款无论是公积金还是按揭都是比较低的，主要目的是刺激消费，现在购房在利率上无疑是最合算的。

4. 注意销售量

一般来讲，不管是现房还是期房，如果销售量不到30%，那么开发商的成本还没有收回，在销售业绩不佳的时候，开发商有可能降低房价。若销售量有50%，表明供销平衡，房价在一定时间内不会变化，如果已经卖出70%表明需求旺盛，有可能涨价，当卖出90%以后，由于开发商想尽快发展其他项目，房价可能会降下来。看销售量也是把握购房时机的方法之一。

5. 注意房屋的空置率

当某一楼盘空置90%时，价格应是比较低的时候，但消费者也要付出一定的代价，例如装修噪声、服务不到位、环境杂乱无章、交通不便等；当空置率为50%时，小区已经有了一定的发展，购房既能得到较好的价格，又能得到开发商、物业公司提供的服务，是最佳的入住时机。

6. 关于房子本身的问题

一般来说，买方和卖方对商品的了解和认知在信息上明显是不对称的，往往是卖方处于强势，而买方处于劣势。且在现实生活当中，确实有很多买家在购买项目时往往会听取开发商的片面之词，买了质量不好或者不满意的房子。所以，建议投资者在考虑投资房产的时候要在考虑投资安全的前提下，不妨货比三家，选择适合自己的房产投资理财项目和品种。

房产升值的八个因素

购买自住房考虑最多的是价格合适、居住舒适等问题，而投资购房则更像投资股票一样，考虑更多的则是房产的升值问题，包括房屋价格和租

金的上升等。一般而言，投资股票你没有实力坐庄，你就难以把握自己的命运，任人摆布的时候居多。但是，投资房地产即使你只是一个中小投资者也不会妨碍你正常获利。实际上，影响房产增值的因素很多，主要是以下几个因素：

1. 位置

在诸多影响房产增值的因素中，位置是首当其冲的，是投资取得成功的最有力的保证。房地产业内有一句话叫“第一是地段，第二是地段，第三还是地段”，可见地段的重要性。影响房产价格最显著的因素是地段，而决定地段好坏的最活跃的因素是交通状况。一条马路或城市地铁的修建，可以使不好的地段变好，相应的房产价格自然也就直线上升。购房者要仔细研究城市建设进展情况，以便寻找具有升值潜力的房产。分析某一地段时，并不是看它是否在繁华市中心，相反市郊结合部往往具有更大的升值空间。

2. 交通状况

影响房产价格最显著的因素是地段，决定地段好坏的最活跃的因素是交通状况，一条马路或城市地铁的修建，可以立即使不好的地段变好，好的地段变得更好，相应的房产价格自然也就直线上升。投资者要仔细研究城市规划方案，关注城市的基本建设进展情况，以便寻找具有升值潜力的房产。应用这一因子的关键是掌握好投资时机，投资过早可能导致资金被套牢，投资过晚则可能丧失房产投资的利润空间。

3. 商圈

商圈也是决定房价的关键因素，所购房产地处的商圈的成长性将决定该房价的增长潜力。所谓住宅所处的商圈，由几部分构成：其一是就业中心区，一个能吸收大量就业人口的商务办公区或经济开发区。就业人口是周边住宅的最大需求市场，这个就业中心区的层次将决定周边住宅的定位，其成长性将决定周边住宅开发在市场上的活力；其二，在离就业中心区3~5公里的地带将集中形成一个有规模的、统一规划的成片住宅区，一般要超过四五个完整街区。在就业中心区与住宅区之间，有简洁、完整、多样化的交通线路；其三，在住宅区中，有一个以大卖场为中心的商业中

心，辐射20分钟步程。就业中心区、住宅区、大卖场三者之间将会形成一种互动的关系。与就业中心区的互动成就了住宅区开发的第一轮高潮。而大卖场的选址却是洞悉第二轮增长的关键。

4. 环境

包括生态环境、人文环境、经济环境，任何环境条件的改善都会使房产升值。生态环境要看有无空气、水流等公害污染及污染程度等，如果小区内开辟有大量的绿地或有园林，这样的小区就可因局部区域绿地的变化而使气候有所改良，小区内的植被会吸收噪音、阻断尘埃，可将受污染的空气渐渐净化。在购房时，要重视城市规划的指导功能，尽量避免选择坐落在工业区的房产。每一个社区都有自己的背景，特别是文化背景。在知识经济时代，文化层次越高的社区，房产越具有增值的潜力，比如外国人喜欢聚居在使馆区周围的公寓、住宅里，其外国文化背景使得使馆区周围的外销公寓很受青睐。

5. 配套

在关注房产本身的同时，还要放眼所购房产的配套设施。配套设施的齐全与否，直接决定着该地段房产的附加价值及升值潜力，同时也是决定着入住后居家生活方面舒适与否的关键因素。同交通条件类似，配套条件也主要针对城郊新区的居住区而言，在城市中心区域大多不存在配套问题。很多小区是逐步发展起来的，其配套设施也是逐步完成的。配套设施完善的过程，也就是房产价格逐步上升的过程。

6. 品质

随着科学技术的发展，住宅现代化被逐步提上了日程。实际上，房产的品质是在不断变好的。这就要求在买房时，要特别注意房产的品质，对影响房产品质比较敏感的因素，要重点考虑其抗“落伍”性。如规划设计的观念是否超前，是否具有时代感，是否迎合物业发展的趋势。好的规划设计，能够体现其自身的价值。一栋造型建筑物，可以提高自身的附加值。房产的内部空间布局也很重要，一栋经过良好规划的建筑物，不仅室内空间完整方正，对于采光、通风、功能分隔的考虑也都要符合使用要求，当然价值也高。另外，建材设备优良的房产也具有较大的升值潜力。

7. **期房合约**

投资期房具有很大的风险，投资者要慎而又慎。但一般来说，风险大收益也会比较丰厚。相应地，如果能够比较合理、合法地应用好期房合约的话，应该是可以获得丰厚回报的。在这里，有两点要引起足够重视，一是要请专业人士帮助起草期房合约；二是要挑选有实力和信誉的开发商。这样可以保证能够按期拿到合乎标准的房子，或者万一出现开发商违约的情况，也能够保证资金的安全和获得开发商给付的违约金。

 房地产投资的七种模式

随着住房制度的改革和福利分房的取消，住房消费已经成为城镇居民消费的首要选择。在住房消费的广阔市场中，住房投资应运而生。如何选择适合自己经济状况的住房投资很重要，人们可以选择以下七种形式：

1. **直接购房模式**

住房实物投资是直接投资，即投资者用现款或分期付款的方式直接向房主或房地产开发商购买住房，或出售或出租以获取投资回报。这是一种传统的投资方式，也是住房投资者目前最常用的一种方式。

2. **合建分成**

合建分成就是拆旧建新，共售分成。这种操作手法要求投资者对房地产整套业务相当精通才好操作。

3. **以旧翻新**

把旧楼买来或租来，投入一笔装修费，以提高该楼的附加值，然后将装修一新的楼宇出售或转租，从中赚取利润。

4. **以租养租**

即长期租赁低价楼宇，然后以不断提升租金标准的方式转租，从中赚

取租金养租。如果投资者刚开始做房地产生意，资金严重不足，这种投资方式比较合适。

5. 以房换房

以洞察先机为前提，看准一处极具升值潜力的房产，在别人尚未意识到之前，以优厚条件采取以房换房的方式获取房产，待时机成熟再予以转售或出租从中谋利。

6. 以租代购

即指开发商将空置待售的商品房出租并与租户签订购租合同。若租户在合同约定的期限内购买该房，开发商即以出租时所定的房价将该房出售给租住户，所付租金可冲抵部分购房款，待租住户交足余额后，即可获得该房的完全产权。

7. 到拍卖会上淘房

目前，许多拍卖公司都拍卖各类房产。这类房产一般由法院、资产公司或银行等委托拍卖，基于变现的需要，其价格往往只有市场价格的70%左右，且权属一般都比较清晰。

选择合适的贷款方式，和“房奴”说bye-bye

买房的人越来越多，选择贷款买房的人也越来越多，不管是对于个人，还是对于很多家庭来说，贷款买房都是一笔较大的投资。因此，怎样申贷还贷更经济、更合理，如何选择贷款年限、贷款金额以及还贷方式就显得尤为重要。

选择合理的贷款之前要对自己的购房能力进行一次综合评估，首先要看自己是否有不低于所购房价30%的首期付款，几乎所有的房产商都有这个硬性要求；其次要评估自己每月偿还住房贷款所能承受的能力，即每月家庭收入及其他变现强的金融资产和每月必需支出与备用资金的

差额，是否大于住房贷款每月所需偿还的贷款本息。这点可以参考一些银行设计的“家庭月收入与个人住房商业性贷款对照参考表”，让你心中有数。

对自己的综合购房能力进行评估以后，就可根据自己的能力选择适合自己的房贷。目前的贷款品种主要有“个人住房公积金贷款”、“个人住房商业性贷款”、“个人住房装修贷款”三大类。贷款利率“个人住房公积金贷款”利率最优惠，1~5年期年利率为4.14%、6~30年期4.59%；“个人住房商业性贷款”利率次之，1~5年期5.31%、6~30年期5.58%；“个人住房装修贷款”利率最高，1年期5.85%、2~3年期5.94%、4~5年期6.03%。

从数据显示可以看出，贷款年限越长，每月供款就越少，所要还的贷款利息也就越多。一般的贷款年限都在20年以下，银行很少批出长达30年的供楼贷款。贷款条件中有一条不成文的规定，就是贷款者的当前年龄加上所申请的贷款年限不能超过60岁。大多数购房者平均年龄普遍都在30岁左右，如果加上30年一般都会超过60岁，因此银行很少批出30年的贷款。

选择了适合自己的贷款方式以后，还要根据自身情况灵活地选择还款方式。不少人认为，供楼期间前几年所还的款项只是利息，等利息全部清还后的供款才是所借的本金。事实并非如此，银行推行的还贷方式主要有两种，第一种是等额本息还款，它的最大特点是消费者每月供款金额都是一样的，这种月供款中包含本金和利息，但每个月本金和利息所占的比例都不一样，利息所占的部分是根据当月的供款余额所计算所得出来的。例如购房者向银行借10万元，还款年限也为10年，月供款为1 062元左右，以5年以上4.2‰的月利率计算，第一个月还款中本金和利息分别是642元和420元；而在第二个月，所还利息则为（100 000−1 062）×4.2‰=415.5元，本金为1 062−415.5=646.5元；第三个月，所还利息是（100 000−1 062×2）×4.2‰=411元，本金为1 062−411=409元……以此类推，越往后，月供款中本金所占的比例会越来越大，而利息所占的比例则随着供款余额的减少而越来越少。如果有一笔较大的资金可以提前还款，则月供款将根据新的供款余额重新计算。购房者也可以根据自己的经济实力到银行缩短还贷年

限，例如从20年修改为10年，从修改的那个月开始，月供款额会按照供款余额和新的还贷年限重新计算。

还有一种还款方式是等额本金还款：这种方式每月的供款中所占的本金是一样的，月利息也是按当月供款余额计算，不同的是每月月供款额。如购房者向银行贷10万元，还款年限是10年，每月的还款本金统一为833元左右；实际上第一个月还款是833+100 000×4.2‰=1 253元；而第二个月还款则是833+（100 000-1 253）×4.2‰=1 248元；第三个月还款为833+（100 000-1 253-1 248）×4.2‰=1 242元……以此类推，月供款额会逐渐减少。

选择等额本息还款还是等额本金还款要根据预计还款时间而定，因为其中的利息是不一样的。例如贷款期限为20年，贷款额为30万元，以等额本息的还款方式，月均还款约为2 297元，20年共需还款约55万元，利息约25万元；如果选择等额本金的还款方式，贷款期限20年，首月还款额约为2 960元，20年共需还款约为50万元，其中利息约20万元。而对于一笔金额相同的贷款，缩短贷款年限或选择合适的还款方式都可以达到减少利息的目的。

总而言之，买房的时候能用公积金贷款就一定要用公积金，然后结合自己的情况选择还贷方式。在选择贷款方式的时候，购房者一定要考虑以下几个问题：

（1）银行贷款利率执行的是一年调整一次的政策，如果预期存贷款利率上调，应该提早办理贷款，从而贷款利率相应较低。

（2）购房者首先应考虑自筹资金，不足部分办理公积金与商业性贷款的组合贷款，从而降低借贷成本。

（3）投资性房产的流动性较差，当受宏观经济政策和经济周期等方面的外因影响较大时，应该适当降低房产投资比重，以适当规避投资的风险。

 好房子一辈子，精挑细选买房子

拥有物美价廉的房子无疑是现在很多人的最大理想，但是对于购房者而言，挑选房子不是寻找最好的楼盘、最好的户型，而是在自己的承受能力范围之内寻找最具有性价比和投资价值的房子。那么，在越来越多的新推出的楼盘中，如何寻觅自己如意的栖身之所呢？根据理财专家的经验，可以从下面几个方面着手予以考察：

1．位置要有升值潜力

房产作为不可动的资产，所处位置对其使用和保值、增值起着决定性的作用。房产作为一种最实用的财产形式，即使买房的首要目的是为了居住，购买房产仍然是一种较经济的、具有较高预期潜力的投资。房产能否升值，所在的区位是一个非常重要的因素。

看一个区位的潜力不仅要看现状，还要看发展，如果购房者在一个区域各项市政、交通设施不完善的时候以低价位购房，待规划中的各项设施完善之后，则房产大幅升值很有希望。区域环境的改善会提高房产的价值。

2．配套要方便合理

居住区内配套公建是否方便合理，是衡量居住区质量的重要标准之一。稍大的居住小区内应设有小学，以排除城市交通对小学生上学路上的威胁，且住宅离小学校的距离应在300米左右（近则扰民，远则不便）。菜店、食品店、小型超市等居民每天都要光顾的基层商店配套，服务半径最好不要超过150米。

目前在售楼书上经常见到的会所，指的就是住区居民的公共活动空间。大多包括小区餐厅、茶馆、游泳池、健身房等体育设施。由于经济条件所限，普通老百姓购买的房子面积不会很大，购房者买的是80平方米的住宅，有了会所，他所享受的生活空间就会远远大于80平方米。

随着居住意识越来越偏重私密性，休闲、社交的需求越来越大，会所将成为居住区不可缺少的配套设施。会所都有哪些设施，收费标准如何，是否对外营业，预计今后能否维持正常运转和持续发展等问题，也是购房者应当了解的内容。

3. 环境要优美

现在住宅项目的园林设计风格多样，有的异国风光可能是真正翻版移植，有的欧陆风情不过是虚晃几招，这就需要购房者自已用心观察、琢磨了。但是居住环境有一个重要的硬性指标——绿地率，是居住区用地范围内各类绿地的总和占居住区总用地面积的百分比。

值得注意的是，“绿地率”与“绿化覆盖率”是两个不同的概念，绿地不包括阳台和屋顶绿化，有些开发商会故意混淆这两个概念。由于居住区绿地在遮阳、防风防尘、杀菌消毒等方面起着重要作用，所以有关规范规定：新建居住区绿地率不应低于30%。

4. 容积率要适宜

建筑容积率是居住区规划设计方案中主要的技术经济指标之一。这个指标在商品房销售广告中经常见到，购房者应该了解。

一般来讲，规划建设用地范围内的总建筑面积乘以建筑容积率就等于规划建设用地面积。规划建设用地面积指允许建筑的用地范围，其住区外围的城市道路、公共绿地、城市停车场等均不包括在内。建筑容积率和居住建筑容积率的概念不同，前者包括了用地范围内的建筑面积，和总用地一样，因此在指标中，前者高于后者。

容积率高，说明居住区用地内房子建的多，人口密度大。一般说来，居住区内的楼层越高，容积率也越高。以多层住宅（6层以下）为主的住区容积率一般在1.2~1.5，高层高密度的住区容积率往往大于2。

在房地产开发中为了取得更高的经济效益，一些开发商千方百计地要求提高建筑高度，争取更高的容积率。但容积率过高，会出现楼房高、道路窄、绿地少的情形，将极大地影响居住区的生活环境。

5. 区内交通要安全通畅

居住区内的交通分为人车分流和人车混行两类。目前作为楼盘卖点的

人车分流，是指汽车在小区外直接进入小区地下车库，车行与步行互不干扰。小区内没有汽车穿行、停放、噪音的干扰，小区内的步行道兼有休闲功能，可大大提高小区环境质量，但这种方式造价较高。

人车混行的小区要考察区内主路是否设计得通而不畅，以防过境车流对小区的干扰。是否留够了汽车的泊位，停车位的位置是否合理，停车场若不得不靠近住宅，应尽量靠近山墙而不是住宅正面。

另外，汽车泊位还分为租赁和购买两种情况，购房者有必要搞清楚：车位的月租金是多少；如果购买，今后月管理费是多少，然后仔细算一笔账再决定是租还是买。

6. 价格要弄清楚

看价格时，首先要弄清每个项目报的价格到底是什么价，有的是开盘价，即最低价，有的是均价，有的是最高限价，有的是整套价格，有的是套内建筑面积价格。

最主要的是应弄清（或换算）所选房屋的实际价格，因为上述几种报价出入很大，不弄明白会影响你的判断力。交房时是毛坯房、初装修还是精装修，也会对房屋的价格有影响，比较房价时应考虑这一因素。

7. 通风效果要好

在炎热的夏季，良好的通风往往同寒冷季节的日照一样重要。一般来说，板楼的通风效果好于塔楼。目前楼市中还有塔联板和更紧密结合的塔混板出现，在选择时，购房者要仔细区别哪些户型是板楼的，哪些户型是塔楼的。

此外还要注意，住宅楼是否处在开敞的空间，住宅区的楼房布局是否有利于在夏季引进主导风，保证风路畅通。一些多层或板楼，从户型设计上看通风情况良好，但由于围合过紧，或是背倚高大建筑物，致使实际上无风光顾。

8. 户型要合理舒适

平面布局合理是居住舒适的根本，好的户型设计应做到以下几点：

入口有过渡空间，即“玄关”，便于换衣、换鞋，避免一览无遗。

平面布局中应做到动静分区。动区包括起居厅、厨房、餐厅，其中餐

厅和厨房应联系紧密并靠近住宅入口。静区包括主卧室、书房、儿童卧室等。若为双卫，带洗浴设备的卫生间应靠近主卧室，另一个则应在动区。

起居厅的设计应开敞、明亮，有较好的视野，厅内不能开门过多，应有一个相对完整的空间摆放家具，便于家人休闲、娱乐、团聚。

房间的开间与进深之比不宜超过1∶2。

厨房、卫生间应为整体设计，厨房不宜过于狭长，应有配套的厨具、吊柜，应有放置冰箱的空间。卫生间应有独立可靠的排气系统。下水道和存水弯管不得在室内外露。

9. 设备要精良到位

住宅设备包括管道、抽水马桶、洗浴设备、燃气设备、暖气设备等。主要应注意选择这些设备质量是否精良、安装是否到位，是否有方便、实用、高科技的趋势。

以暖气为例：一些新建的小区，有绿色、环保、节能优点的壁挂式采暖炉，温度可调，特别是家里有老人和儿童时，可将温度适当调高，达到最佳的舒适状态。

10. 节能效果要好

住宅应采取冬季保温和夏季隔热、防热及节约采暖和空调能耗的措施，屋顶和西向外窗应采取隔热措施。寒冷地区北向窗户也不宜过大，并应尽量提高窗户的密封性。住宅外墙应有保温、隔热性能，如外围护墙较薄时，应加保温构造。

11. 隔音效果要好

噪声对人的危害是多方面的，它不仅干扰人们的生活、休息，还会引起多种疾病。购房者虽然大多无法准确测量，但是应当注意住宅应与居住区中的噪声源如学校、农贸市场等保持一定的距离；临街的住宅为了尽量减少交通噪声应有绿化屏障、分户墙；楼板应有合乎标准的隔声性能，一般情况下，住宅内的居室、卧室不能紧邻电梯布置以防噪音干扰。

12. 面积要适宜

随着小户型热潮的兴起，商品房的套内面积稍稍降了一些，但是许多购房者仍然认为住房面积越大越好，似乎小于100平方米的住宅就只

能是梯级消费的临时过渡产品。甚至一些经济适用房也名不副实，大户型、复式户型盖了不少，致使消费者也被误导，觉得大面积、超豪华的住宅才好用。其实尺度过大的住宅，人在里面并不一定感觉舒服。从经济上考虑，不仅购房支出大，而且今后在物业、取暖等方面的支出也会增加。

住宅档次的高低其实不在于面积的大小，三口之家面积有70~90平方米就基本能够满足日常生活需要，关键的问题在于住宅是否经过了精心设计、是否合理地配置了起居室、卧室、餐厅等功能，是否把有限的空间充分利用了起来。

13. 公摊面积要合理

购房者买房时，一定要注意公摊面积是否合理，一般多层住宅的公摊面积较少，高层住宅由于公共交通面积大，公摊面积较多。同样使用面积的住宅，公摊面积小，说明设计经济合理，购房者能得到较大的私有空间。但值得注意的是，公摊面积也并不是越小越好，比如楼道过于狭窄，肯定会减少居住者的舒适度。

14. 物业收费合理，服务到位

买房时购房者一定要问问，物业公司是否进入了项目，何时进入项目。一般来说，物业公司介入项目越早，买房者受益越大。

若在住宅销售阶段物业公司还没有介入，开发商在物业管理方面做出许多不现实、不合理的承诺，如物业费如何低，服务如何多等，待物业公司一核算，成本根本达不到，承诺化为泡影，购房者就会有吃亏上当的感觉。

其实，一些开发商将低物业收费作为卖点实在没有什么可信度，因为物业收费与开发商根本没有什么太大关系。项目开发、销售完毕，开发商就拔营起寨、拍拍屁股走人了，住户将来长期面对的是物业管理公司，物业管理是一种长期的经营行为，如果物业收费无法维持日常开销，或是没有利润，物业公司也不肯干。

15. 雨后看楼

倘若你买的是现房，不但要在晴天去看采光等方面，有条件的话，在

雨天也要去看看房子，查看屋里有没有渗漏的痕迹，否则一旦住进去就会后悔莫及了。

巧买二手房，胜过存银行

现如今，股市、保险、期货等理财渠道可以说越来越多，但是真正适合工薪族的投资方式却少得可怜。随着房地产发展的扩大，二手房交易也越来越火爆。因二手房交易引发的纠纷较多，所以交易二手房有很多细节需要注意：

1. 对中介全面审查

根据统计资料显示，全国二手房交易中经过中介成交的已经占到80%。然而如果在交易过程中，遇到资质差或者根本没有资质的中介公司，则后果不堪设想。所以下面先教给大家如何辨别中介公司的等级和真伪。

一看中介公司是否有明确的公司名称、长期经营的地址。这可以通过看中介公司的招牌、询问周围邻人该公司成立情况及经营情况来确定，以防皮包公司诈骗。

二看中介公司营业执照以确定该公司的营业资质。看是否可以进行二手房中介业务，办理经营二手房中介的中介公司的营业执照需要众多的条件，包括相关的有中介资质从业人员等条件。

三看中介公司营业执照确定它的注册资金。中介公司注册资金不能低于买卖一套房子的价格。客户通过中介来交易房屋最主要的原因就是不希望直接交接房款，希望在整个交易过程中有一个第三方来维护双方的利益，所以一定要找到一家公司的风险承受能力即该公司的注册资金能大于该房屋的总价或该中介公司为品牌公司，拥有良好的信誉，一旦发生纠纷，作为消费者的客户能得到妥善解决。

四看中介公司是否拥有有合法的房地产经纪人资质的从业人员，是否

有房地产经纪人资格的业务员在为你提供中介服务。拥有资质的从业人员在从事二手房交易过程中如有任何违法或对客户不利的情况发生，有关部门将通过相关政府行政措施会对其进行相应惩戒。

五看中介公司与你签订的居间合同是否经过备案。由于二手房交易中有很多专业术语和一些行规惯例，对于合同的使用要求就是格式合同应在使用区的工商局进行备案，而凡是在工商局备案的格式合同在备案时工商局已经就相关的条款进行审核了，就有关消费者的权益进行了相关的调控，基本能保障消费者的权益。

六看中介公司是否有专业的从业人员负责签约并办理相关的后续服务。大公司和小公司之间的区别也比较明显，小中介公司一般由业务员全程处理所有事项，大的品牌公司一般分工较细，会将房产交易的前端和后续分开，由房产业务员从事前端的房产开发、带看、收意向金、斡旋、交房等工作，另外再设立专门部门从事签订房地产买卖合同、办理过户、贷款、领证等手续。这样既有利于资源优化又可以确保交易的真实性，防止为利走险，能尽最大可能保障交易安全。

从上面几条，我们可以看到房屋中介公司的情况，所以如果我们要买卖二手房，寻找中介来交易房屋最主要的原因就是不希望直接现金交易，希望在整个交易过程中有一个第三方来维护双方的利益，但是一旦找到一个黑中介，可能适得其反。所以二手房交易一定先看好一家可靠的中介机构。

2. 关注细节不吃亏

（1）订金。在二手房交易中，因为订金的问题经常发生买卖双方冲突。订金是对买方的约束，如果卖方收取了订金而违约，就要双倍返还订金。

收订金后，如果买方没有按时履行约定，卖方将房转卖他人应该手握对方退房申请，最好让买方写书面退房申请，否则将要双倍返回订金。

购房合同对双方当事人都具有法律约束力，任何一方不得擅自变更或解除合同。如果买房人违约在先，卖房人可不退订金。买房人没有以书面方式明确表态不履约，则房主在未解除合同也不退订金的情形下将房子卖

给他人的行为就违反了合同。

对于房主而言，若买房人提出退房或解除合同，应要求买房人提出书面解约的申请或声明，以保全对方违约在先的证据，然后才可以将房子卖给第三方。

（2）付款方式。房款如何支付，必须在合同中详细写清楚。买卖房子属于大宗交易，所以交易如何付款、如何收款一定要详细说明，而最好找到合适的银行托管，以防止生变。

双方签订买卖合同时，应对付款流程、方式和时间作出明确、具体的约定。买房人如果将购房款交给中介公司再转交卖方，应先审查中介公司的资质状况。特别是不能将购房款交给中介公司的个别职员，防止他们卷款潜逃。

目前有的中介公司已经与国内银行共同开发了二手房交易资金托管业务，由银行作为担保人。买房人先在银行开设一个经管账户，并将房屋首付款或者全部价款存入该账户。当买房人确定已经安全办理了房屋过户手续后，就可通知银行将该笔存入的房款转给卖房人。这样可以保证资金安全。

（3）房龄。一样的房子，建造年代不同，房子的价格肯定不同。

通过中介公司买卖二手房，应审查两方面内容：一是上家的委托价与下家的买价是否一致；二是中介公司收取的佣金数额不得超过国家规定的上限比例，即不超过全部购房款的3%。审查的依据是下家与中介公司签订的居间合同和上下家签订的买卖合同。这样的审查能有效地防止极少数中介从业人员违反规定，赚取差价或谋取不当利益。

（4）产权。买二手房一定要过户，手里没房产证隐患多。房产证是证明房主对房屋享有所有权的唯一凭证，没有办理房产证对买房人来说有得不到房屋的极大风险，因此引发的纠纷也较多，所以买房必须要及时办理房屋过户手续。

如果买卖双方同意，最好到公证处去办个提存公证，即买方将购房款存放到公证处，在条件符合约定的情况下，由公证处将该笔款项支付给卖方。也可到律师事务所办理提存见证，由具有专业资质的律师事务所来充

当“公证人”的角色。申请了公证或见证后，如产权证办不出来，那么卖方是收不到钱的。

除了要看房屋是否有房产证外，还要查清房屋的以下几点情况：

要点一：房屋产权是否明晰。有些房屋有好多个共有人，如有继承人共有的、家庭共有的，还有夫妻共有的。对此，买房人应当和全部共有人签订房屋买卖合同，否则无效。

要点二：交易房屋是否被租赁。买二手房时，应注意该房屋是否已被出租。我国法律有“买卖不破租赁”的原则。也就是说，如果购买房屋时该房屋已被租赁，则该租赁合同对于新的房主而言继续有效。

要点三：土地情况是否清晰。买二手房时买房人应注意土地使用性质，看是划拨还是出让。划拨土地一般是无偿使用，政府可无偿收回。同时，应注意土地使用年限。

要点四：福利房屋交易是否受限制。房改房、经济适用房本身是福利性质的政策性住房，转让时有一定限制，买房人购买时要避免买卖合同与国家法律冲突。例如，经济适用房的交易是有一定限制的，购买5年以上才可进入市场并按市场价进行转让，5年以内则只能以原价转让，而且购买方还必须符合购买经济适用房的条件。

在实际看房时，最好要实地调查，明确房屋的具体情况，签订合同一定要写清房屋的具体情况，如地址、面积、楼层等。对于房屋实际面积与产权证上注明的面积不符的（如测绘的误差、某些赠送面积等），应在合同中约定：是以产权证上注明的为准，还是双方重新测绘面积，必须予以明确。

（5）公证。买卖双方大部分是不熟悉的双方进行交易，不可能对房子的各种状态了解透彻，这样可以让房屋中介做一些问题的磋商之后做一些公证。这样，花费不大，但是具有法律效力，一旦出现纠纷，可以按照公证内容做裁决。

买卖合同公证：主要针对房屋买卖当中一方当事人为境外人的情况。在房屋买卖过程当中，如一方为境外人则买卖合同必须经过公证后方生效，否则无法送交易中心交易，所以境外人办理相关房屋买卖必须办理买

卖合同公证手续。

委托公证：主要指房东或客户方无法亲自办理相关房产过户手续，只能委托其他人或中介公司办理相关手续，由于交易中心无法确认手写委托书的真实性，交易中心一般会要求无法亲自到场的当事人出具公证后的委托书，方为其办理相关的过户手续。

贷款合同公证：境外人购房如须贷款，则其贷款合同必须经过公证处公证生效。只有公证处公证后的贷款合同，交易中心才会受理并办他项权利证。

赠与公证：在二手房交易中还有一种方式即赠与，原房主自愿将房屋赠与给他人，并要求将房屋产权人名字进行更改。

复印件与原件相符公证：以前政策允许转让期房时，由于可以不经开发商同意进行交易，而客户不经开发商同意进行交易，开发商也不愿提供相关的预售合同，但交易中心交易必须提供足够的预售合同方能交易，因此必须拿着房东手中的预售合同办理复印件与原件相符的公证，拿出6本以上的合同前往交易中心办理转让手续。

（6）证件。二手房交易办证所涉及的资料与证件：《房屋转让合同》原件；收款凭证；买卖双方个人身份证、户口簿及私章；转让前房屋所有权证、契证、土地使用权证；《具结书》。这些证件都是必须的，一个也不能少，否则你的二手房买卖就存在一定的瑕疵，留下后患。

3. 明确房屋的具体情况

买房子是人生大事，二手房交易要在购房合同中明确房屋的具体情况。

（1）写清房屋的具体情况，如地址、面积、楼层等。对于房屋实际面积与产权证上注明的面积不符的（如测绘的误差、某些赠送面积等），应在合同中约定清楚是以产权证上注明的为准，还是双方重新测绘面积。

（2）明确房价具体包括哪些设施。在协议中注明，屋内哪些设施是在房价之内，哪些是要另外计算费用的。如房屋的装修、家具、煤气、维修基金等是否包括在房价之内。

注意要把口头的各种许诺，变成白纸黑字的书面约定。

总之，房产投资永远是比股票投资稳健的项目，而二手房投资更是

稳健投资中的首选对象。另外需要提醒大家注意的是，虽然购买二手房出租的收益会高于银行储蓄，但是也并非买了二手房就高枕无忧了，在购房时只有注意以上的因素，精挑细选，才可有效避免将来房产的贬值影响收益。

如何让二手房卖个好价钱

时下，在中介公司挂牌的二手房比比皆是，为了让住了10多年的老房子卖出或租出个好价格，你可能需要再多花些心思，把老房子打扮一下。

1. 出售房屋干净整洁

目前二手房市场上的主力购房人群年龄段集中在30~45岁。这类购房客户比较注重看房的第一感觉。所以，在出售房屋的过程中，不论房屋装修情况如何，业主都需要保持干净、整洁的室内环境。这样，在看房过程中能给客户提供良好的第一印象，也会因此增加房屋的吸引力。

2. 基础设施的维修和改进

基础设施的完善是房屋物有所值的保证。假设屋子里的厨房装修一新，非常漂亮，但水龙头是漏水的，怎么可能卖出好价钱呢？因此，如果决定出售房屋的话，一定要先解决房子结构和配套系统的问题，虽然这些问题可能比较棘手或者处理起来比较麻烦，但这些又是影响二手房价格至关重要的因素。

3. 放大优点缩小缺点

在看房推荐的过程中，业主需要积极配合代理出售的房产中介公司介绍自己的房屋，在不说谎话的基础上，放大介绍所售房屋的优点，缩小或忽略所售房屋的缺点。同时，在与客户接触的过程中，尽量找到与客户的共同语言，加深沟通。这样一来，购房客户会因为感到熟络而可能不好意思向业主砍价。

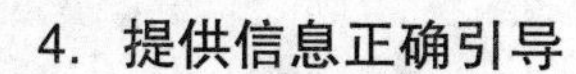

4. 提供信息正确引导

在出售过程中需要注意，与客户交流时，不要让客户感觉到你是急于出手，这样容易造成客户砍价。遇到购买意向较强的客户，一定要让他感觉到你是十分有诚意卖房的，只要价格合理就能成交。在与这类客户交流的过程中，千万不可话语随意，这样会让对方感觉你没有诚意，从而对房子失去兴趣。

5. 集中约看促进成交

以上前三点都是为最后一点做铺垫的。所谓“集中约看”，顾名思义就是把有意向买房的客户，约在同一时间看同一套房子。在集中约看过程中，看房的意向客户多，给客户之间造成的紧迫感较强。如果客户觉得房子各方面都比较符合自己的需求，那么很可能会抓住第一时间约你面谈，甚至可能当场签约。相关统计表明，在集中约看过程中的房屋成交率约在80%左右，成交价也略高于市场平均价格。

典当——新概念下的投资理财新选择

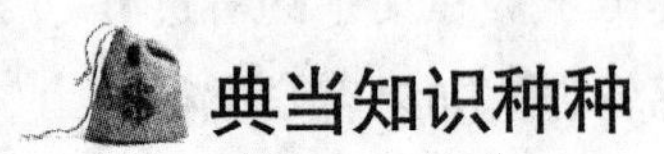

典当知识种种

“典当”主要是指当户将其动产、财产权利作为当物质押或者将其房地产作为当物抵押给典当行，交付一定比例费用，取得当金，并在约定期限内支付当金利息、偿还当金、赎回当物的行为。从事“典当”活动的组织旧时俗称“当铺”，现称“典当有限公司”，简称“典当行”。

典当是应经济生活需求而出现的具有商业性的金融行业。在现代的金融体系未建立前，典当作为一种快捷便利的金融工具，在救急济需方面更是发挥着不可替代的作用。

现代经济生活中，典当因其快捷便利而使越来越多的人把它作为日常生活中的一种短期快速贷款融资手段。由于典当通常以物品的质（抵）押形式放贷，认物不认人，因而对贷款对象不挑剔，简言之：只要手中有值钱、合法并能变现的物品，谁都可以到典当行在最短时间内拿到急需的钱。

其次，典当不同于一般的买卖行为，比如，您急需钱用而且手中有一件值钱的物品，怎么办？如果您选择一般的买卖，虽也可以拿到钱，但您是以失去该物品为代价的。但是您要选择典当行就不同了，您在用到钱的同时，并不失去该物品，只要按时续当，借款人随时都可以把心爱的物品赎回去。

典当的物品种类繁多，因此，典当行业务范围非常广泛。除了可以办理黄、铂金、房产、车辆、股票、家用电器、数码类产品业务外，还可以办理古玩艺术品的鉴定、估价和典当业务。当物存放保管安全，汽车有专用仓库并买有保险。

典当贷款作为一种快速融资途径，非常适合那些“急用款时间短”的个人和企业。

1. 典当经营活动中的部分常用术语

根据典当业的历史经验和现代典当行的经营实践，总结起来，典当经营主要为五项经营活动，并形成了特有的一些名称。

当户——是指将一定的标的物交至典当行作质押而换取相应当金的人，也称交当人、出当人或出质人，俗称借款人。当户可以是法律允许的任何个人或组织。

当物——是指当户与典当行双方在实施某种货币借贷行为时，赖以达成债权债务关系而留置典当行用于债权担保的信物，也称当品或典当标的物。当物包括动产、不动产和财产权利等。

交当——是指当户在典当过程中向典当行给付当物用于质、抵押借贷的行为。

收当——是指典当行在典当过程中向当户收取当物用于债权担保的行为。

续当——是指当户在一定的典当期限届满后不赎当，而向典当行交纳一定的费用，继续以原当物作为质、抵押标的物并使用该当物原典当金额的行为。

赎当——是指当户在合同约定的典当期限内向典当行清偿当金本息换回原当物的行为。

绝当——是指当户在一定的典当期限届满后，既不续当也不赎当的行为。通常在合同约定当期届满之日超过5天既不续当也不赎当的，典当行依照有关法律及约定可以处置该典当标的。

2. 典当借款同银行贷款相比

（1）业务方式上，典当更加灵活多样，原则上有价值的物品或财产权

利都可以典当。

（2）典当借款手续简便快捷，一般少则几分钟，多则三五天。

（3）借款用途不一样，典当借款多用于救急，银行贷款多用于生产或消费。

（4）典当一般期限较短，最短15天，最长6个月。

（5）典当一般除收取当金利息外，还按当金一定比例收取综合费。

3. 什么东西可以典当?

原则上只要来源合法、产权明晰、可以依法疏通的有价值物品或财产权利都可以典当，但不同典当行具体开展的业务不同，一般来讲房产、股票、企业债券、大额存单、车辆、金银饰品、珠宝钻石、电子产品、钟表、照相机、批量物资等都可以典当。与通常人们想象中的旧当铺不同的是，现代典当行一般不收旧衣服。通常，活物也是不典当的。

黄、铂金：市场上的黄金物品中最常见的是足金和K金。常见的铂金有“990”、“950”、“900”等，一般来说，好的铂金饰品都会在首饰上打上“Pt××”的印记。典当行一般用物理、化学方法和特有的鉴定仪器和自身的经验对黄、铂金当品进行鉴定，当金的确定一般在黄、铂金当前市场价的60%~85%左右。

钻石：钻石的鉴定先看钻石的“4C”，即：钻石的颜色、净度、切工、重量（克拉值），其价值在取得第一手成本资料后计算，当价根据新旧程度，约在加工成本价的30%~80%左右。

翡翠：典当的翡翠一般为较小块的，颜色和种质都较好，裂纹较少的首饰类翡翠。虽然影响这类翡翠价值的因素也很多，但归纳起来最重要的因素是颜色、质地、水头、大小、比例和净度等六种因素。典当价格通常约为销售商进价的60%左右。

4. 典当综合费、当金利息是怎么回事?

典当是一种融资行为，需有偿使用。典当行一般按当金收取综合费及当金利息。按照国家的《典当行管理办法》有关规定，质押典当月综合费率不得超过当金的4.5%，房地产抵押典当月综合费率不得超过当金的3.0%，综合费在典当时预扣，当金利息一般按同期银行贷款利率上浮30%

执行。具体费、息标准根据不同典当行、不同业务种类都会不一样，客户需以典当行公告为准。

现代的典当行收两类费用，一是利息按银行6个月同档次利率收取；二是综合费，抵押类贷款按月27‰收取，质押类贷款按月42‰收取。以上是法定的典当贷款收费标准，这些收费，虽看起来比银行高一些，但因能立等解决问题，钱用在了刀刃上，能取得很好的效果，仔细算来还是划算的。而且，特殊需求付特殊代价也是价值规律决定的。在实际的业务操作中，各典当企业会根据客户的具体情况对息费进行调整优惠。尤其是对大额的和特别业务的典当贷款，典当行更会给予一定程度的优惠服务措施。“明明白白、高高兴兴”正是典当双方的一致追求。

5. 典当如何办手续?

典当贷款的办理程序大体上为：查验证件，鉴定、估价（评估）、确定当价，收当、保管，付费续当，还款赎当这五个步骤。

具体来说，办理典当一般需持本人身份证或委托人的有效证件及当物的来源证明和相关证件。黄、铂金、钻翠、古玩艺术品等小额物品典当，当户一般只需持个人的身份证即可办理，其他类典当当户还需向典当行提供来源证明等。

查验证件后，典当行要对当物进行鉴定估价并确定当价。各典当行通常会根据自己对风险的控制能力而具体确定当价范围。所当物品的当金一般为其评估价值的50%~90%，这主要因为典当不是买卖，只是当物在典当行的暂存，而典当行则必须考虑万一发生绝当时二次处置变现的风险问题。同时，要从典当金额内预先扣除使用期限内当金的综合费（一般为当金的2.4%~4.2%）。

收当与保管是第一次典当行为的终结。通常，典当行会当着当户的面把当物用封条封存并妥善保管，以保证当户赎当时当物“完璧归赵”。

约定的当期到期时，不能还款的当户可以带着原当票到典当行续当，再约定使用期限，交纳相关费用及前期利息并领取续当票。要赎当的当户将贷款和相关息费结清，由典当行收回原当票和续当票后就可以取回当物了。

要注意的是，不同典当业务需要提供的证件和办理的手续是不一样的：

民品：本人身份证原件，有发票最好，可适当提高当价。

房产：户主身份证、户口本、房屋所有权证、土地使用证等，需现场察看房产。

股票：本人身份证、深沪股东账户卡，一般需签约监控。

车辆：本人身份证、汽车有关证件。

物资：本人身份证、相关财产证明。

（注：民品即金银饰品、珠宝钻石、电子产品、钟表、照相机等。）

6. 典当期限有什么规定？

根据典当行管理办法有关规定，典当最短时间为5天，不足5天按5天计算，最长期限为6个月。

典当到期后，5天内，客户可以选择赎当，也可以根据自己的需要选择赎当。

7. 什么是绝当？当物绝当后如何处理？

典当期限届满或续当期限届满后，当户应在5天内赎当或续当，预期不赎当或续当为绝当。绝当后，绝当物估价金额不足3万元的，典当行可以自行变卖或折价处理，损益自负；当物估价金额在3万元以上的，可以按《中华人民共和国担保法》有关规定处理，也可以双方事先约定绝当后由典当行委托拍卖行公开拍卖。拍卖收入在扣除拍卖费用及当金本息后，剩余部分应当退还当户，不足部分向当户追索。

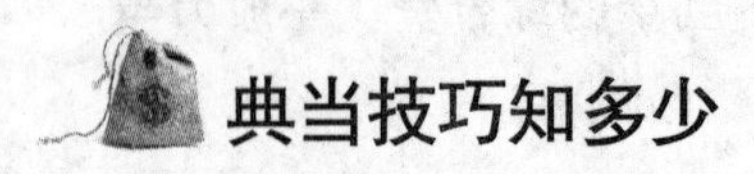

典当技巧知多少

提起典当行，也许很多人感到陌生，但提起当铺可以说无人不知。“乘人之危、高利盘剥”是人们对旧时当铺的基本认识，尽管现在的典当行无论从形式上还是从经营内容上，都与旧时的当铺有质的不同，可仍有不少人存在心理障碍，不愿意轻易踏足典当行。

一项调查显示，在对居民典当原因的调查中，有48%的人是因为银行信贷门槛高，向其融资有一定的困难，且手续繁杂才转向方便、快捷的典当行；16%的人是因为自己的存款未到期，采取典当融资既可解燃眉之急，又可避免存款的利息损失；16%的人认为是由于抵押物品的范围广；12%的人认为是因为手续费用较低，是一种较为合算的融资方式。另外，也有8%的人是因为典当灵活方便。总之，典当行已成为人们应付小额融资、周转资金的好帮手，相对银行的抵押贷款而言，起到了补充和拾遗补缺的作用。

典当也有一定的技巧，当你了解了典当的技巧后，你对典当行的心理障碍或许就迎刃而解了。

1. 典当物需合乎条件

并非物物可当，必须是典当人有权处置、能保存并可以转让的生产生活资料，如房屋、汽车、企业设备、产品、运输工具、个人的金银饰品等变现能力强的物品。个人金银饰品必须带有本人身份证明，其他物品还需具有发票。企业性质的应提交营业执照，当事人的产权证明等。

2. 典当不是出卖

典当不等于出卖，当金不等于实物价值。当铺作为一种金融机构，主要业务是办理以动产、不动产、权利质（抵）押为基础的短期贷款。当金一般为物品二次流通价的50%~80%，二次流通价不是商品原售价，低于实物价值，当金少，还款也少，当户并不吃亏。

3. 当金不是越高越好

当金并非越高越好，典当行的收费标准由国家统一规定，每月需支付一定的综合手续费，借的越多，交的越多。典当费用为综合手续费加利息，对于借贷者——尤其是高额借贷者来说，这也是一笔可观的费用。所以，千万不要把“当东西”与“卖东西”两个概念混淆。如果你只需要1 000元，即便你押给当铺的是价值3 000元的物品，也不必非借3 000元，否则要多交费用。

4. 赎当要及时

当期不宜过长。赎当要及时。提供短期借贷是当铺融资的一个特点，如果续当时间越长，支付的综合手续费也就越多。目前全国典当行大都以月为单位，最短为5天，最长6个月。典当期满后可以续当。

5. "续转"实惠多

除了"新当"、"续当"和"赎当"，融资者如今还可以通过"续转"服务的挂失、分次赎回、增减当金等几大功能，在资金运用上实现效益最优化。

典当也可以这样进行

先买房还是先融资？不可售房当真是"鸡肋"一块？通过银行按揭购买的房屋难道就成了套牢的"枷锁"？随着典当公司最新推出的房地产特色融资服务有所改变，将房屋进行典当，已成为不少头脑灵活的市民融资的一条新渠道。

1. 到拍卖公司淘宝——质优价廉

众所周知，到拍卖公司竞拍二手房，因为价格低于二级市场而备受市民的青睐，但由于目前一些拍卖公司绝大多数的二手房源自司法委托，而司法委托的拍品必须款齐才能结案，因此在短时间内付清全部成交价款，成了参拍市民的一大难题。

戴先生在上海国际商品拍卖有限公司的拍卖会上，挫败所有对手，拍下了202平方米的高级公寓住宅，又当场与上海东方典当有限公司的工作人员商妥了抵押、质押手续。他成为上海东方典当有限公司"东典竞拍融资宝"的首位客户。

戴先生所以敢以141万元的总价拍下202平方米的高级公寓房产，除了事先到拍卖公司和典当行作了详尽的了解与联系外，就是基于他本人在同一地段有一套房产，和对位于繁华区域投资的信心，以及自己有一套产权房可供抵押、质押的原因。

通过这简单而又充满刺激的过程，你就盘活了存量资产，一套房玩转

了两套房，而你付出的代价又相对较小，何乐而不为？

2. 汽车典当——不必封存

杜老板是一家私营企业主，近日由于一笔业务急需周转用钱，银行贷款又无望，于是把自己的奔驰车开进了典当行。出乎意料的是，他第二天不仅拿到了60万元当金，还可以继续使用自己的座驾，不必封存入典当行。

据了解，像杜老板这样用汽车做抵押以解燃眉之急的中小企业主和个人，目前已越来越多。但以往典当时，车辆是要被作为抵押物封存在专门的车库进行专人保管的，直至日后当户偿还当金解除典当合同，才能赎回车辆。如今，不必封存亦可典当这种全新操作方式的推出，为资金、车辆均急需的融资者带来了极大的便利。

方式：与以往传统的操作方式基本相同，只需带齐典当机动车的全套手续，即所要典当机动车的购车发票、购车附加费证及附加费发票、行车执照、养路费交纳证明、验车合格证和保险凭证。如果是企业，还须提供企业营业执照副本和法人代码证书，私车则须提供与行车执照相应的个人身份证、车辆过户变更表，就可办理。

时间：工作人员会根据车况评估价格并给款，最迟不超过两天。

费率：每月按典当金的3.5%收取，当期一般为半年，可以续当。

3. 房产典当——仍可居住

赵小姐的父亲生病急需15万元手术费，一时不知如何在短时间内筹措到这笔应急资金。当她得知现在进行房产典当，仍可住在原地，便将自己正在居住的一套两居室房子进行了典当。从踏进典当行的大门到钱款入账，赵小姐只花了短短3天时间。

应该说，房产作为居民拥有的主要大宗资产，相对于其他物品可以当到更多的钱。但以往房产典当要求比较高，通常需要当户在当期内搬离该房屋。如今，被当房屋仍可居住，当户不再需要急匆匆地搬离住所，轻轻松松即可获得所需资金。

方式：一般包括验证、看房、估价、签署协议、办理公证、抵押登记、发放贷款、偿还本息、注销登记等环节。典当人必须将房产的所有

资料，如房产所有权证、土地使用证、契税证、购房发票、房产所有人（共有人）的身份证、户口本完整地交给典当行审核并保管，由典当行实地看房并由双方协商确定典当价格后，签署房产典当贷款合同和房产抵押合同，办理公证，在完成抵押登记手续并拿到各项权证后，即可发放典当贷款。

时间：2~3天之内即可办妥并放款。

费率：每月的综合费率为3.5%，当期一般为1~6个月，可以续当。此外，当主还需负担评估费、保险费等必要的手续费用。

4. 股票典当——照样可以买卖

股民刘先生近日格外高兴，3个月前，他用自己证券账户中市值共计50万元的股票作抵押，向典当行贷款了25万元用于钢材投资，现在已有一笔不菲的收入进账。然而，像刘先生这样知道可以利用股票典当所得资金去做其他投资的人并不多。

股票典当相对比较复杂。客户将其股票质押给典当行时，典当行会对股票进行选择和评估，所当款额一般只有股票市值的50%。客户必须与典当行签订合同，将股票转托管到与典当行合作的证券公司营业部的账户上，这个账户处于半冻结状态，客户仍可自由操作自己的股票，但合同到期前，不能取走账上的钱。

为了控制风险，典当行一般都会在协议中加入平仓条款，即当典当者在专有账户中的股票市值达到一定的警戒线时，典当行有权委托证券公司将其股票强行平仓。

时间：当天即可取款。

费率：每月的综合费率在2.5%左右，当期为1~6个月，可以续当。

一本书读懂
投资理财学

收藏投资理财篇

挖掘收藏中的金矿

Read A Book to Learn
Investment

寓教于乐的收藏理财

藏品并非越老越值钱

很多收藏爱好者认为，年代越久的收藏品就越值钱。这其实是个误解。藏品的收藏价值主要体现在历史文化价值、稀罕程度和工艺水平上。一些高古陶器，尽管有数千年的历史，但因其存世量大、制作粗劣，其价值远远低于后世的一些精稀藏品。汉代、唐代一些存世量很大的铜钱，今天在市面上不过几毛钱一枚。而一些现代工艺的翡翠器物，却能卖到数十万元。

收藏界有这样一个说法，当时就很值钱的东西，现在仍会很值钱；当时不值钱的东西，现在还是不值钱。

明清时期，皇帝集中了全国最优秀的制瓷人才到景德镇，专为皇家烧制瓷器。这一时期的官窑瓷器不计成本，极为精良，在当时就身价不菲。在近年的一些拍卖会上，明清官窑瓷器的精品动辄拍出数千万元的惊人价位。而一些民用陶器、瓷器，因做工较为粗糙、没有什么工艺价值，当时也只卖几文钱一个，直至数百年后的今天，其收藏价值仍然不高，只有三五十元一件。

收藏品的价格弹性很大，即使是同一件收藏品，其价格也会因人、因地、因时而异。有的藏品可能收藏价值并不高，但有人为了寄托某种特别的感情，有人为了配齐系列藏品中的缺品，却视其为珍宝，不惜以大价

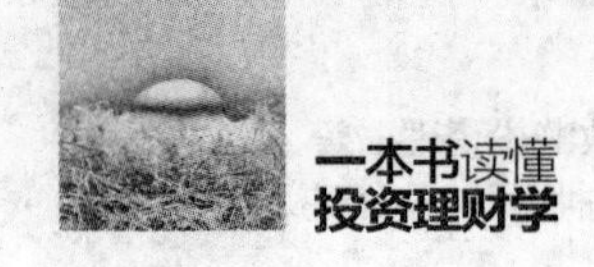

钱购得。

由于各地的收藏氛围、购买能力不尽相同，一件藏品在不同场合的“身价”可能会有很大悬殊。“地区差”因此便成为精明商人的生财之道。例如：某国画大师的一件作品，多年前在一般小城市的拍卖会上成交价仅1万元，在大城市则拍出了6万元，再拿到北京，成交价变成了几十万元。

收藏是件很奇妙的事，被人称为花钱的“无底洞”，有多少钱都能投进去；但同时也有人说，钱少照样能搞收藏。其中诀窍就在于要学会以藏养藏，即以有限的资金投资于有升值潜力的藏品，在适当的时候兑现收益，再进行下一次投资。

日积月累，收藏的资金投入才会逐步减少，但藏品却会逐步增多。

古玩收藏全攻略

最近发生在京城的一则趣闻：一位外地“大款”在某艺术品市场一次买下价格7位数人民币的“清代”文房用品。几天后要求退货，卖家自知货“潮”，按照规矩收了几万元“手续费”后答应退货。

1．戒冲动

投资，是理性行为，是建立在对投资领域丰富经验和对投资项目充分论证基础上的。自己本身就外行，又没有冷静研究和咨询的过程，风险可想而知。

艺术品投资也是同样道理。而且，艺术品还有它的特殊性。可以说，它基本上“拒绝”外行投资。如果你不真心热爱艺术品，不以追求美的情感去接近它，不多年浸润其间，把辨析其艺术价值和真伪优劣变成一种近乎本能的感觉，而只以买彩票的心理想一夜之间靠它发财，这是不现实的。而冲动，恰恰来自这种无知。据说那位“大款”在从银行打款的过程中，曾有人不止一次提醒他当心，他却一点也听不进去，一直处在极度兴奋之中。

2. 戒侥幸

收藏圈子里有个人人都说的话题："捡漏儿"。所谓"漏儿"，是指某件艺术品价格严重背离价值。这是社会环境影响和买卖双方心理与能力错位造成的。而"漏儿"只可能发生在内行之间，它实质是买卖双方艺术鉴赏力和市场洞察力的角斗，而赢家一定是"道行"更深的买主。因此，在艺术品市场，"漏儿"永远有，但却永远不属于外行，因为连真假高下都尚难分辨，根本就不可能看出什么是"漏儿"。

3. 戒轻信

对古代艺术品的选购，"过来人"有一句箴言："谁的话也不能全信。"意思是如果你没练就一双火眼金睛，对要买的东西能拿七成主意，就算专家在旁，也照样会有风险。因为专家也有局限性，走眼的事就难免发生。而那些卖主的话，就更要大打折扣，应遵循的原则是：只看货，不听话。越是信誓旦旦地说，越要提高警惕。某拍卖公司收货的职员对某古董店老板说："给找点货呀，新的都没关系，只要到位。"这个"到位"当然是指仿品乱真的程度要"到位"。

4. 收藏古玩"五有"

有识——刚入门的收藏者要多听行家的评价，多研究相关资讯，对古玩年代、材质、工艺、流派、真假进行深入细致地了解、鉴赏和识别。

有闲——收藏古玩是靠日积月累、积少成多，最终形成个人的藏品风格，因此收藏者必须要有充足的时间，并学会合理安排时间。

有胆——俗话说，"古玩无价"，保值增值的古玩大多都是珍品，价位偏高。这就要求购藏者有超前意识，有足够的胆量。若遇珍宝，一定要有魄力。

有缘——一件让人爱不释手的古玩珍品，往往可遇不可求。这就要求购藏者必须善于把握时机，多与古玩市场的摊主交朋友，及时了解市场行情。

有钱——工薪阶层的收藏爱好者大多资金有限，不妨每月固定拨出一笔经费，日积月累，不断提高收藏的档次和成功率，并采取以收藏养收藏的方式，随时纳精汰次，变没钱为"有钱"。

5. 收藏古玩要系列化、专业化

钱少有钱少的玩法，钱多有钱多的玩法；收藏不只限于古玩，“今玩”同样可纳入收藏视野，关键在于“用心”。如“文革”瓷、酒瓶、钥匙扣、烟灰缸、糖纸……只要走系列化道路，便大有文章可做。某古玩城曾展出一位玩家的藏品，他没有雄厚的资金，于是，专门收藏各式各样的绣花针，从古到今，已成系列。即使有一定经济实力的玩家，也不要见什么买什么。可以投资一些大件，但无论字画、铜器、瓷器等，都得钻研透，努力向专业化方向发展。

总之，艺术品市场的水很深，喜欢游泳的人可以从“浅水区”练起，逐渐游向“深水区”，经年冲浪，乐此不疲，在艺术欣赏中受陶冶，练悟性，在学习与研究中逐渐丰富藏品，如此十年二十年过去，就会发现，投资在不经意间就实现了，而且回报甚丰。

如何规避收藏投资的风险

时下，随着我国经济的飞速发展，人们对文化艺术品的需求也在快速增长，收藏市场显得极为火爆。从国内某一收藏者斥资3 000欧元在佳士得拍卖行拍得一瓶陈年白兰地酒，到清雍正年间的一只盘龙广口瓶拍出3 800万元的天价，可见收藏热的兴盛。但业内人士强调，收藏市场同时“风险暗涌”，入市务必谨慎。

据报道：某一初入收藏界人士，由于缺乏收藏鉴别知识，被卖假者以“双簧”伎俩骗取信任，以2万元的价格买下一枚“蓝军邮”金箔小型张。但经专家鉴定，这根本就是一枚假邮票，分文不值。

可见，收藏市场千变万化，收藏者稍有不慎，便可能遭到财产损失。因此加入收藏行列一定要有风险意识。了解收藏行业的风险，才能有效地进行规避。

收藏对于普通人的生活而言，无疑是奢侈的事情，尤其作为投资手段的时候，这个变幻莫测的市场也许和真假难辨的藏品一样让你头疼。在华尔街有这样一句名言：“行情总是在绝望中诞生，在半信半疑中成长，在憧憬中成熟，在希望中毁灭。”有人说，在今天的收藏市场中，加上一个零或者去掉一个零都是一件十分容易的事情，如何让你的藏品避免一夜之间被去掉一个零，成了现在数千万藏家都需要做的功课。

具体而言，投资收藏风险尤其要注意规避以下几点：

1. 规避品相风险

收藏品的品相如同人的相貌，在市场交易中，绝大多数收藏者都倾向于买尽善尽美、世间少有的收藏品。品相好的收藏品可以卖出大价钱，品相差的收藏品价格就会较低。因此，一定要注意收藏品的品相好坏，以规避品相风险。从收藏投资的角度来看，对于供给弹性较大的收藏品而言，一定要非常注意其品相问题。因为当投资收藏者想转让收藏品的时候，买方的选择余地是很大的。但是对于供给弹性小的收藏品来说，品相问题就显得相对次要一些，不过，如果投资收藏者在购买的时候，以此作为讨价还价的筹码，花适当的价格购入的话，可以在很大程度上规避因为收藏品的品相问题而带来的风险。

2. 规避赝品风险

防范赝品风险是投资收藏品最重要的一条。无论是拍卖市场还是收藏市场，赝品的陷阱比比皆是。当你踏入市场后，稍有不慎就有可能跌入陷阱，难以自拔。因此，对于初涉者，进入收藏市场要谨慎操作。对于自己熟悉的、把握大的收藏品，应该冷静分析，明察秋毫。对自己拿不准的、把握小的收藏品，越是珍稀品种，越要格外小心，最好是请信得过的专家帮助鉴别。如果需要当机立断做出购买决定，没有回旋的余地，也应以尽可能低的价格购买真伪尚不明了的收藏品。

3. 规避价格风险

各种收藏品的价格不像股票行情一样能够一目了然，收藏品的价格实际上因买入时机、卖出时机、买入地点、卖出地点，以及买卖双方的不同而不同。这些因素直接或者间接地影响到收藏品的买入价格与卖出价格

的高低，而买入价格与卖出价格又直接影响到收藏品收益率的高低。经常有拾荒人在乡下以几十元的价格买入一件物品，到城里的地摊儿交易市场卖几百元，到了懂行的专家手上，价格可以达到数万元甚至上百万元。因此，作为一个收藏者，既要掌握全国各地收藏市场的行情，又需要积累关于收藏的相关经验。

4. 规避买卖风险

买卖风险主要是指艺术品有时流通性很差，不易买卖成交，或成交价不高。从市场上看，相当一部分收藏者购买艺术品是为了保值增值。然而，许多收藏者在手头紧或缺钱时想抛售自己收藏的艺术品一般很难如愿以偿，经常会出现高价进、低价出的情况，有时损失会惨不忍睹。行情好的时候，收藏品可以带来丰厚的利润。遇到收藏市场上行情低迷时，会造成藏品积压，变现困难。收藏品的变现，并不像那些可以进行标准化交易的投资品种那样容易。一些收藏品经常遇到这样的情况：当市场火爆的时候，多高的价钱也有人抢，而当市场萧条的时候，很低的价钱也没人理会。

5. 规避保管风险

由于受气候和些人为因素的影响，各种收藏品都会面临保管风险。一些收藏品不仅不能受潮，也不能受热，尤其是邮票、纸币、字画等还要防折、虫蛀和各种化学品的腐蚀。所以，对自己的收藏品一定要经常察看，否则，品相一定会大打折扣，甚至会变得一文不值。

收藏者在保管藏品过程中，着重要注意：温度和湿度的控制，有害气体和灰尘的污染，霉菌和虫害的侵蚀，进行防霉、杀菌消毒处理，光线照射等对收藏品的影响。投资收藏者应针对自己的收藏品和客观条件采取必要的措施，尽可能地保管好自己的收藏品。

6. 规避政策性风险

国家法律明文规定的不能炒卖的物品一定不要买来收藏，一旦违法，就会受到法律的制裁。许多珍贵的收藏品同时也是珍贵的文物。因此，投资收藏者对《中华人民共和国文物保护法》、《中华人民共和国文物保护法实施条例》、《中华人民共和国拍卖法》、《文物藏品定级标准》等相关的法

律法规进行了解，是有百利而无一害的事情。

7. 规避收藏禁忌风险

在收藏界有很多忌讳，譬如大家对魂瓶、冥器，还有痰盂、夜壶等器物都不是很喜欢，虽然这类器物有些制作得相当精美，也不乏一部分精品。但是这类器物在价格上就是上不去，和一些文房用具相比较，价格就要低得很多了。

8. 规避藏家兴趣改变的风险

收藏品的价格和炒作是分不开的，当市场上某类器物的需求量增大时，价格自然也就上去了，所以一些大的藏家或大的收藏组织能够影响某类器物的价格。譬如，现在越窑的瓷器价格就非常高，以后或许会有人炒作汝窑的瓷器。所以作为藏家，特别是中小藏家一定要收集和分析各种信息，尽快跟上市场形势的变化。

乱世黄金，盛世收藏

钱币——回报丰厚的投资

钱币作为法定货币，在商品交换过程中充当一般等价物的作用，执行价值尺度、流通手段、支付手段、贮藏手段和世界货币五种职能，这是钱币作为法定货币在流通领域中具有的职能。然而，当抛开其作为法定货币的角色，而作为一种艺术品和文物，钱币又具有了另一种特殊的职能——收藏价值。

钱币收藏价值：

1. 具有艺术欣赏的功能

不论是人民币金属币，还是人民币纸币；不论是普通流通人民币，还是纪念性流通人民币；不论是已经退出流通领域的人民币，还是现实流通的人民币；不论是古钱币，还是外国钱币，其图案不仅有代表性的历史人物图像，也有名山大川、风景名胜、国卉名花，这些艺术图案都是经过著名的艺术家群体反复揣摩、精心设计的，它们都是一幅幅精美绝伦的艺术品，具有极高的艺术价值和欣赏价值。因此，从钱币身上可以得到美的享受、艺术的熏陶。

2. 具有普及知识和教育功能

从钱币身上，我们可以了解到政治、经济、历史、文化、艺术以及科技等很多方面的知识，通过这些知识使人们受到各种教育。从钱币人物图

案上可以了解各国不同时期政治、经济、文化、艺术，例如：第三套人民币中的1角券正面图案，反映了党的教育方针——“教育与生产劳动相结合”；第四套人民币通过不同的人物图案，反映了老一代无产阶级革命家的光辉形象，体现了我国是一个统一的多民族国家，体现出社会主义建设事业必须依靠工人、农民和知识分子，以及团结一切可以团结的力量的政策。从人民币名山大川、风景名胜等图案可以了解需要继承和弘扬的传统文化。从人民币上的轮船、火车、汽车、飞机、收割机、桥梁、水电站等图案可以了解我国不同时期工农业生产和交通运输情况，这些图案也反映了我国社会主义建设不同时期的成就。人民币上不仅有上述各种精美的艺术图案，而且作为我国的法定通货，票面上均印有国徽（第一套人民币诞生时因国微还未设计故未印国徽图案），这是国家权力的象征，表明人民币的法定地位，同时也时刻唤起人们的爱国意识。另外，从人民币材质、印制等方面，也可以了解有关水印、油墨、印制技术等方面的知识。总之，小小钱币，知识大世界。钱币流通的世界性，决定其是一种极为特殊的宣传品，具有任何一种宣传媒介无法比拟的广泛性，因此，人民币的普及知识和教育的功能是不容低估的。

3. 具有史料和文物价值功能

每一套钱币的诞生都与当时的政治、经济、文化、艺术以及科技有密切关系，票面图案设计反映了当时的社会经济状况和政治风貌，其印制铸造质量反映了当时的印制铸造技术和工艺水平。因此，从诞生和流通于不同时期的钱币票面上，就能了解到当时的政治、经济、历史背景。例如：从第一套人民币票种多、版面杂、面额大、设计思想不统一、印制工艺上的多样性以及产品质量的参差不齐等特点，可以反映其诞生年代的战时性；从诞生于20世纪六十至七十年代的第三套人民币票面上的交通、农业、机械、钢铁工业等主景，可以反映当时在党的社会主义建设总路线指引下，社会主义建设的新形势和科学技术新成就。从票面看，戴草帽、扛锄头、挑筐篓（1962年版1角券）是当时农民的标准形象；拖拉机（1960年版1元券正面）、装卸机（1960年版5元券背面）、机床（1960年版2元券正面）是当时物质文明的象征；井架（1960年版2元券背面）、大桥（1962年版2角券正

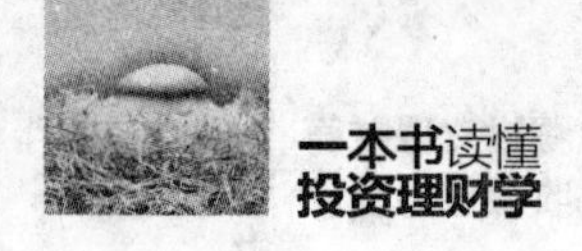

面）是当时现代化建设的带头产品。通过这些人民币实物，可以了解当时社会经济情况、风俗人情，是研究社会历史发展不可多得的实物资料。

4. 具有保值增值功能

随着钱币收藏队伍的不断壮大，一些停用退出流通领域的钱币和限量发行的金属流通纪念币越来越少，受价值规律影响，这些钱币价值直线上升，并随时间推移，增值潜力越来越大。例如：第一、第二套人民币和金属流通纪念币，其市场收藏价值已超过其面值数倍，有的甚至数百倍，就连即将退出流通的第三套人民币也都增值数倍甚至数十倍。因此，人民币作为收藏对象，具有明显的保值增值功能。

钱币收藏注意要点：

1. 不要收藏假币

《中国人民银行法》和《刑法》都明确规定，持有、使用假币是一种违法行为。因此，收藏人民币时，不管出于什么目的，都不要收藏、持有、使用假币，莫因一时喜好而违法。

2. 不要收藏错版人民币

由于制造等方面的原因，有少量错版人民币流落社会，一些人借机炒作，投机牟取暴利。其实，错版人民币的收藏价值大打折扣，市场上对其价值的判断莫衷一是，购买收藏错版人民币，可能造成不必要的经济损失。

3. 流通中的人民币可以收藏，但不能上市交易

法律明文规定：流通中的人民币不能上市交易，只有退出流通的人民币才可以交易买卖。因此，收藏流通中的人民币用于交易博利，不仅违反了相关法律，而且也影响了正常的货币流通秩序，不利于人民币的职能发挥。

4. 不要收藏品相极差的人民币

已经退出流通的第一套和第二套人民币，品相全新的存世量不多，特别是第一套人民币更是少之又少，且价格不菲，一般人很难如愿收藏。收藏使用过的第一、第二套人民币，如果品相太差，无论从增值角度还是从研究角度看，意义已不大。就是说，三品以下品相的人民币不要收藏，但可以留作参考实物。第三套人民币退出市场流通时间不长，品相较好、价格适中的品种值得收藏。

5. 留意收藏特殊号码币

收藏特殊号码人民币盛行已久，全世界的钱币收藏爱好者几乎都有收藏特殊号码币的习惯。比如，香港人喜欢带777号码的钱币，内地人喜欢带888号码的钱币。专家说，人民币如果按照一定的号码规律收集成系列，其价格可以提高数倍。

然而有许多初入收藏界的人认为，只要是旧版的人民币都很值钱。但实际并非如此，专家指出，每套人民币都有几张被称为“珍品”的特别值钱，它们的价格占到整套币值的七八成；而单张的其他券币与珍品相距甚远。据悉，第一套人民币普遍收藏难度较大，其中又以壹万圆“牧马图”、壹万圆“骆驼队”、伍仟圆“蒙古包”和伍佰圆“瞻德城”为最有价值的，单是这四张币已经值五六十万元人民币。第二套人民币的珍品则是“加长拾元”、“五元大团结”和“三元井冈山”，由前苏联代印，而且比其他券币提前退出流通领域，目前也值3万元左右。

纪念币——收藏新热潮

最近几年，有一部分投资或者收藏流通纪念币的收藏者收获颇丰。确实，在当今众多的投资选择中，投资纪念币渐成为工薪阶层最理想的理财渠道之一。纪念币顾名思义，就是为了纪念某个重大历史事件或者历史人物而铸造发行的钱币。

纪念币一般分为普通纪念币和特殊纪念币，而特殊纪念币都是由银和金制成，价值比较高，收藏起来也不方便，很不适合上班族收藏，不过流通纪念币是普通纪念币里最好收藏的一种，它的面值普遍不高，发行的数量、品种也不是很多，非常适合作为一个趣味性的、群众性的收藏品进入到千家万户。从这个角度出发，流通纪念币可以说是一个非常有潜力的、有相当群众基础的品种。

流通纪念币的投资和收藏又被称作“贫（平）民投资和收藏”，它投入起点低、风险小、收益相对较高。流通纪念币从1984年至今总面值不高，发行时间短，数量较少，一般中小投资者收藏者不需要很深的钱币知识和学问。只要注意以下几点，投资流通纪念币收益一定可观：

1. 忌买涨幅过大的

一经发行便强势上涨的纪念币，尤为要注意的是近年来发行的纪念币，由于在收藏投资热中价格一路攀升，而市场消耗少，实际存世量已远远超过了市场的需求。涨幅过大并不说明它的投资价值高，而是市场炒作的结果，普通投资者一旦高位“吃进”，随时有可能因大幅下跌而深度“套牢”。

2. 忌买狂炒后回落的

在各种纪念币中，常有一些品种会受到市场追捧而成为“黑马”。但这种已经大幅飙升的品种，一遇庄家大量出货，价格便会大幅回落，尽管这类纪念币品种已有相当深的跌幅，但仍不适宜普通投资者参与，因为狂炒过后回落的品种，在高位形成了大量的“套牢族”，价格一旦有所上涨，解套盘就会倾巢而出。这类过时的“黑马”再度被炒作的可能性很小。

3. 忌买不具独特题材的

从某个角度看，买纪念币就是买题材，有题材就有炒作的概念，就会有庄家进场，而不具有独特题材的纪念币，是很难激起市场的投资热情的。例如，1997年一季度邮币卡市场狂炒《宪法》纪念币，是借助于错版传闻的题材；炒作《宁夏》纪念币，是由于自治区系列题材的“龙头”币效应。不少独具慧眼的投资者，在跟进买入这类纪念币后都曾赚过钱。

4. 忌买发行量过大的

物以稀为贵之说已是收藏届亘古不变的真理。发行量的多少，是决定其投资价值和升值空间的一个尤为重要因素。通常情况下，纪念币的发行量与市场价格呈反比的关系，量少价高，量多价低。例如说：《建行》纪念币，其发行量为204万枚，目前市场价格已高达1 300多元，而《建党七十周年》纪念币，其发行量多达9 000万枚，其价格目前仅为7~8元。

5. 选择投资品种很重要

有时候选对品种可以左右个人投资收益。在行情发展中，抓住领涨的

龙头币，其收益往往会大得惊人！

6. 逢低吸纳，坚决不追高买入

上班族投资者一般喜欢在行情疯涨时买进，进而被套牢，损失投资。所以，要提醒上班族投资者一定在流通纪念币处于十分低迷的情况下才不断吃进，而后耐心持有，必有回报。

7. 注意币品品相

纪念币的收藏就和邮票，钱币的收藏一样，也要注意品相，就是外观的完好程度。品相好坏与否，在市场上的价格会有所差异。这就和新衣服贵，旧衣服便宜的道理是一样的。

8. 坚定信心、长期投资、稳定回报

流通纪念币的增值趋势虽不是一路上扬，但它一直呈波浪式稳步攀升的势头。只要不追高而选择在低点介入投资的话，其收益如何？仁者见仁，智者见智。

由此，纪念币的收藏潜力一直很大，很适合上班族投资，它不需要花太多的时间去打理，也不需要投资太多钱，但却会有很大的收益。

总体上看，流通纪念币价格不高，投资较小，保存方便，是适合上班族投资理财的长期选择品种之一，其投资收藏前景十分看好。

邮票——小投资大收益

邮票是一种特殊的商品，一次性生产、印刷和发行量限定不变，时间越久，数量越少，价格也就越高。另外，邮票还与一个国家的政治经济形势密切相关，甚至有“国家名片”之称。因此，小小的一张邮票却包含着非常大的学问。

因邮票诞生的集邮起源于兴趣，归功于邮票丰富的选题、精心的设计、精美的印刷，通过收藏、欣赏、研究邮票及相关邮政用品，旨在欣赏

邮票的同时获得精神上的满足。但生活在一个以经济为主的社会中，人们在不知不觉之中也把集邮当作是一种产业，用金钱进行衡量，由此邮票收藏也就兼具有了投资的功能。

邮票投资具有资金多少皆宜、市场操作简单及投资获利相对稳妥等诸多优点。邮票作为收藏投资，在收藏的同时，还能开阔你的眼界，使你能从中学到很多东西，而且随着近几年邮票市场的复苏，其投资前景无疑非常乐观。

集邮的范围是很广泛的，除邮票之外，与"邮"字有关的封、简、片、戳、卡及集邮文献、邮政用品等，都可列为收集的范围，特别是各种实寄封要注意收集，它是组织邮集不可缺少的邮品。

时下，市场上邮票林林总总、种类繁多，大概有以下几种：

新票：新发行未使用过的邮票。价格最高。

盖销票：盖章使用过的邮票。价格次之。

信销票：邮资凭证，有一定的邮政史料价值。价格最低。

成套票：一个完整的系统邮票。价格较低。

散票：不成套的单张邮票。价格较低。

单票、方连票、全张票：主要指新票中成套为未分开的邮票。

纪念邮票、特种邮票：J字头小型张邮票、T字头小型张邮票。

错票、变体票：设计、印刷等错误造成的邮票。这种邮票极为珍贵。

当然，邮票市场和其他市场一样，同样具有很大的风险性。而且邮票市场上存在着很多大户，大户吃小户的现象可谓非常普遍。如果你作为一个小户，刚刚涉入邮票市场或正在邮市中捣腾，并借以希望从中获取高额利润，那么观察市场动向，并掌握邮票投资的策略和技巧，是至关重要的。那么，投资者究竟应该如何投资邮票呢？

1．要树立正确的投资理念

投资邮票不同于投资其他的项目，邮票是具有货币功能的特殊商品，邮票价值的高低受题材、发行时间、发行量、存世量、群众喜爱程度等诸多因素的影响，同时也受市场投机炒作的影响。因此，邮票价格的浮动受各种因素的制约，某一时间的价格并不代表其真实价值，对邮票本身价值

的认定必须得到社会的认可，这之间要扣除炒作的泡沫成分。

2．投资邮票要量力而行

对广大中小投资者而言，投资收藏邮票的基本要素有两条：一是要判断邮票保值、增值的条件要素是否具备；二是在决策投资前一定要根据自己的经济条件量力而行，在没有绝对把握获利的情况下，切忌负债或超负债投资邮票。虽然邮政改制后的政策面对市场有利，但也要有预防突发性事件发生的心理准备。

3．把握建仓时机至关重要

目前，国家邮政改制已进入实质性阶段，各省邮政改制挂牌在2007年9月初正式拉开序幕，设立省级邮政监管机构，标志着邮政政企分开迈出了关键一步。此后开始，邮市作出了积极的配合，市场成交活跃，成交量有效放大，热点逐渐扩散，社会主力大资金已经进场。趁市场行情还没有达到一定热点前，择机建仓不失为明智之举。

4．还要认真选择投资品种

在决定投资邮票后，挑选好邮票品种也是一门学问。一般来讲，1991年之前的老纪特邮票存世量少，消耗很多，基本上都沉淀在社会，因此，老纪特邮票的价格都较高，保值、增值比较稳定，受市场波动的影响较小，是长期收藏投资群体的首选。

5．邮票的收藏与保管是十分重要的

一枚邮票有纤细的齿孔，有怕受潮的背胶，如不注意保管，就会发生玷污、折裂、缺齿、粘胶及出现霉点，从而影响邮票的品相。

邮票最好放入邮册内收藏，不要把邮票随便放入信封或夹到书中收藏，这样很容易发生粘连。新买到的邮册，往往纸张有些潮，因而需要用干燥剂干燥一下，再把邮票插进邮册。邮册不用时，应放在干燥且通风的地方，并且要持直立状态。邮票整理摆放时，一定要用镊子，切记不可直接用手去摆弄邮票，因为手上有汗，会留下手印或污染邮票。

邮票的背胶在收藏保管中是一件颇让人费脑筋的事情。邮票背面涂上胶水，是为了方便人贴用邮票，但是胶水遇潮就会软化、溶解，粘连在邮册上。有人为了保存方便，把邮票的背胶用水洗掉，使邮票失去了原有的光泽

和面目，且容易损伤齿尖、齿孔，用水洗掉背胶会将邮票品相损坏，这种收藏方法是不可取的。一般地讲，邮票最好保留原胶，为了防止背胶出问题，应该经常检查背胶情况，及时地处理好背胶在保存中出现的问题。

收藏者在选择收藏品种的时候，最好选择的周期一般应该在一年以内，以防范某些不确定性因素变化所带来的风险。市场是动态的，而不是静态的，这就要求收藏者一定要随时随地改变自己的策略，以适应市场的千变万化。

古瓷——可创天价的艺术品

在国外大多数人的印象中，瓷器、景德镇与中国是一个概念，可见中国的瓷器在世界上的地位了。但到了近代，与国外相比中国的陶瓷业却落后了许多。近年来，由于景德镇的陶瓷艺人和艺术家们的努力，现代艺术陶瓷开始被海外收藏家所关注，收藏家和陶瓷爱好者开始注意到，现代艺术陶瓷也逐渐成为不容忽视的新的收藏热点。

作为新进入收藏界的新丁，对于瓷器收藏知识也需要有一定的了解的：

磕：陶瓷器身局部被冲击而残缺，属硬伤。

冲：陶瓷器物因磕碰而造成自口部向下内外胎釉成一条线的裂痕。

纹：陶瓷器物因磕碰而造成釉面或胎釉的裂痕。

开片：瓷器釉层中出现的裂纹，不是外力的磕碰造成，而是由于胎、釉膨胀系数不同，在烧成过程中产生的。

磨口：陶瓷器物口部因磕碰缺损，后人用砂轮将伤口修复平整，或直接锯去部分器身。

磨底：将陶瓷器物底部的缺陷或底款磨去。

伤彩：釉上彩瓷器，如五彩、粉彩等因时间久远或长期使用而导致的彩色剥落。

后加彩：即添彩，后填彩。在旧瓷器上新加彩绘，再在低温炉中烘烧。

惊釉："惊釉"是指瓷器的釉面因外力碰触或环境影响而产生的均匀而细小的裂纹。

炸底：陶瓷器具因磕碰而造成底部的釉面或胎釉的裂痕。

失亮：又称失釉，器物釉面，因长期使用，经久磨损失去光泽。

窑伤：爆釉、缩釉、窑封、窑粘、变形均属窑伤。

炸釉：由于坯釉的膨胀系数不相适应而造成瓷器釉面产生裂纹。

暴釉：瓷器在烧制过程中产生的缺陷。由于施釉薄厚不均，在窑内烧成时产生部分釉层暴裂。

缩釉：瓷器缺釉的一种现象。指釉面向两边滚缩，形成中间缺釉露出胎骨。

窑封：又称窑裂。陶瓷器出窑之前坯釉同时开裂的裂纹。

窑粘：陶瓷在烧制过程中粘上的窑里的杂质。

粘伤：器物碎裂后用粘接的方法修补。

锔伤：瓷器有冲或纹后，以打锔子的方法修补。

歙砚罗纹：纹理如丝绸般的旖旎，给人一种莹洁、素雅之美。罗纹的纹理有着粗与细、疏与密、明与暗的区别，细分可为粗罗纹、细罗纹、暗细罗纹、水波等。

歙砚眉纹：也称眉子。呈黑色，为条状，如人的眉毛，眉纹的底色青莹，石质坚细温润，既发墨，雅静深受历代文人雅士推崇，眉纹有阔有细、有长有短、有疏有密、有聚有散，各具风采。以眉纹的各种形式可分为阔眉纹、细眉纹、长眉纹、短眉纹等。

歙砚金星：色金黄，成点状，分布在青黑色的砚石中如天空闪烁的星斗显得十分耀眼。金星有大有小、有聚有散，其形态多样，因此金星又分为多种品目，雨点金星、凤眼金星、金圈、金花、金星、谷粒金星、金线等。

歙砚金晕：金晕为金黄色，成片成块状。金晕与金星都属硫化铁之类的物质，在砚石中自然渗透所形成的形象。

歙砚鱼子：砚石中有细小的黑点，分布均匀密聚，其形状如鱼卵状，卵也称子。由于鱼子石的石色不同，具体分为鳅背纹、茶叶末、鳝鱼黄、碎冰纹、石眼等。

当然，在了解这些知识后，一般人在瓷器收藏时仍应注意下列一些问题：

1. 应看作品的造型

造型往往被陶瓷艺人和收藏家忽视。因为人们最易被色彩打动，而轻视造型本身。作为一种三维空间的艺术形式，造型的本身就能体现出一种精神。或圆润、或挺拔、或纤秀、或雄强、或文儒、或豪放。造型虽是由简单的线条组成，但提供给人们的想象力却是无穷无尽的。

2. 看装饰的效果

既要看装饰是否与造型统一，更要看装饰本身是否新颖和有创造性。瓷质材料的精美决定了装饰也应是唯美的。现在有些陶瓷艺人，简单地将国画画面移入瓷器装饰，效果未必很好。除少数作品外，两维空间的国画移入三维空间并不适合瓷器装饰。

3. 看色泽

青花是否纯净幽远、丰富润泽，釉里红是否红而不俗，层次多变，釉色是否亮丽莹透，无斑点瑕疵。如果以上三点都比较符合要求，至少具备了收藏的基本条件。接下来要了解作者的自身条件，是新人新作价位偏低，大胆买下。如果是名人名作还需考察作者的年作品量。同样作品的重复量（瓷器作品由于制作烧成过程的特殊性，一般惯例是允许有几件同样作品的类似），如果量少，价格自然要高，如果量多，特别是重复作品多，建议要谨慎购买。从国际收藏惯例来看，收藏中青年艺术家的作品，看似有一定的风险，实际上却是最具价值回报的一项投资。

古典家具——非常实用的收藏品

古典家具主要分为两类，一是有价值的旧式家具，主要指的是明代至清代四五百年间制作的家具，这个时期是中国传统家具制作的顶峰时代。这部

分家具已具有了文物价值，因而价格不菲。因为原材料奇缺，从民间收购到的旧家具越来越少，卖一件少一件，因而旧式家具是只涨不跌；二是仿明清家具，是现代的技术工人继承了明清以来家具制作工艺生产和销售的家具，不过这样的古典家具也是用上好的材料制作的，因而价格也很贵。

1. 古典家具的保养方法

中国古典家具都是由榫头连接而不是用铁钉。同时，古典家具的材料不同于现代家具用锯开的木板，因此木头会随温度和气候的变化而膨胀或收缩。经常的保养是不可缺少的，以下介绍一些常见的方法：

（1）避免阳光长期照射，那样容易使木头内部水分失去平衡，造成裂痕。

（2）温差不宜过大，避免空调开开关关，造成温度变化剧烈。

（3）避免将过热的物品直接放在桌上，会破坏表面的保护漆和蜡。

（4）选用柔软的棉布或软毛刷擦拭，避免使用金属刷、硬毛刷或粗糙的布。

（5）避免磕碰和硬物刮划，尤其提醒家里的孩子。

（6）对软木家具，至少每月用蜡和胡桃油保养一次，可以保持表面平滑，适度光亮。上蜡不可太密集，否则会堵塞木头的毛细孔。

2. 古典家具选购技巧

（1）闻气味：现在市场上销售的木家具，除了全实木家具外，多数都有人造板部件。因此在选购时特别要闻气味。如果使人流眼泪、打喷嚏，说明家具的甲醛释放量比较高，可能有问题，不要去购买。

（2）看报告：消费者向经销商索取质量检验报告，看看家具的甲醛释放量是否在标准允许的范围里。国家标准《室内装饰装修材料木家具中有害物质限量》规定，木家具中甲醛释放量每升不得大于1.5毫克，如选购的木家具甲醛超标就不要购买，建议购买达到E1标准板材制作的家具，只有达到E1级标准的板材才真正能对人体无害。

（3）问价格：甲醛超标的木家具大多使用廉价的人造板材，因此整套木家具的价格往往“超低”。由于廉价的人造板材大量使用了劣质胶水，致使甲醛释放量严重超标。

（4）签合同：客户在购买家具时最好签订《家具买卖合同》，并将环保条款写进合同中。

（5）开发票：现在有为数不少的消费者在经销商低价的诱惑下，拿了白条、收据等一走了之，而出了质量问题去投诉时，这类非正规发票往往难以作为有效证据，因此买家具一定要经销商开具正规发票。

3. 古典家具的收藏误区

古典家具收藏热持续升温，中国古典家居元素广受欢迎。淘“老家具”似乎也成为了一种潮流、一种投资。连欧洲老家具也开始加入中国古旧家具市场的竞争。收藏时要注意以下三点：

（1）不要一味注重家居材质。许多藏家认为，只要是黄花梨、紫檀的家具就能升值，不管多贵也可以买，这就是典型的“唯材质论”。其实，对家具而言，木料只是艺术载体，就如雕塑用的石膏、画画用的纸。再好的纸，如果用它写了一笔俗字，就只是废纸一张。没有艺术水准的家具，只能停留在使用层面，并不具备艺术品升值的潜力。

目前中国唯一出产黄花梨的海南，黄花梨已基本处于枯竭的状态，很多人为了牟取暴利，甚至把黄花梨的根都挖出来。大量珍贵的木材面临枯竭，市面上却充斥着用珍贵木材粗制滥造的仿古家具，多数没有任何艺术造型、工艺可言，只能作为材料论斤购买，没有任何收藏价值。

（2）不能一味注重年代。有一种观点认为，家具越老越好，年代久远的家具更具收藏价值。这两种观点都是不可取的，评判古典家具应该是全方位的，应从珍稀性、材质、艺术性、认知度、保持性等多方面去评判古典家具的价值。

其次，选购古典家具时要注意品评，走马观花买东西特别容易上当。国家级古家具专家、故宫博物院研究员、北京市文保文物鉴定中心鉴定专家胡德生提醒购买者，一定要在业内人士的陪同下购买古典家具。“现在基本上可以这样说，各大商场是没有老东西了，大部分人所见到的古典家具都是仿古家具。当然仿古家具也属于古典家具，同样具有一定的收藏、欣赏和使用价值。”

（3）一味研究书本知识不行，想收藏古典家具一定要多去市场上转转，多看多比较才能做出正确的判断。

专家提示您：明代家具和明式家具是有区别的，明代家具和明式家具是两个概念，不应混为一谈。明代家具顾名思义就是明代生产的家具，而明式家具是明代生产的优秀精品家具，具有很突出的特点，能集中表现明代家具的优秀风格。具有一个年代突出特点的家具才是收藏的佳品。

书画——前途不可估量的投资

书画收藏指人们对书法、绘画的收集、保护、管理、研究、弘扬和交流的活动。狭义地讲，书画收藏是对传统书法、国画的收藏，广义地讲，是对书法、篆刻、国画、油画、水彩、版画等所有美术品的收藏。

纸质文物种类繁多，主要有书籍、字画、契约、纸币和经卷等。近年来，书画收藏趋热，更多的人收藏书画，不只是为了欣赏，而是作为一种投资途径。

1. 书画作品的水平有几个要素

（1）书画作品造型变形是否合理。齐白石讲："太似则媚俗，不似则欺世，妙在似与不似之间。"黄宾虹讲"以不似之似为真似"，徐悲鸿讲"造型、解剖、结构准确"，这些都是在讲造型的道理。

（2）画中的章法、构图是否严谨。

（3）用笔、用墨、设色是否恰到好处。特别是画家能否在传统绘画基本功的基础上有所创新。别人都用前人用过的皴法画，而你又率先使用了一种新的皴法，这就是创新。

（4）该作品的气韵是否生动，意境是否深邃。有的画家画的山水、花卉都是带着灵性，是活的，这就是气韵生动。有的画越看越爱看，百看不厌，过后脑子里还有深深的印象，并且给人的想象力带来驰骋的余地，这就是因为该画意境深邃造成的。

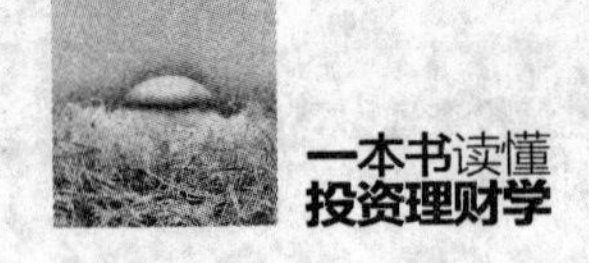

（5）该画的格调是否高雅。

2. 书画价格评估

艺术品收藏者和投资者还要懂得如何评估书画的价格。因为只有懂得如何评估书画的价格，收藏东西时才不会花冤枉钱。书画的价格一般由以下几个因素决定：

（1）书画的艺术水平。例如艺术水平高的齐白石书画，要比王雪涛书画的价格贵得多，要高数倍至上百倍。但王雪涛书画中的精品可能要比齐白石差的作品贵。

（2）书画的大小和品相。同等艺术水平的书画作品，大的比小的贵。品相指书画作品的相貌，书画作品底子上有残、缺、破、脏、掉色、涂改、漆、挖补的称为品相不好。

（3）书画是否珍稀。高水平书画艺术家的作品传世越少越贵，所谓“黄金有价艺无价”就是这个道理。

（4）书画所处的社会状态。书画处在经济繁荣的社会状态时价格就高，反之就便宜。收藏者综合状态好时就比不好时要价高得多。

（5）书画家的名气。名气大者价高，名气小者价低。

3. 书画收藏的技巧

从长远而言，随着中国经济的发展，国内艺术收藏力量不断增强，中国书画的地位及价值将无法估量对书画有爱好的人，除收藏欣赏之外，还作为一种保值、增值的投资方式。书画收藏与许多投资有相似之处，也有不同之处。关键在于要掌握收藏书画的五个基本技巧：

（1）不要做超出自身能力的投资，量力而行。尤其是在起步阶段，谨慎为宜。拍卖市场售出的书画，少则几千几万元，高则数十万元，上百万元，初入门者最好留意那些中等名家的作品，往往价格不高，质量较好。

（2）不要购买有争议的作品。因为书画市场上伪品甚多，如不细心，以真货的价买了假货，不仅丢了资金，还会挫伤个人锐气和胆识。千万不能大意，购买时如果自己在技术上把握不准，可以请行家鉴定。

（3）不要四面出击，广泛收集。要选择一个门类，或者某个时期、某种题材、某个画派，甚至某个画家的作品，集中精力弄懂弄通某个类型或

某个画家作品的行情，掌握其艺术特征，做到心中有底有数，这样才会稳操胜券。如果要广收博采，那必须有高深的资历和雄厚的经济实力，才能达到目的。

（4）注意收集各种有关资料进行系统地了解和研究，例如书画报刊、艺术投资文章书籍、拍卖图录和拍卖成交价格表，只有广泛地收集信息，分析信息，才能保证投资的收益。

（5）把握好出让时机。出让艺术品，是艺术品投资的后续劲作。只有出售，才能获取收益。在出让时，应考虑市场状况、行情趋势以及自己资金周转情况等。

4. 书画收藏五忌

俗话说，乱世藏金银，盛世兴收藏。但有专家告诫，现在有些门类的艺术品价格已被市场炒得过高，有的动辄上百万乃至上千万元。从投资回报的角度而言，投资风险正在聚集，未来价格的上升空间有限，因此趋冷避热亦是投资者需要认真考虑的问题。

作为收藏者一定要有自己的主见，把握自己，不要追潮流，否则等这阵炒风过后，就发现自己上当了，不应该把那些东西买回来。因此，作为一个收藏家，如果不同时是个鉴赏家，那是很危险的。因为不懂鉴赏就得听别人的，就会去盲目跟风；买东西时别人又不掏钱，他看错了损失是你的，况且你收藏那么多作品，真的、好的本身就是鉴定的依据。只要你经常学习、研究，与别人交流经验，那完全可以成为一个鉴赏家。“鉴赏”并不是一门“玄学”，鉴赏就是研究比较，真的与真的比，找出书画家创作的风格和不同时期不同面貌的规律。真的与假的比，找出判定真、假的道理。假的与假的比，找出作假者作伪的规律。从收藏家发展成鉴定家还有一个得天独厚的条件，那就是你有藏品，藏品就是重要的鉴定资料。

收藏书画有五忌，一是忌污染，如油渍、汗渍、茶渍和灰尘等，灰尘常吸附酸性物质、霉菌孢子，使纸张酸化、生霉；二是忌生霉，特别是黑、黄、红、紫等各种产生颜色的霉菌，产生的霉斑极难清除；三是忌虫蛀，蠹鱼、烟草甲等害虫，往往能把书画蛀蚀得千疮百孔，惨不忍睹；四是忌光照，一般光源都含有紫外线，紫外线使纸张发黄、发脆；五是忌潮

湿，纸张易吸湿，吸水后纸易生霉长虫、腐烂。除易因虫蛀腐烂而损坏之外，人为损坏也是主要原因之一：火灾、战争等的破坏，使许多珍贵的古籍、古字画、古文献佚失。

奇石——一石一世界

奇石，系指形状不一般的石头，其材质、造型、色彩及花纹不同寻常，能够满足人们的猎奇或审美习性，可供观赏把玩，或者出于赏玩目的的买卖经营。奇石的基本看点和主打卖点是一致的，皆属自然天成。奇石在我国历史上又称为怪石、雅石、供石、案石、几石、玩石、巧石、丑石、趣石、珍石、异石、孤赏石等，我国台湾及港澳称谓雅石，日本称水石，在韩国称寿石。从广义上来讲，凡是具有观赏价值的自然石均可称为奇石。

奇石乃天地间最古老的艺术品（天为艺术品或称类艺术品），其生成年代以百万年、千万年甚至亿年计数，加上其造型、结构、色彩、图案、线条等，有时美得让人眩目和惊叹。于是从古到今，上至达官贵人，下至黎民百姓，爱石者甚多。

1. 奇石种类

（1）太湖石。狭义太湖石是指产于太湖地区的古生代碳酸盐岩，经风化作用主要是岩溶作用形成千姿百态、剔透玲珑的石头。太湖石是中国园林的一朵奇葩，具有悠久的历史和极高的观赏价值，在北京、苏州、杭州、上海、南京等地都有太湖石装点的园林。

（2）璧石。灵璧县位于安徽省乐北部，古称“零璧”，后因盛产“灵光闪烁，色如璧玉”的佳石，于宋代政和七年（公元1117年）更名为灵璧，其石亦称灵璧石。“玉质金声”，“金声玉振”的灵璧磬石，早在3000年前的殷代，即成为当时重要的乐器——特磬。据《云林石谱》载：灵璧石“或成物状，或成山峦峰崖，透空多孔，有宛转之势，或成云气日月佛像，或状四时之景”。

（3）英石。广东英德地区岩溶地貌发育，英石实为裸露的石灰岩，经长时间的风化溶蚀作用而形成形态奇异、千姿百态的石体。英石园林与英石盆景是英石传统开发的两大拳头产品，品种繁多的英石及其丰富的蕴藏量，已成为英德市的一棵巨大的摇钱树。

（4）雨花石。产于雨花台组砾石层中具有观赏价值的砾石统称南京雨花石。南京雨花石五彩缤纷，造型奇特，晶莹剔透，是一种令人喜爱的观赏石。雨花石有质地美、形态美、色彩美、纹理美、呈像美、意境美六大特点，带领人们进入如梦如幻如痴如醉的审美境界。雨花石是观赏石中的佼佼者，亦是江南三大名石之一，为历代的名流贵族所喜爱。

（5）三峡石。长江三峡既是一座天然地质博物馆，又是一座天然奇石艺术宫。三峡石石源来自该区古老的前震旦系变质岩、沉积岩和前寒武纪侵入的花岗岩。三峡石奇形怪状，抽象奇巧，或状人类物，唯妙唯肖；或色泽艳丽，自成画卷；或金光闪闪，令人目眩；或花纹交叉，成为文字……1992年11月，李鹏总理视察三峡工程时，观赏了三峡奇石，题字“中华奇观”四字，对三峡石作了很高评价。

（6）黄河石。黄河地域辽阔，地质条件复杂多变，形成了种类繁多的黄河奇石，在黄河的洛阳段，聚集形成了众多的河床卵石与卵石滩，卵石大小不一，颜色多样，其中以“日月星辰石”最为名贵，其色彩艳丽，并呈圆形点状图案，涡纹线条酷似日月星辰，是难得的奇石珍品。

（7）菊花石。菊花石是由于石头中有似菊花形态的放射状矿物而得名，距今已有200多年的开发历史。菊花石由花蕊和花瓣两部分组成，花蕊为晶粒状集合体，花瓣为长短不等的斜方柱状天青石集合体，花瓣以花蕊为中心，向三度空间作放射状排列，组成以菊花状为主的各种形态的花朵。菊花石属碳酸盐岩，硬度一般较小，除石玩外，还雕琢成工艺品，深受爱石者的欢迎。

（8）红河石红水河是广西著名的滩多流急大河之一，具有良好的奇石产生环境。红河奇石提供品种丰富的观赏石资源，柳州、南宁、桂林是红河石的主要集散地，“柳州石玩天下奇”声誉鹊起。红河石得益于独具一格

的大自然“鬼斧神工”创造的形象美、色彩美，含蓄美，使其身价百倍，为国内外爱石者所争购。红河石多以产地定名，天峨石、都安石、合山石、来宾石等，都是红河石的石源。

（9）风棱石。在我国内蒙、青海、新疆等省区的戈壁荒漠区，由于风蚀作用，地面流沙的旋磨把沙漠中的大石子磨光成带有独特外形的风棱石，以硬度大、均质的硅质岩为主，颜色五彩缤纷。

风棱石一般归属造型石类，因风蚀作用，大多数棱角明显，嶙峋峥嵘，锋芒毕露。

风棱石适合佩底座后案台清供，一般不适合把玩。

现今风棱石在国内外市场十分抢手，价值也连年直线上升。

（10）大理石。云南大理出产的五彩石和纹理石，有的如崇山峻岭，瀑布江河，气势磅礴；有的像田园村庄，古树修竹，幽远宁静；还有的似朝霞暮霭，风花雪月，绚丽多彩。品质坚韧，表面光亮润泽，永不衰败，被誉为“国宝”。常见的大理石大多已锯截，磨琢成建筑材料，或做装饰的屏风、器具、文玩等。在天然大理石开采出后，只要对断面和锯截角度恰当选择，再经加工琢磨，石面上显出的花纹常具有中国山水画特色，云山雾绕，变幻无穷，极具观赏价值。

（11）泰山石。泰山石产于泰山山脉周边的溪流山谷，其质地坚硬，基调沉稳、凝重、浑厚，多以渗透、半渗透的纹理画面而出现，以其美丽多变的纹理而著名。泰山石以其古朴、苍劲、凝重的格调名扬海内外，又加上民间有泰山石能避邪、镇宅等传说，开始远走他乡。泰山石中的“文字石”、“数字石”、“人物石”、“天文地理”、“山水景观”、“花鸟鱼虫”、“十二生肖”等，或凸或凹，或动或静，龙蛇飞舞，千变万化，包罗万象，直接还原了大自然景观。

2. 如何鉴别奇石的收藏价值

（1）奇石的天然性。它是大自然的产物，贵乎于“天然生成”的本性。

（2）奇石的稀有性。奇石所以为奇，就是因为它稀有、罕见、异乎寻常。在其质、形、色、纹方面都是石中的少数。少到什么程度呢？罕见。

（3）奇石的完整性和完好度。只要是天然形成的，什么样的奇形怪状，都不是奇石的缺损，相反地，还会增加它的美感和收藏价值。

（4）奇石的赏玩价值。核心地讲，奇石的收藏价值与其赏玩价值是密切相连或呈正比例关系的。奇石的赏玩价值大，则收藏价值亦大，奇石的赏玩价值决定其收藏价值。

（5）奇石的体量和硬度。作为收藏的奇石，虽然有其或大或小的个人偏好，但是至大，也要区别于山峰，也不包括那些只能存在于大自然中的奇形怪石。因此，作为收藏的奇石首先要满足于天然地作为独立的个体存在的形式，和不因环境的变化丧失“奇”的特征的属性。通常的情况，奇石的收藏要选择适度的和适合个人收藏条件的体量。

作为奇石的硬度，则是奇石收藏必须考察的一个指标。奇石的硬度是奇石的质所决定的，它决定其抵抗外力刻画、压入、研磨的能力，直接关系到奇石收藏的保藏价值。奇石的硬度高，则石的密度大，质感好，赏玩价值亦大。硬度高者概括为一个“坚”字。奇石质坚，给人的质感是：细、润、光、洁。硬度是一个地质学的概念，其指标，从一至十级，级别越高硬度越大。作为收藏的奇石，硬度起点应是4度（以萤石为参照系）至于以上，是奇石收藏的基础要件。

（6）奇石收藏的人文因素。同很多的收藏品都有人文附加值一样，奇石收藏也要看原收藏者或是使用人，奇石收藏也离不开收藏的这个基本规则。一件奇石，会因收藏者的不同而形成不同程度和含量多少的附加值。当然，这需要有相应的记载。于奇石本身，是不能“附加”的。因此，考察以往的藏石，会有很大的难度。这在当代，有了摄影和出版，为今后鉴别奇石收藏凝结的人文价值提供了历史的帮助。

小人书——只求品质不问价

在上世纪六七十年代，或几分钱或几毛钱的小人书（即连环画）成了

孩子们最喜爱的读物，此后伴随着卡通画的出现，小人书渐渐退出了人们的视野。如今，小人书已经成为很多人收藏的目标。“小人书”学名叫连环画，是我国独有且历史悠久的出版物，源于白描画本、绣像本等传统艺术形式，20世纪20年代在上海兴起。20世纪60年代时，我国的彩色图书还很少，大都是黑白小人书，那时的小人书创作水平很高，犹其是那些古典名著连环画，用白描勾勒出古代仕女或武将，非常传神；而那些反映外国民间故事的插图也都十分精美，堪称经典。由于其特有的艺术形式、独特的反映故事手段、历史变革中产生了特殊作用等特点，“小人书”近年来伴随收藏投资市场日益活跃而身价上浮。当年有很多画家是以画连环画出名的，也有很多知名画家从事连环画创作，以至于现在那些名家连环画都成为珍稀收藏品，价格与文物相媲美。目前，业内公认它是继瓷器、书画、钱币、邮票之后的“第五大收藏”。

小人书是中国传统的艺术形式，最早的连环画是长沙马王堆出土的西汉故事画。到了清末有了石版印刷，这种艺术形式趋向成熟。

1949年后连环画发展进入高潮期。这时的小人书大多以土地改革、爱国增产、抗美援朝、宣传宪法、婚姻法等国家大事为题材。一些古典名著，诸如《三国演义》、《水浒》等题材的小人书也以质优而受读者欢迎。

连环画的黄金时代在上世纪五六十年代。这个时期，精彩纷呈的连环画作品争相问世，连环画界有“四大名旦”（沈曼云、赵宏本、钱笑呆、陈光镒）、“四小名旦”（赵三岛、笔如花、颜梅华、徐宏达）、“南顾北刘”（顾炳鑫、刘继卣）之称。赵宏本、钱笑呆的《孙悟空三打白骨精》雅致细腻、栩栩如生；王叔晖的《西厢记》隽永飘逸、惟妙惟肖；刘旦宅的《屈原》质朴凝重、遒劲奔放；王弘力的《十五贯》虚实相间、妙笔生花；丁斌曾、韩和平的《铁道游击队》气势磅礴、引人入胜；杨逸麟的《青春之歌》色彩鲜明、独树一帜；聋哑画家毅进的《钢铁是怎样炼成的》笔触生动、振奋精神；贺友直表现湘西农村题材的长篇连环画《山乡巨变》被誉为“中国连环画史上具有划时代意义的作品”。

“文革”期间的1966年5月到1969年期间，小人书出版几乎是空白。1970年开始，小人书的创作出版又形成了高潮。《鸡毛信》、《小骑手》等受

到了读者的喜爱。

“文革”以后到80年代，小人书发展进入鼎盛期。十一届三中全会后，除去《人到中年》、《蒋筑英》等现代题材以外，还有不少外国名著和中国名著小人书受到欢迎。像《东郭先生》、《杨家将》等书创下了出版发行的纪录。

从20世纪90年代开始，小人书的收藏逐渐升温，以运作“小人书”而取得良好收益的投资收藏者不少见。曾说有一位收藏爱好者，一天在地摊上发现10余本品相上佳的、20世纪六七十年代出版的连环画后，一狠心掏出200元买下了，没走出几步，就被一位收藏家瞧见，硬是塞给他2 200元后拿走。可见小人书收藏的潜力是很大的。

如果您真的喜欢小人书，并准备投资收藏的话，就需要对它有更深层的了解。因为不是所有的小人书都具有收藏价值和升值潜力。

1. 名家名品、获奖佳作，应是首选

因为小人书不仅是一种大众通俗美术读物，也是一种绘画艺术品。许多优秀作品都是当代的绘画大师创作的。如：刘继卣的《武松打虎》，王叔晖的《西厢记》、《生死牌》、《杨门女将》，陈缘督的全套《水浒》，获奖作品《蔡文姬》、《枫》、《鉴真》等。这些作品的内容丰富，健康严肃，具有很高的收藏价值。刘继卣的《鸡毛信》、《东郭先生》，王叔晖的《西厢记》、《孔雀东南飞》，程十发的《胆剑篇》、《孔乙己》、《阿Q108图》，刘旦宅的《屈原》等也很有收藏价值。

2. 老版的小人书

特别是指1965年以前出版的。老版小人书的存世量十分有限，品相好的更是凤毛麟角。20世纪七八十年代的作品，也已经引起了收藏者的广泛关注，早一点下手，应是明智之举。

3. 专题、套书

作为一名普通的收藏者，可根据自己的经济实力，选择喜欢的专题，有目的性地收藏。如人物题材、战争题材等。这样做既省钱又省时，也许还真能搞出名堂呢！

在刚刚过去的2009年末北京潘家园藏品市场举办的一次连环画拍卖会

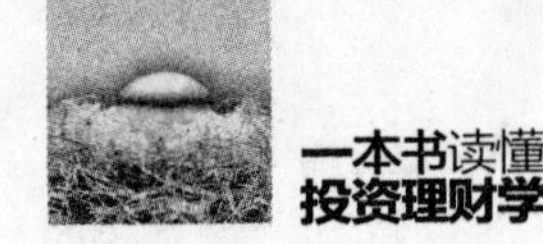

上，1957年版的《瓦岗寨》拍出了2万元的高价，其他连环画，成交率也高达90%。想不到，几十年前在人们身边那不起眼儿的、满天飞舞的小人书，如今竟然成了“小金书”。

4. 看开本

一般的连册开本分为60开、64开两种；老版本常见的还有50开、48开两种；特殊版本为32开、24开、16开、12开不等。一般来说开本越大，价格越贵。

5. 看发行量

这要看连环画封底印数的多少。“物以稀为贵”，发行量少的价格就贵。

6. 看出版时间

20世纪五六十年代的连环画比七八十年代出版的时间长，丢失、受损的概率也大，所以价值也偏高。

7. 看流通量

有的连环画，虽然发行了六七十万册，但由于种种原因大量的连环画被销毁，使不少作品成为绝版，这也是连环画升值的关键点。

车模——现代而时尚的收藏新品种

收藏车模，不仅可以陶冶性情，增长知识，而且还是一项很好的投资，不仅能保值，而且能升值。

车模本身就是一种艺术品，用作家居装饰，有它独特的魅力和观赏价值。君不见，车模的每一个零部件都是如此精致，车灯、底盘、发动机、方向盘及制造商的标志等无所不有。

车模集成了当今先进的设计和制造技术，如低熔点合金的精密压铸、负离子表面喷涂、曲面移印等科技含量较高的工艺技术。仿真车是严格地按比例把各式世界名车缩小制造成模型。比例通常有1∶18、1∶24、1∶43、

1:64、1:76等。外形用大比重合金材料压铸成形、表面打磨喷漆，精细亮泽。其内部结构如发动机、底盘、仪表板、座椅、雨刮器、大小灯等部件仿造得惟妙惟肖，有些上乘的作品甚至连车的重量和发动机、传动机构的运作也按比例缩小表达出来。质感、结构、油漆工艺等仿真程度令汽车专家也叹为观止，把它们作为汽车专业的教具一点也没有夸张。

车模大多以那些在历史上充满传奇色彩或代表当时最新科技的经典车型为蓝本。如奔驰、保时捷、法拉利、红旗等，几乎每一款车模都有一段传奇的故事，不同时期的车模反映了当时的历史和文化。可以毫不夸张地说，每一个车模就是一本立体的汽车百科全书里精彩的一页，是汽车文化的一个载体。如果说作为交通工具的汽车实现了爱车、玩车一族的梦想，那么作为精美工艺品的车模无疑圆了汽车文化崇拜者的美梦。各具风格的汽车模型及其所蕴含的科学技术，不仅增强了我们的创意和想象力，而且为我们拓展了生活的思维空间，不同历史时期的仿真车模，作为汽车文化的一个载体，它鲜明地反映了汽车的历史沿革及其文化发展，其文化艺术价值，必将随着人们的欣赏意识和文化修养的增强而不断提升。

车模除了供欣赏和学习科学、历史和文化知识外，还具有特殊的收藏价值。特别是车模中的一些极品，如中国第一汽车集团制造的顶级仿真车模——红旗检阅车仿真精品车模，采用当今最先进的车模制造工艺，按CA770TJ红旗高级检阅车原样，以1:24比例仿真精制而成，仅生产1万辆，毁模绝版，且每辆均有绝版编号及单体绝版公证书，使每一个收藏者成为独一无二的拥有者，该款车模由于集历史价值、艺术价值和纪念价值于一身而成为至臻完美的收藏新宠，其收藏价值非比寻常。

仿真车模最早出现于1914年。当年美国福特汽车公司，为了提高其产品知名度增加汽车的销量，首次以其生产的T型车为蓝本，定制了世界上第一款仿真汽车模型，并作为促销礼品赠送给每一个购车者，从而开创了仿真车模制造的先河。目前在欧美、港台等发达国家和地区，几乎每个家庭都拥有几款或更多的模型车，而致力于仿真车模收藏与鉴赏者也为数众多，并且已经发展成为各个汽车厂商，用于馈赠来访的外国贵宾、政府要员和宣传新车型而必不可少的汽车形象产品。

在我国，专业从事仿真车模制造和收藏大多起步于20世纪90年代中后期，目前主要分布于沿海发达地区及北京、上海等大城市。制造商95%以上都是国外著名品牌在中国设立的独资生产企业。产品主要销往世界各地，内销的仿真车模较少。近两年我国的汽车工业发展迅猛，汽车已开始进入寻常百姓家庭。在人们对汽车关注程度与日俱增的同时，对汽车文化的兴趣也愈加浓厚。特别是国内外汽车厂商合作生产下线的新车型层出不穷，各款限量开发制造的新型车模型也都孕育而生，并作为汽车厂家馈赠贵宾和促销宣传的必备佳品流行于市。由此也使仿真模型车收藏逐渐在全国各地成为一种新的时尚。

仿真车模的收藏，可以根据个人的品位爱好、经济实力、车模货源等情况的不同而采取不同的收藏方式。一般主要有以下几种收藏方式：

1. 按比例收藏

例如收藏1∶12、1∶18、1∶24、1∶32、1∶43、1∶64等。

2. 按车型收藏

例如收藏大型房车、四门轿车、双门跑车、敞篷轿（跑）车、越野车、商务车、老爷车、赛车（公路、拉力、场地、方程式等）、SUV、MPV、专用车（警车、工程车、消防车、军用）等。

3. 按车系收藏

例如收藏奔驰系列、宝马系列、法拉利系列、保时捷系列、福特系列、通用系列、克莱斯勒系列、大众系列、丰田系列、日产系列、三菱系列、本田系列、国产车系列等等。

4. 按车模品牌收藏

例如FM（美）、CMC（德）、MBI（美）、MR（意）、KYOSHO（日）、MINICHAMPS（英）、AUTOART（德）、BBURAGO（意）、MAISTO（泰）、UT（德）、ANSON（港）、RICKO（港）、SUNSTAR（港）、GATE（港）、鹰牌（法）及国产品牌（将军、佳迪、万科、博泰、千旺达、火柴盒、康威、威力）等。

5. 按自己的喜好收藏

根据自己的兴趣、品位随意收藏。

一本书读懂
投资理财学

自主创业篇

我的地盘我做主

Read A Book to Learn
Investment

实业投资理财的原则

一定要投资自己熟悉的行业

投资是一种前瞻性的经营行为，由于未来的不确定性，任何投资都存在风险。因此，也可以说投资是一把双刃剑，它既可以创造财富，又可以吞噬投资者的金钱和精力，陷于投资失误的泥潭之中而不能自拔。就实业投资来说，业界流行一句老话：不熟不做。意思是轻易不向自己所不熟悉的产品、行业等领域插足。

完全不熟悉的行业是非常难做的，看着别人赚钱的行业，不见得自己做就能顺利赚钱。每个行业有独特的门道，完全不了解的行业，或者自己都没搞懂做什么的行业，最好不要盲目投资，听着别人说得天花乱坠的时候，也许自己即将成为冤大头。

因此对创业者来讲，最好做自己相对熟悉的行业，或者这个行业自己曾经因为爱好而积累有一定的经验，介入进来的时候才能避免一头雾水或遭遇障碍。

翁锦通，香港锦兴集团总裁，40岁独闯香港，白手起家，拼搏奋斗，成为一名蜚声海内外的“商界奇才”、香港“抽纱大王”。生意鼎盛时，他的集团公司转口经销的中国抽纱工艺品年贸易额达到8亿美元。他还涉足地产、矿产、化工等领域，也取得了辉煌的业绩，成了雄霸一方的殷商。

1957年，翁锦通在他40岁生日那一天，踏上香港土地时，当时身上

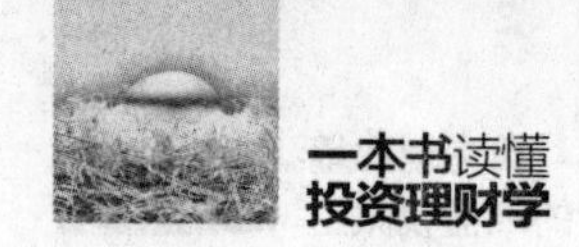

只有4港元。1962年，他开始自己创业，从自己熟悉的潮汕抽纱做起，他自信自己对抽纱积累有数10年的经验，对于抽纱行业的经营管理有绝对的把握，对于抽纱任何细微技术性问题也了如指掌。他办起了“锦兴绣花台布公司”和“香港机绣床布厂”。从此，翁锦通在抽纱工艺领域稳扎稳打，不断拓展，逐步建立起他的“抽纱王国”。从中国香港到中东、美国、欧洲等地市场都有他的抽纱工艺品。他的锦兴绣花台布公司也发展成为香港、美国、意大利、新加坡等地都设有公司、销售网络遍布全球的“锦兴集团”。

后来，翁锦通为自己的创业总结了四条经验：一是要绝对内行，才可能做到业精于勤，才能成其专长专业；二是要有勤奋的精神和坚韧的毅力，不辞劳苦而且百折不挠，脚踏实地，以信立足；三是计划要缜密，处事要沉稳。不可轻举妄动，意气用事；四是要品行端方，要干实业，而勿投机；要近正经商人，勿近狡商市侩。

由此可见，不管在哪儿做生意，做什么生意，如果是本行业专家，优势不言而喻。常言说：隔行如隔山。在生意场上不懂行，就意味着血本无归了。看到别人做生意是赚钱，等到自己做了，就只有赔钱的份了。因为每个行业都有自己的核心内容，如果不熟悉是很难掌握这些东西的。“熟能生巧”在生意上也一样适用。

所以建议大家在选择做什么项目的时候，一定要找一个自己了解的行业，千万不要单纯看什么行业赚钱就一头扎进去。不要在自己不熟悉不了解的市场中较劲儿。

 选择投资项目的八原则

找到一个好的投资项目等于投资成功了一半，起步对了，后面的路就不会走得冤枉。那么在实际选择投资项目的过程中，怎样选择才算是

选对了呢?

以下原则能在我们选择投资项目时起到指引的作用:

1. 高回报

这要求所选择的企业应是高速成长型，至少身处年成长速度在10%以上的发展领域。

2. 产品和服务具有独特性

你所选择投资的企业有独一无二的优势吗？这些优势体现在技术、品牌、成本等方面，而这些优势能保持多长时间也是你投资成败的重要因素。

3. 要有风险意识

无论你选择哪一个投资项目，都会有风险。如何规避风险应放在选择投资项目的首位。因此，在选择投资项目时不要光想着如何赚钱，应该时刻想着如何不赔钱。不赔钱就是赚钱。

4. 确定你的最大风险承受底线

如果你现在的投资资本是20万元，其中的10万元是借来的，你的风险承受底线最大就是10万元，甚至要考虑设在5万~6万元的范围，因为你一旦失败还要吃饭和生存。

5. 资本小的时候只能跟风

投资者一般的感觉是缺少资金，当资本少的时候选择项目的方法只能是跟风，就是别人干什么你就跟着干什么，越是很多人干的事你越可以干。每个菜市场都有卖白菜的，全中国的菜市场不知道有多少卖白菜的，你也去卖卖，一般不会赔。

6. 资本大的时候创造市场

如果是二次投资，或者可以一次性筹到比较多的投资资本，可以不必跟风，这就要自己来创造市场，把潜在的市场由投资者自己开发出来，以此获得超常的利润回报。

7. 高科技是多数人失败、少数人成功的投资项目

高科技项目虽好，但是高科技项目的成功率远低于在市场上卖白菜。如果投资者掌握着高科技技术，并且有别人给你投资，一旦成功身价百倍，一旦失败也只是搭上了些精力和时间。如果是自己在第一次创业时就

筹资开发高科技项目，并且自己不懂技术，这种事情成功概率较低。看不见摸不着的东西比看得见摸得着的东西赚钱快，但赔钱更快。

8. 团队诚信互补

人的因素常被认为是企业成功的重要因素。而一个人正直、诚实永远是第一位的，如何做人反映在做事上，反映在如何经营企业上。同时，团队成员之间的互补也是企业成功的一个因素。所以，人也是投资所必须看重的一个因素。

综上所述，选择投资项目要因地而异、因人而异、因时而异、因环境而异。对于小额资本的投资来说，要下功夫比别人做得更好。对于大额资本的投资来说，要找到能够达到和促进资本迅速增值的那个“点”，如果找到了，这个项目就是一座金山，如果找不到这个“点”，金山也会变成土山。

投资必知的经营战略

公司成立了，要想公司取得好的效益，就要有好的经营模式，制定恰当的经营战略。以下是创业者必须学会的经营战略：

1. 最低成本战略

最低成本战略，顾名思义即通过使自己成为本行业成本最低的生产者而进行竞争的战略。其降低成本主要途径是：

（1）建立最佳规模最经济的工厂。

（2）采用能降低成本的先进技术。

（3）确保研究开发、服务、分销和广告等领域有效性的同时，降低其费用。

（4）采用先进的管理方法确保企业、组织间的协调并降低管理费用。

较低成本虽然不是每个企业都热心追求的竞争战略，但却是企业整个战略的主题。低成本生产者在行业中具有明显的优势：一是对于竞争者来说，低成本生产者可以以低价为基础在竞争中处于优势地位，采用扩大销售、打击对手的竞争战略，获得超额利润；二是对于供应商来说，低成本生产者之所以能比其竞争对手更独立于供应商，是因为它更能承受原材料采购价格的上涨；三是对于潜在的进入者来说，低成本生产者将处于有利的竞争地位，较低的成本不仅可以作为进入障碍，而且可以保持已有的市场；四是对替代商品来说，低成本生产者可以通过削价比其对手具有更强的防卫能力。

总之，低成本可以使企业在承受较低价格的同时，获得较高的利润，可以争取较多的客户，尤其是可使企业在决定行业价格水平中具有较大的左右能力。

2. 追求产品差异的战略

实行产品差异可采取许多形式：不同风格、独特的性征、便捷的配件、可靠的产品、非凡的质量、卓越的服务、良好的企业形象等。

成功的产品差异可以使客户对企业的品牌或形式产生偏好或忠诚，甚至使客户愿意为之支付较高的价格。但是许多产品的差异都很容易被竞争对手消除，若想产生持久的吸引力和竞争优势，必须建立在技术优势、质量过硬、给客户较多的支持服务的基础之上。

3. 集中重点或专业化战略

集中重点或专业化战略，是通过抓住特定客户的群体的特殊需要，通过集中力量于有限地区的市场或者通过集中力量于产品的某种用途，来建立竞争优势和市场地位的战略。它的思想基础是企业在有限目标市场更具效率，或者比普通摊开的竞争对手更有效率。这是对小型企业非常适用的发展战略，可以使小企业和规模庞大的企业展开成本竞争。

集中重点战略使企业在实现有限市场目标中获得优势，使企业足可应付其他竞争力量，在其目标市场上，竞争对手不可能具有相同的能力，进入者将受其竞争优势的阻碍，替代产品也难于立足，客户将因不愿意把其他业务转移到不能提供同等服务的其他企业而削弱谈判力，供应商则很可能面临买方市场。

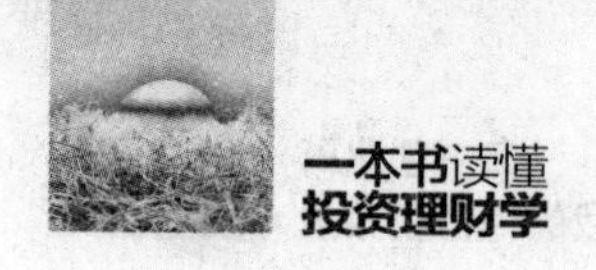

创业投资的一般流程

创业投资是一件非常艰辛的过程，进行创业投资，一个全面的计划和合理的安排必不可少。因此，了解创业投资的一般流程是必经之路，只有把握了创业投资的一般流程，才能有计划地进行创业，才能避免空有好点子或者好资源却不能得到合理应用的情况发生。

1. 产生创业的灵感

新的企业诞生往往是伴随着一种灵感或创意而诞生的。诺兰·布什内尔在兔岛游艺场工作过，在犹他大学玩过电子游戏机，这使他预见电子游戏未来巨大市场潜力，因此他开办了阿塔里公司。美国著名的联邦快递（Federal Express）的发起人当时只是脑子里有一个想法，这是个有很大风险却孕育着希望的想法。风险投资专家非常欣赏隔夜传递的想法，因此投入大量的资金，在经历连续29个月每月损失100万美元的痛苦过程后，联邦快递最终宣告成立。

2. 建立合作团队

建立一个由各方面的专家组成的合作团队，对创办风险企业是十分必要的。一个平衡的、有能力的团队，应当包括有管理和技术经验的经理和财务、销售、工程以及相关的产品设计、生产等其他领域的能人。为建立一个精诚合作、具有献身精神的团队，这位创业者必须使其他人相信跟他一起干是有前途的。

3. 企业初步定型

通过获得现有的关于顾客需要和潜在市场的信息，马上着手开发某种新产品。在硅谷，这个阶段的工作一般是在某人的家里或汽车房里完成的。如苹果公司的乔布斯和沃兹尼克也是在其汽车库里开始其创业生涯的。当Sequoia的合伙人麦克·莫利茨第一次造访Yahoo工作间时，看到的是

“杨致远和他的同伴坐在狭小的房间里，服务器不停地散发热量，电话应答机每隔一分钟响一下，地板上散放着比萨饼盒，到处乱扔着脏衣服”。在这一阶段，创业者们一般每天工作10~14小时，每周工作6~7天。这期间，创业者往往没有任何报酬。风险资本公司也很少在这个阶段向该企业投资，支撑创业者奋斗的主要动力是创业者的创业冲动和对未来的美好向往。

4. 制订企业计划

一份企业计划书，不仅是开办一个新公司的发展计划，而且是风险资本家评估一个新公司的主要依据。一份有吸引力的企业计划书要能使一个创业者认识到潜在的障碍，并制订克服这些障碍的战略对策才算完备。例如，坦德姆公司在1974年制订的企业计划书中所做的销售额预测，与该公司1982年实现的销售额（2亿多美元）惊人地接近。而罗伯特·诺伊斯起草的INTEL公司计划书，仅用了一页纸。

5. 寻找资本支持

大多数创业团队没有足够的资本创办一个新企业，他们需要从外部寻求风险资本的支持。创业者往往通过朋友或业务伙伴把企业计划书送给一家或更多的风险资本公司。如果风险家认为企业计划书有前途，就与这个企业团队举行会谈。同时，风险资本家还通过各种正式或非正式渠道，了解这些创业者以及他们的实力情况。

6. 企业开张

创业者的企业计划书被风险投资家所认可后，风险投资家会向该创业者投资，这时，创业者和风险投资者的“真正”联合就开始了，一个新的企业就开张了。之所以说创业者和风险投资家的联合是“真正”的联合，是因为风险资本家不仅是这个新成立公司董事会的成员，而且要参与新企业的经营管理。美国旧金山的风险投资家比尔·汉布雷克特是多家风险企业董事会的成员，他说：“我们不仅把骰子投出去，我们还吹它们，使劲地吹。”当新公司的规模和销售额扩大时，创业者往往要求风险资本家进一步提供资金，以便壮大自己，在竞争中占上风。随着时间的推移，风险减少，常规的资金来源如银行就会关注该公司。这时，风险资本家开始考虑撤退。

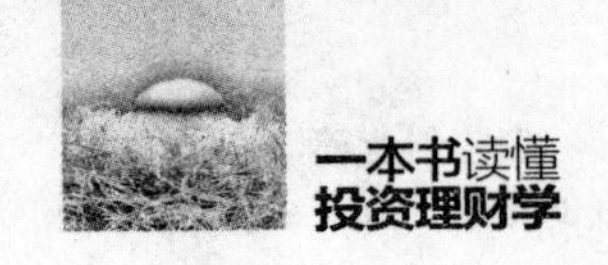

7. 上市

若创业公司开办五六年后，获得成功，风险资本家就会帮助它“走向社会”，办法是将它的股票广为销售。这时，风险资本家往往收起装满了的钱袋回家，到另一个有风险的新创企业去投资。大多数风险资本家都希望在5年内能得到相当于初始投资的10倍收益。当然，这种希望并不总是能够实现的。在新创办的企业中，大约有20%~30%会夭折，60%~70%会获得一定程度的成功，只有5%的新企业大发其财。

实业投资要避开的五大误区

在实业投资过程中，做决定之前，一定要从方法、思维、技术等方面入手，细致分析，回避投资的误区，减少投资的风险。

1. 投资项目过于单一

由于资源和资金的集中，单一投资在项目选择正确的情况下，常常会给企业带来好的收益。但单一投资的风险也是显而易见的，放大了的风险只要发生一次，就可能使投资者多年积累起来的财富毁于一旦。

投资过于单一，就像把所有鸡蛋放在同一个篮子里，一旦篮子打翻，鸡蛋也就全部摔破了。而由多项目构成的组合性投资，可以大大减少单一投资所带来的投资风险。特别作为一名缺乏经验的创业投资者，在进行投资决策时，一定要尽可能拓展投资思路，培养多元化投资思维方式，在保持投资项目的多元化同时，也应注意在项目与资金之间达成平衡。

2. 投资规模过大，资产负债比率过高

在经济增长迅速的时候，人们容易对未来估计过于乐观，藐视风险，投资规模过大，超支投资，从而形成投资泡沫，一旦有风吹草动，泡沫迅速破灭，投资者就会陷入危局和困境。因此，投资者应从风险与收益平衡的角度考虑企业的投资导向，在选择合适的投资项目的时候，将投资规模控制在适度的范围内。在具体投资时，尽量将资金分批次、分阶段投入，避免一次性投入，应留有余力，以防万一环境变化，风险发生，而手中再无资金可以周转，导致满盘皆输的局面。

3. 急于获取回报

创业者在初涉投资时，易受眼前利益驱动，而忽视长远利益，采取急功近利的短期行为，这样做虽然能够使企业一时获利，却丧失了长远发展的后劲。投资是一项系统工程，创业者要克服急功近利的思想，更不可杀鸡取卵、竭泽而渔。

4. 不愿寻求投资合作伙伴

投资者在投资活动中，既要讲独立，也要讲合作。适当的合作（包括合资）可以弥补双方的缺陷，使弱小企业在市场中迅速站稳脚跟。假如创业者不顾实际情况，一门心思单打独斗，就很有可能延误企业的发展。毕竟，分享利润总比谁也没有利润好。

5. 过度相信他人，不亲自进行市场调查

一般情况下，创业者对他人尤其是亲密朋友的意见都容易过度信任，认为亲友的话即代表了市场的真相，自己无须再对市场进行调查，从而导致投资失败。在做投资决策时，不要轻易相信任何人的意见与建议，哪怕这个人是赫赫有名的专家、你的亲兄弟、你的父亲母亲。毕竟：要想知道梨子的滋味，就要亲自尝一尝。这是万古不渝的真理，投资者更应该牢记。

实业投资理财实战案例分析

 万元起步做“大头照”

数码相片贴纸，亦称大头贴、粘纸相、贴纸相等。是一种把人相与背景相合成而产生炫酷效果，并可随意粘贴在钱包、手机、匙扣、项链坠、相机等处的新型时尚影像贴纸产品。

大头贴大概在上个世纪90年代左右被引进国内，机器也是直接从日本进口，成本较高，所以价格也比较昂贵。但是近几年，店家往往采用加盟手段，成本不高，收效又快。比如，其中有一家店，开张才一个多月，店内有2台机器，每台1.24万元，铺面租金每月有1 500元，平时主要的开销就是墨水和纸。但是由于选址理想，每天能售出15元一张的大头贴六七十张。可见，购买贴纸相机是一种风险小收益大的投资。经营一个贴纸相店面，总投资额最低1万元即可起步，但若经营得法每个月带来的营业收入却超过8 000元，故3个月之内就可收回所有投资。

随着现代数码产品的普及，加之大多青年都热衷于此，还常常在网上专门建立网页互相交流，这个市场还是潜力巨大的。但是，目前的贴纸店的竞争也相当激烈。因此，有意向进入此行业也需要注意以下几点：

1. 注意选对商铺地点

由于消费群集中在25岁以下的年轻人，而且大部分是中学生及青年男女，所以要把店铺选在这些人最喜欢去的闹市中。

2. 机器配置一定要注意质量

不要贪便宜选了质差价高的机子，要保证出来的照片有足够的清晰度和丰富的背景。

3. 墨盒一定要好，坏了就会耽误整天的生意

生意开始后，每日的成本除了店租、人工和贴纸相机设备损耗外，就是打印纸、过塑纸和墨盒这些耗材的使用，平均来说，一张照片的成本不高于2元。过塑纸种类不少，一般来说可以选光面和雾面的两种。一台贴纸相机每月使用的耗材数量如下：A4的打印纸300张（可当400小张用），墨盒9套，过塑纸两卷（光面和雾面）。

4. 挑选有责任心、素质高的店员

特别是在硬件各方面并不占优的情况下，营业员的服务态度就起着至关重要的作用。他们直接和顾客打交道，服务质量差，顾客自然少。

5. 多样化的营销手段

如果选址不理想，那就需要考虑多样化的营销手段以促进销售工作的进行。比如有些店家就采用优惠卡的方式，拍齐十套就免费送拍一套；或者拍一套就免费加印一套；或者拍一套送一件小礼品……有的店家甚至推出了贴纸制成挂饰的业务。

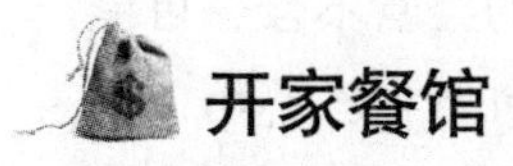

开家餐馆

民以食为天。中国有句谚语“一顿不吃饿得慌”，因此餐饮业长久以来是最被看好的大众化创业行业。此外，餐饮业由于投资门槛低、盈利能力较强一直大受创业人士的欢迎。

我国有五千年的悠久文化，这其中，饮食文化占据了非常重要的地位，素来就有“只有中国人是用舌头吃饭”的说法。

更重要的是，无论一个社会经济如何不景气，人心有多么的浮躁，都

是离不开吃的。可以说，餐饮业是当之无愧的“百业之首”。从古至今，只有餐饮业长盛不衰，并且时至今日还在向更繁荣的方向发展。从那一句“民以食为天”，已经到了今时今日的“中华饮食文化”。

“如果你兜里的钱只能干点小事，又不想受制于人，那么你就去开家小餐馆。因为自己总要吃饭，也许还能顺便挣点别人的钱呢。”这当然是笑谈，不过也证明开餐馆是我们每个想当老板的普通人很不错的选择。

根据世界经济合作组织一篇最新的研究报告表明：在知识经济迅猛发展的今天，传统行业中只有服务业仍有较大的发展。服务行业的投入比制造业低，增长率却更高。在该报告中被称作：打破知识经济神话的反例。专家们还把餐饮业列入新千年将蓬勃发展的15类热门职业之中。其实这几乎是必然的，可以算一算，只要一个城市的1 000万人中有1%的人决定：这顿饭我们去外面吃！其中所蕴含的商机便不言而喻了！

如果你拿定了主意，决定开家餐馆，可能马上又有了新的问题：需要多少投资？开什么样的餐馆？什么规模和档次的？回报如何？又会有多大风险？这些应该都是你最想知道的问题。

还有你是否想到了开一家餐馆，是绝不能愚信“只要我的菜货真价实，自然就会有人来吃”这句话。你一定要想到，我的餐馆要有一流的服务和管理，高档的菜肴和装修……如果你不具备这些基本的现代经营头脑，就很难获得成功。

另外，也不要以为开了餐馆就一定会赚钱，如果你的经营不佳，可能眼睁睁看着对面或隔壁餐馆财源滚滚，自己的店却是门可罗雀，心中可能还百思不得其解，其实这是经营策划失败的典型结果。所以，如果你决定要开一家餐馆，就要全神贯注，不畏辛劳，努力把自己的店打理好。

餐饮行业专家分析，现阶段做餐饮最具赚钱潜力的项目当属早餐店、休闲饮品店和中式特色小吃店。早餐店与休闲饮品店具有成本低廉、利润丰厚、回本较快的优势，平均投资成本在2万~10万元，平均净利25%~35%，一般6~9个月即可收回投资，因此成为众多创业者的最佳选择。

但是，在现阶段这两类店的单店形式已经不太容易在较短时间内取得较好业绩，甚至在一些竞争特别激烈的地段已经不太容易生存了。所以，首次创业者不妨考虑以加盟知名品牌的方式创业，但在挑选真正有竞争力的加盟总部时，需要格外用心才好。

此外，随着中国许多地方的城市建设逐年展开，创业者在经营思路上要改变过去以经营“过路客”为主的思维，而应培养“熟客、回头客”，从而赢得顾客的忠诚度。

开家瓷器店

陶瓷店是一门古老的行业，在20多年前，陶瓷店往往带有地方艺术色彩，常以产地和顾客爱好的区别来显示店面的特色，使店面专业化。

现在这种商店，仍然是以中式碗、碟、茶杯、茶壶等餐具为主要商品，但也加进如咖啡杯、刀叉盘碟之类的西式餐具，而且逐渐兼卖玻璃、金属等综合餐具，表明目前这种商店已走向多元化的经营模式。要想进入这一行业，必须对瓷器的演变有充分了解，且能适应这种变化。

在决定商品构成时，应该对当地风俗习惯、顾客阶层、年龄等因素，全面加以考虑。

开设陶瓷店应尽量设在靠近市场边缘，最好与杂货店相邻，要么选择过往顾客多的市场附近。人员以2~3人为佳，以自己去做更为理想。在商品摆设上要多动脑筋，如果以青年阶层为主要对象，一定要在陈列上有色彩感，这有助于商品销售。这种陶瓷店还应配合季节性而广为促销，像春秋季节结婚的人多，民间节目也多，可以开动脑筋，销售对路产品。此外，产品不要积压过多，尽量加快资金周转是很重要的。此外，在经营中也需要注意以下几点：

（1）经营者要多学习多请教，尽可能多的了解瓷器方面的专业知识，使自己成为一个懂行的店老板。

（2）虽然瓷器店的店铺不大，但所经营的瓷器种类却应非常齐全，像

镁质瓷、骨质瓷、高白瓷、强化瓷、景德镇的青花瓷以及一般的普通瓷都应有货，使不同类型的消费者到店里都能找到适合自己的商品。

（3）应推行“透明经营”，在每一件瓷器的旁边都要放一个小牌子，上面标上这件瓷器的材质、工艺和特点，让顾客买得明白，买得放心。

开家藤艺店

现代人注重生活质量，讲个性、讲情调、讲品位。一成不变的家居装潢已经越来越无法满足人们的需求。随着复古浪潮的兴起，古色古香、沉寂多年的藤制品越来越引起人们的关注。记得当年老上海弄堂里家家户户坐藤椅，价廉物美。今天的藤制品已非昔比——一张藤椅400元还是打了特价。不过，生意还是不错。年轻女性、白领夫妻、外国友人对其抱有巨大的热情。那么开家藤艺店是否有的赚？

1. 开业准备

藤艺店一定要选个好地段。藤艺品价格不菲，消费人群多是白领阶层女性，所以店址最好选在热闹的商业街，才会有旺盛的人气。另外，因为藤制品体积一般比较大，因此店面最好租得大一些，同时合理利用店内所有空间，采用吊挂的形式既使店内不显拥挤，又富特色。

藤制品的进货渠道十分关键。联系到好的藤制品生产厂家既可以降低成本，又能及时变换款式。现在一般的藤艺店进货方式主要有两种：一是店主自己开店又开厂；另一种是去厂家进货。

2. 资金

藤制品种类繁多，成本投入不低，店面租金、店员工资。大致算来，10万元可以起步。

3. 经营范围

藤艺店卖得最好的是小工艺品、饰品和家居用品。诸如，CD架、拎

包、草鞋、藤艺画、置物箱、书架等。藤制沙发前景看好，有条件的话可以考虑。

4. 经营建议

顾客都想买有特色的东西，所以要尽量保证店内物品与众不同，并大力发展定做业务，满足客户的特别需求。

以前的藤制品经久耐用，好的传统需要发扬。大到沙发，小到化妆包，用不了多久就坏掉，就会令消费者对藤制品失去信心。质量好永远是吸引回头客的法宝。

开家服装店

服装与纺织是每年为中国提供9%以上GDP和25%以上外汇收入的一个支柱产业，中国纺织服装出口额占世界纺织服装出口总额的1/5。

经营是一门科学，也是一门艺术。所谓“劳心者制人，劳力者制于人”，也同样是商战中的一条法则。在企业经营方面，有最新版本的教科书，但却永远不会有放之四海而皆准的经营方式。企业家在严谨的利益型思考的基础上，还必须学会随机应变。

1. 找一块“风水宝地”

军人打仗时要抢占有利地形，商人经营也要求得一块风水宝地。都市商区可分为五大类型，每一街区都有自己的特点，你需要把哪一方区域当作宝地，还要看自己经营的品种、规模、档次及消费对象。

兵战之术中讲究“天时、地利、人和”，商战更是如此。在商战中，“天时”代表市场机会；“人和”即人的协调和睦；而“地利”则是发展生意的一个好位置。恰到好处地选择一块经营位置，生意差不多就已经成功了三成。但对各具特色的服装店来说，并不是只要选择房租最贵的商业区就是自己的黄金地段。老板们准备开设的服装店，有做衣服的裁缝店，

有卖衣服的时装店，有大型的，有小型的，有针对工薪阶层的，有做名牌专卖的，有专门针对农村市场的，有专卖婴幼孕服饰的，有生产职业服的等，他们各自都有自己最合适的位置。无论是选择服装厂址，还是时装店址，或公司、学校的经营地址，都需要认真考虑。

2. 中心商业区寸土寸金

中心商业区也称为都市繁华区，大多位于城市的中心地带，是商业活动的高密度区域，所以房租价位最高，可以说是“寸土寸金”。该区的主导力量是大型自选商场和百货商店，其商品种类多，规格全。由于客流量大，在双休日或节假日有可能出现“人山人海”的场面。所以，如果有足够的资金，在中心商业区租一间铺面，也是值得考虑的。你可以开一家高档时装专卖店或高品质的裁缝店，也可以在大型服装商场中，策划一间“店中店”。

3. 群居商业区也能自成气候

在许多城市，都会有一些一字排开的群居商业区，它们虽然没有中心区那样繁华，但在时装的某一领域却能自成气候。如郑州市健康路为高级白领服饰的天下，光彩一条街则针对都市另类、花季少年，火车站附近的敦睦路是中低档服装批发的专业地带。在群居商业区，时装店开大开小取决于自己的资金能力，但最重要的是销售的产品要对位。

4. 居民小区的服装店割据一方

在现代城市规划建设中有大量的居民小区，一个居民小区就如同一个微缩的小城市，各行各业人员应有尽有。不过，聪明的老板总能研究出它的特点。如有的小区老城搬迁户较多，有的小区政府官员较多，还有一些小区聚居了银行、媒体、教师等人员。因此每个小区的消费水平及文化品位都不相同，开设服装店时，应综合考虑产品的类型和价位档次。一般居民小区不适合经营高级白领的职业服、名牌西装等。居家服、休闲服、运动服也许是更好的选择，这当然与经营环境和人们逛店的心情有关。与居民小区类似，还有一些大型厂矿家属区，其消费对象的定位则更容易把握。

5. 偏僻街道与城市近郊，经营有方引客来

在城市的一些偏僻街道，商店寥落、行人稀少，但房租也更为便宜，是开办外向服务型服装公司的好地方。服装公司虽然地处偏僻，但通过业

务把触角伸向四面八方，完全弥补了街区的偏僻。由于房租便宜，厂地可以更大一些，企业实力与形象也就表现出来了。偏僻街道有一些小院是开办服装学校的最佳位置，学员来自各地，通过广告慕名而来，僻静之处也更有利于专心学习。小型服装加工厂有时就租在家属楼的一层，商务与生活合为一体。

城市近郊适合开办中型服装加工厂，100人左右的生产规模也很可观，老板用交通信息工具与市中心进行“前店”或批发市场联络，廉价的地皮和房租能节约一笔不小的费用。总之，服装店以经营高附加利润的、经营品牌或塑造企业形象的，适合在繁华街区开店；需要场地较大而不需要直接与消费者接触的服装加工厂、服装公司等适合开在偏僻街区或近郊的城乡结合部。

6. 陈列服装商品的妙法

好的陈列首先能引人入胜，使顾客产生兴趣并萌发购买动机。商品的陈列成功，销售也就接近了成功。商品陈列要方便顾客，还要经常变换形式，给人的感觉是该店又推出了新一季节的应季流行款式。

在服装行业快速发展的今天，服装商品的款式、质地、做工、色彩、价格等本身的价值才是最重要的。在当今的形象时代，除了商品本身，似乎还有很多更重要的因素，其中店铺的陈列与布置，也成了直接影响销售和塑造企业形象的大问题。

开家鲜花店

开鲜花批零店最初的投入也是包括了店面租金、装修和进货资金三个部分。投资规模视开店时间及店面租金而定，规模大点的也就一两万元，规模小一点的四五千元即可，开店的技巧主要包括熟悉行情，选择地段，店面布置，经营策略，插花艺术掌握，投资风险等等。

1. **技术掌握**

没有接触过鲜花的人，早就听说插花是门艺术，而作为生活礼仪用花，我们只要掌握一点包、插花技术就行了。首先要了解花语，什么花送什么人，什么场合适合用什么花，开业花篮、花车的制作很简单，一本介绍插花用书便解决问题。熟能生巧，一个多月便什么都行了。

2. **店址**

这是你开批零店的关键。因为零售利润在花卉业中可达50%~80%，零售利润足以满足一月的房租水电、员工工资、税收开支等。从这个角度考虑，店址在医院、酒店、影楼或娱乐城旁，可避免6~9月淡季对整个业绩的影响。另外一方面从扩展批零业绩的提高考虑，因为批发利润大概在10%~30%之间，可将店址选择在花卉市场批发一条街，或花店比较集中的街区。在9月至第二年5月的旺季，所有的花店、买花者都是你的客户，由于顾客购物的从众心理，批发货量大，价格便宜，你会争取到许多别人得不到的生意。同时，别的花店也是你的批发客户。

3. **装修**

花店的装修主要体现在“花团锦簇”这个词，要达到这个目的，只需一个办法，那便是多装有反射功能的玻璃，这样店面空间显得大了，一枝花变两枝花，一束花也变为两束花了，当然为了体现花的艳丽，灯光色彩也很重要，建议可适当选择粉红色灯管点缀。另外作为批零店，可考虑店面前庭适当装修后，后庭作仓库用，以减小装修费用。玻璃门也少不了，这样一做广告效益，二对鲜花也是一种保护。以玻璃为材料的装修，费用低效果好。

4. **进货**

进货渠道是批零店的关键，因为鲜花的质量和价位，是你赢得市场的法宝，找到自产自销的货源，可使你的利润空间得到最大保证。如拥有自己的生产基地，走“价格+质量+服务”的品牌战略，以规范的合同操作，明确双方的责、权、利，以总代理或直销店的形式确保你的利益最大化。

5. **经营策略**

市场日益繁荣的今天，哪里都没有空白市场等你开发，哪一行都有人做，关键看你怎么做，信誉是关键，一靠花卉质量价格，二靠服务质量，批零店如果花卉质量价格由供货商把关的话，作为店主主要靠服务质量。不如先作一个免费送货上门的承诺，无论对于批发商还是零售商，此项售前服务，会为你建立一个逐渐扩大的信誉体系客户群体。

无论哪个城市，星级饭店的鲜花布置，都是一个很好的业务，3~5天更换一期，费用少则几百元，多则几千元，更何况酒店的婚宴、会议、生日宴又很多，无形带来许多生意；影楼、酒吧、歌舞厅也是你开拓业务的市场；与电台合作，累积返还销售，都是你占领市场的法宝。

开家汽车美容装潢店

汽车后继服务市场指的是消费者自购车之日起至若干年后报废之日止，其间若干年之内在该车上的所有花费所引发的商机，称之为汽车后市场。

专家预测，在近20年左右汽车产业会一直是中国国民经济发展的支柱产业之一，将会一直保持较高的发展速度。虽然整车销售利润会呈现下滑趋势，但与汽车相关的售后服务市场却将是上升势头。

许多创业者认为搞汽车服务必须要庞大的投资，其实汽车服务业的资金起点并不像想象中的那么高，独立投资一家汽车服务企业，启动资金在10万~50万元。如经营得法，一般一年左右就可以收回投资，回报率非常高。

1. 市场前景

随着轿车的普及，就像要给新房装修，给汽车做美容装饰的意识已经深入人心。生活中，有90%以上的车主都会为自己的爱车做美容。看看我们周围遍地的大大小小的各种洗车行、美容店有上百家，但真正规模大、档次高的汽车美容店只有三四家。因此，开一家较专业、中等规模的汽车美容店，其前景相当可观。

2. 前期投入

开汽车美容店可以选择自己开店或者加盟连锁店。无论哪种方式，前

期投入主要是房租及设备、进货费用，业内人士建议汽车美容店至少要在100~150平方米，因为面积小的汽车美容店遍地都是，容易让车主失去信任感。而且最好要临街。

如果选择加盟连锁店，在房租及设备、进货费用基础上，需要再交1万~2万元的加盟费用，但可以得到厂家技术、设备、门面、人员及管理等各方面的支持，因此建议对这个行业不是很熟悉的投资者可以选择加盟。

3. 选址

要从车流量、车主是否愿意停下来、车主是否方便三个方面考虑，所以不能选在纯粹的商业区，商业区一般停车困难，而且车主不会在这儿把车停下来进行装潢。最好开在大型住宅区附近，小区的车主来这里既方便又省时。此外，还可以考虑设在加油站和汽修店附近。

4. 经营与利润

开一家100~150平方米的汽车美容装潢店，至少要雇用2名技术人员，4~5名洗车人员和1名用品销售人员。以一辆20万元左右的汽车为例，做一次美容的费用大概在3 000~6 000元，如果再买一些汽车用品，则可以达到8 000~10 000元。汽车装潢美容毛利率在40%左右，而成本主要是房租及人员工资，如果经营到位，9个月到一年的时间可以收回全部成本。

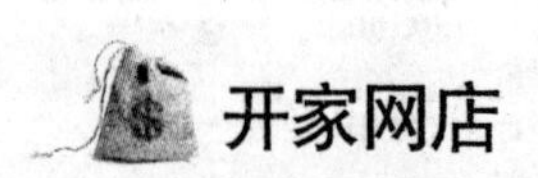

开家网店

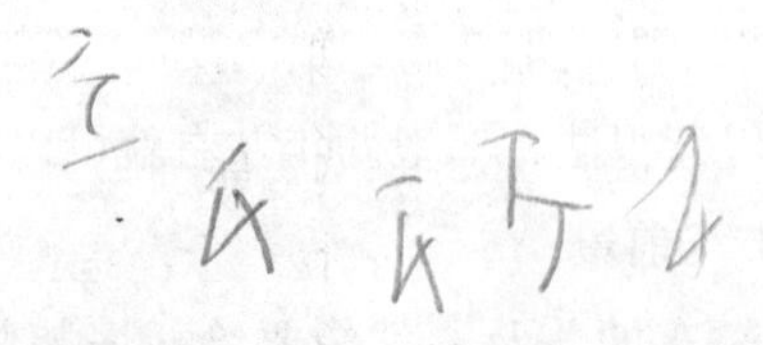

你可以选择到各种商务网站注册个网上商店，你去注册的时候里面都有提示，包括需要什么资料，你将相关证件发过去，几天就行了。经过审核之后就把自己想卖的东西拍些照片放在上面展示。

网上开店的一般流程为：

1. 选择开店平台或者网站

你需选择一个提供个人店铺平台的网站，注册为用户。这一步很重要。

大多数网站会要求用真实姓名和身份证等有效证件进行注册。在选择网站的时候，人气旺盛和是否收费，以及收费情况等都是很重要的指标。现在很多平台提供免费开店服务，这一点可以为你省下不少资金。

2. 向网站申请开设店铺

你要详细填写自己店铺所提供商品的分类，例如你出售时装手表，那么应该归类在“珠宝首饰、手表、眼镜”中的“手表”一类，以便让你的目标用户可以准确地找到你。然后你需要为自己的店铺起个醒目的名字，网友在列表中点击哪个店铺，更多取决于名字是否吸引人。有的网店显示个人资料，应该真实填写，以增加信任度。

3. 进货

可以从你熟悉的渠道和平台进货，控制成本和低价进货是关键。

4. 登录产品

你需要把每件商品的名称、产地、所在地、性质、外观、数量、交易方式、交易时限等信息填写在网站上，最好搭配商品的图片。名称应尽量全面，突出优点，因为当别人搜索该类商品时，只有名称会显示在列表上。为了增加吸引力，图片的质量应尽量好一些，说明也应尽量详细，如果需要邮寄，最好声明谁负责邮费。

登录时还有一项非常重要的事情，就是设置价格。通常网站会提供起始价、底价、一口价等项目由卖家设置。假设卖家要出售一件进价100元的衣服，打算卖到150元。如果是个传统的店主，只要先标出150元的价格，如果卖不动，再一点点降低价格。但是网上竞价不同，卖家先要设置一个起始价，买家从此向上出价。起始价越低越能引起买家的兴趣，有的卖家设置1元起拍，就是吸引注意力的好办法。

但是起始价太低会有最后成交价太低的风险，所以卖家最好同时设置底价，例如定105元为底价，以保证商品不会低于成本被买走。起始价太低的另一个缺点是可能暗示你愿意以很低的价格出售该商品，从而使竞拍在很低的价位上徘徊。如果卖家觉得等待竞拍完毕时间太长，可以设置一口价，一旦有买家愿意出这个价格，商品立刻成交，缺点是如果几个买家都有兴趣，也不可能托高价钱。卖家应根据自己的具体情况利用这些设置。

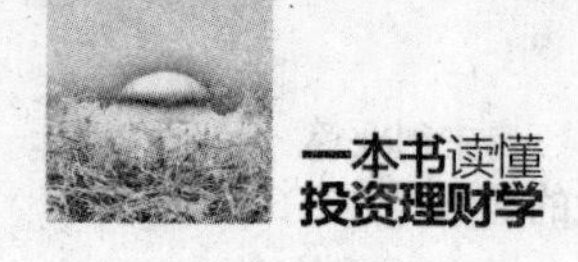

5. **营销推广**

为了提升自己店铺的人气，在开店初期，应适当地进行营销推广，但只限于网络上是不够的，要网上网下多种渠道一起推广。例如购买网站流量大的页面上的“热门商品推荐”的位置，将商品分类列表上的商品名称加粗、增加图片以吸引眼球。也可以利用不花钱的广告，比如与其他店铺和网站交换链接。

6. **售中服务**

顾客在决定是否购买的时候，很可能需要很多你没有提供的信息，他们随时会在网上提出，你应及时并耐心地回复。但是需要注意，很多网站为了防止卖家私下交易以逃避交易费用，会禁止买卖双方在网上提供任何个人的联系方式，例如信箱、电话等，否则将予以处罚。

7. **交易**

成交后，网站会通知双方的联系方式，根据约定的方式进行交易，可以选择见面交易，也可以通过汇款、邮寄的方式交易，但是应尽快，以免对方怀疑你的信用。是否提供其他售后服务，也视双方的事先约定。

8. **评价或投诉**

信用是网上交易中很重要的因素，为了共同建设信用环境，如果交易满意，最好给予对方好评，并且通过良好的服务获取对方的好评。如果交易失败，应给予差评，或者向网站投诉，以减少损失，并警示他人。如果对方投诉，应尽快处理，以免为自己的信用留下污点。

9. **售后服务**

这一点不用多说了，完善周到的售后服务是生意保持经久不衰的非常重要的筹码，经常与客户保持联系，做好客户管理工作。